afgeschreven

TROEBEL WATER

TROEBEL WATER

John Sandford

A.W. Bruna Fictie

Oorspronkelijke titel
Rough Country
© 2009 by John Sandford
Vertaling
Martin Jansen in de Wal
Omslagbeeld
© Lee Avison / Trevillion Images
Omslagontwerp
Studio Jan de Boer
© 2012 A.W. Bruna Uitgevers, Utrecht

ISBN 978 94 005 0054 9
NUR 332

Voor Daniel, op zijn verjaardag

1

De augustushitte nam af tegen het einde van de dag. Om acht uur zou de vollemaan net boven de horizon staan en zou het uitzicht op Stone Lake spectaculair zijn.

Allemaal optisch bedrog, wist McDill. Dat had haar vader haar geleerd. Een vollemaan net boven de horizon was niet groter dan een vollemaan hoog aan de hemel, had hij haar verteld toen ze een jong meisje was en ze samen met hem, hand in hand, in de achtertuin stond. Het was een optische illusie dat de maan dan groter leek. Ze had hem niet geloofd, dus had hij het bewezen door een polaroidfoto van de maan boven de horizon te maken, in de herfst, wanneer hij op zijn grootst, volst en geelst was, en die te vergelijken met een andere foto van de maan hoog aan de hemel. Ze waren inderdaad even groot geweest.

En haar vader was apetrots op zijn bewijs. Hij was per slot van rekening wetenschapper en kende zijn zaakjes.

McDill had een reclamebureau en daarom wist ze dat haar vader zowel gelijk als ongelijk had. Technisch gezien had hij gelijk, maar er viel geen cent te verdienen aan die wetenschap. Maar een dikke, vette, beeldschone maan net boven de horizon, schijnend als een dolle, die zijn gouden licht wierp op wat voor product je ook maar wilde verkopen... Dus donder op met die theorieën over optische illusies.

In de bijna volmaakte stilte gleed McDill door het water. Ze peddelde over het meer in een vierenhalve meter lange Native Watercraft, een hybride kajak met extra stabiliteit. Goed voor een vrouw uit de stad die niet al te veel van boten wist en geen eelt op haar handen had.

De extra stabiliteit had ze vanavond niet nodig, want in de nadagen van de hittegolf was het wateroppervlak zo glad als een spiegel. Het weerbericht had voorspeld dat er in de loop van de avond een windje zou opsteken, maar veel zou het niet voorstellen.

Ze hoorde de beide lepels van de peddel door het water gaan, eerst links, dan rechts, en in de verte, misschien op een van de andere meren, hoorde ze een buitenboordmotor, of een kettingzaag. Maar het geluid was zo ijl, zo onbelangrijk en vluchtig als een nevelflard dat het grensde aan... niets. Waterinsecten zoemden om haar heen nadat ze eerst boven water waren gekomen, zich op het oppervlak hadden afgezet en er een kringetje in hadden achtergelaten.

Ze was driekwart kilometer van het resort geroeid en stuurde in de richting van de kreek. De monding was een opening in een muur van espen, achter een veld van waterlelies en een omgevallen boom waarop vijf schildpadden naast elkaar van de zon zaten te genieten. Ze ploften een voor een in het water toen ze haar zagen, en McDill glimlachte toen ze het zag en hoorde. Na een paar meter peddelde ze de kreek op, die de eerste twintig meter vrij smal was en zich na een bocht verbreedde tot een open plek die was omzoomd met kattenstaarten.

De plas, zoals dit gedeelte werd genoemd, was honderdvijftig meter lang en vijftig meter breed. Aan het eind, waar de kreek zich weer versmalde en de stroming flink toenam, stond een witte pijnboom als een poortwachter tussen de lagere bomen. Boven in de pijnboom was een adelaarsnest en op de meeste avonden zag ze een of beide adelaars wel een keer op het nest landen of ervan opvliegen.

Vanaf het meer, een paar minuten eerder, had ze een van de adelaars zien opvliegen om voor het avondeten te zorgen. Ze peddelde nog een stukje in de richting van de pijnboom in de hoop dat ze de vogel kon zien terugkomen. Ze leunde achterover in het canvas stoeltje, klemde de peddel in de houder aan de zijkant, spreidde haar benen en hing die aan weerskanten over de rand totdat haar voeten in het warme water hingen.

Ze voelde de zon branden op haar rug. Ze pakte de waterdichte tas, haalde er een pakje sigaretten en een aansteker uit, stak een sigaret op en zoog de rook in haar longen.

Perfect. Bijna.

Perfect, als haar gedachten ophielden met malen.

McDill had een reclamebureau, Ruff-Harcourt-McDill, in Minneapolis. Ruff was dood, Harcourt was met pensioen en was er twee weken eerder mee akkoord gegaan dat McDill zijn resterende aandelen zou overnemen, zodat ze vijfenzeventig procent van het totale pakket in handen zou hebben.

Absolute controle.

Beter kon het niet.

Ze had gespeeld met het idee de naam van het bureau te veranderen – Media/McDill, of McDill Group – maar besloot het voorlopig toch zo te laten. Adverteerders kenden RHM en de naam straalde een zekere stabiliteit uit. Die uitstraling van stabiliteit zou ze nodig kunnen hebben wanneer ze...

Ze kon het net zo goed zeggen: wanneer ze haar grote schoonmaak ging houden.

Het bureau was in de loop der jaren bevolkt geraakt met een aantal lijntrekkers, tijdverspillers en trage denkers die beter op hun plaats zouden zijn op een of andere krantenredactie dan bij een trendy reclamebureau. Deze mensen lozen – ze had al een lijst met namen – zou een onmiddellijke winst van twaalf procent en vrijwel geen productieverlies opleveren. Mensen kostten geld. Sommigen van hen leken te denken dat het de taak van het bureau was om ze van een baan te voorzien. Daar vergisten ze zich in en dat zouden ze binnenkort merken. Zodra de overname van de aandelen officieel was, zou ze in actie komen.

Het probleem dat haar dwarszat was de vraag hóé ze het precies moest doen. De huidige creatief directeur, Barney Mann, was een intelligente, scherpzinnige en hardwerkende jongen die ze graag wilde houden, maar juist híj had allerlei contacten en vrienden onder de werkbijen. Hij ging met ze de kroeg in. Hij ging met ze golfen. Een enkeling leende zelfs geld van hem. Ze dweepten met hem, verdomme. Hij was het soort man dat een noodzakelijke koerswijziging in een ordinair potje moddergooien kon veranderen.

En hij had absoluut briljant werk geleverd voor de Mattocks Motor City-campagne, dat stond buiten kijf. Dave Mattocks vond Mann een genie, en de Motor City-account was het laatste belastingjaar goed geweest voor negen procent van de omzet van RHM. Negen procent. Als je een account van die grootte kwijtraakte, verloor je meer dan alleen een account, want dan zouden haar andere klanten zich gaan afvragen waarom dat gebeurd was, of wat er was gebeurd, of ze zouden misschien gaan denken dat RHM op zijn retour was.

McDill wilde Mann graag houden en ze vroeg zich af of hij echt zo'n heilige was. Stel dat ze ergens met hem ging eten en het gewoon aan hem voorlegde: een partnerschap, een optie op tien procent van de aandelen, een miljoen dollar vooraf en geen risico's als de bijl viel.

Ze zou hem zelfs kunnen gebruiken om de klap voor degenen die ze van plan was te dumpen, wat te verzachten. Misschien kon ze hem hoofd van een soort nazorgfonds maken en konden ze de slachtoffers zo nodig een belastingvrij afscheidscadeautje geven, al was het alleen maar om de zielige verhalen over hun lot uit de pers te houden. Het hoefde niet eens zoveel te zijn...

McDill dobberde op het water en dacht erover na.

En uiteindelijk gingen haar gedachten van het bureau naar de komende avond, naar haar stiekeme afspraakje van de vorige avond, en naar Ruth. Ze was Ruth ontgroeid. Ruth had zich geschikt in haar rol van veertig-plus huisvrouw en ze werd alsmaar saaier naarmate haar kont dikker werd. Ze was op dit moment waarschijnlijk thuis, bezig een pompoen-taart of zoiets te bakken.

Op een bepaalde manier, dacht McDill, had de overname van het bureau alles veranderd.

Alles.

Het bureau was hot, zíj was hot.

Het was tijd om ervan te genieten. En dat was wat zij ging doen!

De adelaar kwam terug.

Van bijna een kilometer afstand zag ze hem aankomen, onmiddellijk herkenbaar aan de enorme spanwijdte van zijn onbeweeglijke vleugels.

Toen hij tot ongeveer driehonderd meter was genaderd, zette hij een bocht in, schuin in de kristallijnen lucht als een skiër op een berghelling, en toen vloog hij weg.

McDill vroeg zich af waarom, want de adelaars hadden zich nooit eerder aan haar aanwezigheid gestoord. Bovendien was ze nu verder weg dan ze de vorige avond was geweest, toen ze bijna was doorgevaren tot aan de stam van de pijnboom.

Wat merkwaardig. Had de adelaar iets anders bespeurd?

McDill ging rechtop zitten, liet haar blik over de oever gaan en toen, in de laatste seconden van haar leven, zag ze iets bewegen, fronste haar wenkbrauwen en boog zich naar voren. Wat was dat? Glas dat licht weer-kaatste...

De kogel trof haar in het voorhoofd.

2

Halfzes 's ochtends.

De maan zakte weer naar de horizon en de onderste rand ging al schuil achter de nevelflarden boven het water. Virgil Flowers, achter in een vijfenhalve meter lange Tuffy met een door de Thorne Brothers speciaal voor hem gemaakte *musky*-hengel in zijn hand, keek opzij. Johnson stond voorovergebogen bij de boeg van de boot en draaide de grote acht van de Double Cowgirl met een oranje blinkertje, zijn hengel tot aan de molen in het water.

'Zie je hem nog?' vroeg Virgil, met twijfel in zijn stem.

'Niet meer,' zei Johnson. Hij gaf het op, kwam overeind en trok zijn hengel uit het water. 'Shit. Het zou ook te mooi geweest zijn. De komende vijf minuten zullen we er geen een meer zien.'

'Was het een mooie?'

'Shit, weet ik veel. Ik zag alleen een witte flits.' Johnson keek naar de maan en daarna naar het oosten. Het zou nog een minuut of tien duren voordat de zon opkwam, maar de horizon begon al op te lichten. 'We hebben meer licht op het water nodig.'

Hij plofte neer op het boegbankje en Virgil wierp een kunstaas in de richting van de oever en draaide het over het wateroppervlak ratelend binnen. Hij zag geen enkele reactie en wierp opnieuw uit.

'Met die nevel ziet de maan eruit als namaakchips,' zei Johnson.

'Wat?' Virgil vroeg zich af of hij het goed had verstaan.

'Als een Pringle,' zei Johnson.

Virgil wachtte even met zijn volgende worp en zei: 'Ik wil je niet tegenspreken, Johnson, maar de maan lijkt niet op een Pringle.'

'Jawel,' zei Johnson. 'Het is sprekend een Pringle.'

'Hij lijkt meer op zo'n balletje boter dat je in de Country Kitchen bij je toast krijgt,' zei Virgil.

'Een balletje boter?' Johnson knipperde met zijn ogen, keek op naar de maan en keek Virgil weer aan. 'Heb je weer van die shit gerookt?'

'Hij lijkt in elk geval meer op een balletje boter dan op een Pringle,' zei Virgil. 'Ik vind het gênant om in één boot te zitten met iemand die vindt dat de maan op een Pringle lijkt.'

Slap ouwehoeren was een vereiste als je op musky viste, want ze vingen meestal te weinig om het over vis te kunnen hebben. Johnson tuurde over het meer, over het donkere water, naar het eerste licht dat door de pijnbomen op de oever scheen, de lila en paarse tinten van de hemel in het westen, in een vibrerend contrast met het warme geel van de maan, of die nu op een Pringle of op een bal boter leek. 'Het is hier anders verdomd mooi,' zei hij. 'Gods land, man.'

'En zo is het, Johnson.'

Vermilion Lake, de *Big V*, in het noorden van Minnesota. Ze zwegen enige tijd en deden niet al te veel, want het zou nog een lange dag op het water worden. In de verte voer een boot voorbij met twee mannen erin, die haast leken te hebben. Die waren zeker op weg naar een betere stek, als die al bestond.

Toen de zon opkwam stak er een vederlicht windje op, net genoeg om een trage, geruisloze deining in het groen bij de stroom naar een lager gelegen deel van het meer te veroorzaken. Ze waren nu twee uur op het water en bevonden zich halverwege het meer toen er vanuit het oosten een andere boot naderde, ook met flinke snelheid, die vaart minderde toen hij dichterbij kwam. De twee mannen in de boot, met bleke ovalen als gezicht, keken naar Virgil en Johnson. De boot ging nog langzamer varen en kwam hun kant op.

'Die idioot verjaagt al onze vis,' zei Johnson. Hij had nu geen tijd voor seriemoordenaars of kinderverkrachters, of voor mensen die zijn vis verjoegen.

'Volgens mij is het Roy,' zei Virgil. Roy was de organisator van het vistoernooi.

'Wat?' Roy wist wel beter dan dwars door je viswater te varen.

De man achter in de boot zette de motor af en in een wijde boog kwamen ze in de richting van de Tuffy drijven, totdat ze ernaast lagen.

'Morgen, Virgil. Johnson.' Roy stak zijn hand uit, pakte hun dolboord vast en trok de twee boten tegen elkaar aan.

'Morgen, Roy,' zei Johnson. 'Arnie, hoe gaat het?'

Arnie knikte en spuugde een straal tabakssap in het water. Roy, die er met zijn grijze baard uitzag als een overjarige Hells Angel, maar die indruk werd weer tenietgedaan door zijn roodzwart geblokte houthakkershemd, zei: 'Virgil, ene Lucas Davenport probeert je te bereiken.'

'Heb je tegen hem gezegd dat hij mijn rug op kan?'

Roy grinnikte. 'Dat was ik van plan, totdat hij vertelde wie hij was. Ik moest van hem inbreken in je huisje en je mobiele telefoon opzoeken, aangezien je die nooit bij je hebt als je gaat vissen. Hij had gelijk.' Hij haalde Virgils telefoon uit zijn borstzak en reikte hem aan. 'Sorry.'

'Potverdomme, Roy,' zei Johnson.

'Ik heb hier waarschijnlijk geen bereik,' zei Virgil. Hij zette het toestel aan, zag vier balkjes en Roy keek hem met dansende wenkbrauwen aan. 'Ik zal je dit zeggen, Virgil,' zei Roy, 'er zijn maar weinig dingen in het leven belangrijker voor me dan dit vistoernooi, dus ik weet hoe je je voelt. Maar Davenport zei dat er bij Stone Lake een vrouw is vermoord en dat jij daar moet gaan kijken. Dat schijnt belangrijker te zijn.'

'Ken je die vrouw?' vroeg Johnson.

'Nee, ik niet,' zei Roy.

'Hoe kan ze dan in godsnaam belangrijker zijn dan het vistoernooi?' vroeg Johnson. 'Er gaan voortdurend mensen dood. Moet je je om iedereen bekommeren?'

'Dat zat ik me ook af te vragen,' zei Arnie, en toen tegen Roy: 'Kom op, man, we verliezen vistijd.'

Roy en Arnie voeren weg, Virgil ging zitten en Johnson begon mopperend en mompelend zijn Double Cowgirl te beoefenen in het klotsende water. Virgil drukte op de knop van Davenports thuisnummer en stak een vinger in zijn andere oor. Davenport nam onmiddellijk op.

'Ben je op het meer?' vroeg Davenport.

'Ja, sinds een uur of twee,' zei Virgil. 'We hebben twee vissen gezien.'

'Mooie dag?'

'Perfect.' Virgil keek om zich heen in het ontwakende licht en zag dat hij gelijk had: het was inderdaad perfect. 'Een beetje bewolkt en een zacht briesje, genoeg om ons af te koelen maar niet zo erg dat we omslaan.'

'Virgil, het spijt me echt, man.'

'Wat is er gebeurd?'

'Er is een vrouw doodgeschoten door een sluipschutter, op Stone Lake bij de Eagle Nest Lodge in Grand Rapids. Haar naam is – was – Erica McDill. Ze was de grote baas van Ruff-Harcourt-McDill, een reclamebureau in Minneapolis.'

'Daar heb ik van gehoord,' zei Virgil.

'Dus, twee dingen... ze was belangrijk bij de democraten en de gouverneur wil dat wíj ernaar kijken, ongeacht hoe anderen daarover denken. En de sheriff daar, Bob Sanders, heeft om hulp gevraagd.'

'Wanneer hebben ze haar gevonden?'

'Vanochtend met zonsopgang, anderhalf uur geleden. Sanders kijkt nu naar het lijk.'

'Waar zijn de jongens van Bemidji?' vroeg Virgil.

'In Bigfork, aan het zoeken naar Little Linda,' zei Davenport. 'Daarom heeft Sanders hulp nodig. Al zijn rechercheurs en de helft van zijn hulp-sheriffs zijn ernaartoe. Een vrouwelijke reporter van Fox schreeuwt moord en brand en ze zenden het 's nachts live uit.'

'Ach, jezus.'

Little Linda Pelli, blond haar en blauwe ogen, die met haar ouders in een zomerhuisje verbleef, werd sinds twee dagen vermist. Ze was vijftien, oud genoeg om niet te verdwalen toen ze naar het huisje van een vriendin ging. De weg ernaartoe was niet gevaarlijk en als haar fiets door een auto was geschept, hadden ze die in de greppel langs de weg moeten vinden. Maar Little Linda en haar zwarte Cannondale met achttien versnellingen waren spoorloos verdwenen.

Vervolgens had de vrouw van het plaatselijke hotelletje gemeld dat ze een ongeschoren man met stekeltjeshaar en 'zilveren ogen' langzaam in een aftandse pick-up voorbij had zien rijden. De mensen van de pers waren onmiddellijk door het dolle heen geweest, want zij wisten wat dat betekende: dat een of andere duivel met zilveren ogen en haar dat uit al zijn lichaamsopeningen groeide, Little Linda ergens vasthield, geketend in de kelder van een afgelegen blokhut – een van de zeldzame blokhutten in de omgeving met een kelder – waar hij haar liet kennismaken met al-lerlei duistere rituelen.

'Ja,' zei Davenport. 'Little Linda. Hoor eens, het spijt me echt voor je. Je hebt het al sinds juni over dat vistoernooi, maar ja, niks aan te doen. Dus ga dit oplossen.'

'Ik heb niet eens een auto,' zei Virgil.

'Dan huur je er een,' zei Davenport. 'Heb je je pistool bij je?'

'Ja, ergens.'

'Meer heb je niet nodig,' zei Davenport. 'Bel me als je de dader hebt gepakt.'

'Wacht, wacht nou even,' zei Virgil. 'Ik heb geen idee waar ik moet zijn. Geef me ten minste een routebeschrijving. Er zijn hier wel honderd Stone Lakes.'

'Maak dat je aan wal komt, dan zorg ik voor een routebeschrijving. Ik bel je straks terug.'

Ze voeren terug naar het haventje, waar Virgil de havenjongen zijn legitimatie liet zien en zei: 'We kunnen deze boot nog nodig hebben. Leg hem ergens waar we er meteen mee kunnen uitvaren.'
'Is er iets aan de hand?' vroeg de havenjongen. Hij was een jaar of vijftig, woog amper vijftig kilo en was hier al havenjongen toen Virgil als tiener met zijn vader voor het eerst naar Vermilion was gekomen.
'Daar mag ik niks over zeggen,' zei Virgil. 'Zorg jij nou maar dat die boot voor ons klaarligt. En als er iemand moeilijk doet, zeg je dat het orders van Bureau Misdaadbestrijding zijn.'
'Nooit van gehoord,' zei de havenjongen. 'Van dat misdaadbureau.'
Virgil trok zijn portefeuille, haalde een van zijn drie visitekaartjes eruit en deed er een biljet van tien dollar bij. 'Als iemand je iets vraagt, laat je dat kaartje zien.'

Ze liepen over het parkeerterrein naar Johnsons pick-up, met de grote koelbox tussen zich in. Johnson keek om naar de boot en zei: 'Dat is best handig... dat zouden we vaker moeten doen. Het is net alsof je je eigen parkeerplek hebt.' En daarna: 'Wat gaan we precies doen?'
'Als jij me naar de plaats delict kunt brengen, zou dat mooi zijn,' zei Virgil. 'Als ik het daar heb gezien, verzin ik wel iets. En als het lang gaat duren, ga ik naar Grand Rapids en huur ik daar een auto.'
'Denk je dat we nog aan vissen toe komen?' vroeg Johnson terwijl hij weer omkeek. Iedereen die meetelde in de viswereld was op het meer. Iedereen.
'Man, ik hoop het. Echt,' zei Virgil. 'Maar ik zie het somber in. Misschien moet je een andere maat zoeken.'
Bij de pick-up ontkoppelden ze de boottrailer en lieten die op het parkeerterrein staan, met een zwaar hangslot door het oog. Ze zetten de koelbox op de achterbank, Johnson wierp Virgil de sleutels toe en zei: 'Jij rijdt. Ik ga eerst ontbijten.'

Omdat de airconditioning kapot was, gingen ze met de raampjes open en hun elleboog op het portier op weg naar Highway 1. Ze waren halverwege toen Davenport belde. Hij legde Johnson uit hoe ze bij de Eagle Nest moesten komen, Johnson schreef de instructies op de achterkant van een oude benzinebon, zei Davenport gedag en gaf Virgil zijn telefoon terug. Hij gooide het lege blikje van zijn Budweiser-ontbijt uit het raampje in de greppel, draaide zich om en pakte de wegenatlas van Minnesota van de achterbank. Virgil minderde vaart, stopte, reed achteruit, stapte uit, raapte het bierblikje op en gooide het in de afvaldoos in de laadbak van de pick-up.

'Ik heb het gevonden,' zei Johnson toen Virgil weer instapte. 'We moeten doorsteken over het platteland.'

Hij wees het aan op de kaart en ze reden weer door. Johnson dronk zijn tweede blikje bier leeg en zei: 'Je begint knap irritant te worden met dat oprapen van die blikjes.'

'Ik maak er geen woord meer aan vuil, Johnson,' zei Virgil. 'Als jij ze naar buiten gooit, stop ik om ze op te rapen.'

'Ach, krijg wat,' zei Johnson. Hij hield het blikje ondersteboven, slurpte de laatste druppels eruit en zette het onder zijn stoel. 'Ben je nou tevreden, stomme bomenknuffelaar?'

Virgil was slank, pezig en blond, een surfer met te lang haar voor een smeris en met een voorkeur voor T-shirts van alternatieve rockbands. Zijn shirt van vandaag was van Sebadoh. Met zijn lengte van een meter tweeëntachtig zag Virgil eruit als een goede derdehonkman, wat hij in zijn schooltijd ook een paar seizoenen was geweest; een goede veldspeler met een prima worp, met als enige probleem dat hij met de knuppel geen bal kon raken. Hij maakte zijn studie aan de universiteit af en haalde een doctorsgraad in de ecologische wetenschappen, waar hij – zo bleek later – geen bal aan had. 'Het is geen biologie, het is geen plantkunde, en het is te weinig van beide,' was hem ooit tijdens een sollicitatiegesprek verteld.

Toen hij na zijn studietijd geen werk als ecoloog kon vinden, ging hij bij de militaire politie van het leger, ervan uitgaande dat hij bij de inlichtingendienst terecht zou komen, of bij zo'n speciale eenheid die in zwarte gevechtspakken uit een helikopter sprong.

Nadat hij echter alle tests had gedaan, maakten ze een smeris van hem.

Eenmaal uit het leger zat hij bijna tien jaar bij de recherche van St. Paul, met een percentage opgeloste zaken dat nooit door iemand was overtroffen, en vervolgens was hij ingelijfd door Davenport, het officiële enfant terrible van Bureau Misdaadbestrijding. 'We geven je alleen het ruige werk,' had Davenport hem beloofd, en tot dat moment had hij zijn woord gehouden.

Naast zijn werk had Virgil een goede reputatie verworven met artikelen over de natuur en het buitenleven, waarvoor hij tijdens zijn werk de research deed. En hij had twee artikelen, niet over de natuur maar over een zaak waaraan hij had gewerkt, aan *The New York Times Magazine* verkocht. Dat succes was hem een beetje naar het hoofd gestegen en hij had er zelfs over gedacht een Rolex te kopen.

Het maakte Davenport niet uit dat Virgil met zijn hoofd in de wolken liep, of dat hij zijn research tijdens zijn werk deed, want Virgil gaf hem altijd waar voor zijn geld. Wat hem echter wel zorgen baarde was dat Virgil voortdurend met een boot achter zijn door de overheid betaalde pick-up door het land reed. En dat Virgil soms vergat waar hij zijn pistool had opgeborgen, of dat hij al diverse keren het bed had gedeeld met getuigen van een misdaad die hij onderzocht.

Desondanks stond zijn percentage opgeloste zaken nog steeds recht overeind. En Davenport was een praktisch mens: als iets goed werkte, veranderde je er niets aan.

Maar bezorgd was hij wel.

'Weet je,' zei Johnson, 'dat werk van jou is in zekere zin ook een soort slavenarbeid. Als ze tegen jou zeggen: "Sodemieter het katoenveld in", dan doe je dat. Beste vriend, je hebt je vrijheid verkwanseld voor een vast salaris, en zoveel stelt dat niet voor.'

'Goeie secundaire arbeidsvoorwaarden,' zei Virgil.

'Ja. Als iemand je neerschiet, laten ze je oplappen,' zei Johnson. 'Ik bedoel, je zou een groot schrijver kunnen zijn, met vrouwen die als vliegen om je heen zwermen, in zo'n geruit jasje met suède stukken op de ellebogen en een pijp in je mond. Dan heb je alle tijd voor jezelf, je kunt rondhangen in Hollywood, een filmscript schrijven als je daar zin in hebt, Madonna neuken...'

'Over het algemeen bevalt politiewerk me,' zei Virgil. 'Het bevalt me alleen niet altijd.'

Johnson was een oude visvriend, die Virgil al kende sinds zijn studietijd. Een pezige veteraan vol littekens die hij had overgehouden aan drankgerelateerde ongelukken met voertuigen die uiteenliepen van sneeuwscooters tot trucks en speedboten. Johnson was opgegroeid in de houthandel. Hij was eigenaar van een zagerij in het bosrijke heuvelland in het zuidoosten van Minnesota en gespecialiseerd in hardhouten vloerplaten. Kunstenaars konden voor hun beeldhouwwerken bij hem grote stukken boomstam – essen of kersen – bestellen. Hij was al zijn hele leven een fanatiek sportvisser, kende de Mississippi tussen Winona en LaCrosse als zijn broekzak en was altijd te vinden voor een vistochtje op musky's in of buiten Minnesota.

Johnson droeg altijd een T-shirt en spijkerbroek. Als het wat fris werd, trok hij een sweatshirt over zijn T-shirt aan. Werd het nog frisser, dan trok hij een spijkerjack aan. Werd het koud, dan had hij zijn Cahartt-jack. Werd het nog kouder, dan zei hij: 'Bekijk het allemaal maar' en vloog hij naar de Bahama's met een koffer vol T-shirts en een Speedo-badpak dat hij een *slingshot* noemde.

Nu stuurde hij Virgil over de plattelandswegen tussen Highway 1 en 79 in zuidwestelijke richting, over vlak, groen land waaraan niet veel te zien was, afgezien van een paar lariksen, stukken moerasland en hier en daar een kleine boerderij met een stel paarden. Toen ze in de buurt van de Eagle Nest kwamen, werd het bos dichter, het terrein heuvelachtiger en werden de wegen smaller, en zagen ze tussen de bomen door meertjes met aanlokkelijk blauwzwart water.

'Hoe lang zouden ze erover hebben gedaan om de naam "Eagle Nest" te bedenken?' vroeg Johnson zich af. 'Een seconde of drie?'

'Ze hadden het net zo goed Porcupine Lodge, Dun Rovin, Sunset Shores of Musky Point kunnen noemen,' zei Virgil.

'Je begint chagrijnig te worden,' zei Johnson. 'Op het meer was ik degene die er de pest in had.'

'Ja, nou, ik heb me verdomme het hele jaar kapot gewerkt,' zei Virgil.

'Afgezien van je trips voor je artikelen,' zei Johnson.

'Die tellen net zo goed mee. Dat was ook werk, alleen niet voor de politie.'

'Je moet doen zoals ik,' zei Johnson. 'Ik ben meer het meegaande type. Ik beweeg mee met de stoten, in tegenstelling tot wat fragiele mooie jongens als jij doen.'

'Fragiel,' zei Virgil. 'Smijt maar met dure woorden.'

Johnson grinnikte. 'We naderen een afslag.'

Op weg naar het zuiden had Virgil zich in gedachten een beeld van de Eagle Nest gevormd: een verveloze herberg met een bierreclame voor Rolling Rock boven de bar, en een aanlegsteiger met een schuurtje om de vis schoon te maken. Een twaalftal huisjes van houtplaten tussen de pijnbomen langs de oever van het meer, elk met een aanlegsteiger en een gedeukte aluminium boot, een tuinschuurtje aan de achterkant en de geuren van olie en benzine die zich vermengden met die van natte aarde, rottende bladeren en soms, op windstille avonden, een chemisch toilet. Hoe dit allemaal paste bij een rijke reclamevrouw begreep hij niet precies. Misschien was ze er als kind met haar ouders geweest en had ze er in de jaren daarna een gewoonte van gemaakt.

Toen ze echter waren afgeslagen en de lange oprijlaan naar het hoofdgebouw op draaiden, moest hij dit beeld bijstellen. Virgil had in de laatste dertig jaar overal in het noordelijke bosland gevist, vanaf het moment dat hij oud genoeg was geweest om een hengel vast te houden. Hij meende dat hij alle beste visresorts, die je meestal bij de grote meren aantrof, wel kende.

Van de Eagle Nest aan Stone Lake had hij nog nooit gehoord, maar de keurig geasfalteerde oprijlaan die zich met veel overbodige bochten door een bos met hier en daar een witte pijnboom slingerde, leek de voorbode van iets bijzonders.

Ze reden over een kleine heuvel waarachter het bos zich terugtrok en Johnson riep: 'Wauw! Dat ziet er chic uit.'

Het hoofdgebouw, op een met gras begroeide bult, met uitzicht op het meer, twee verdiepingen hoog en gebouwd van natuursteen, boomstammen en glas, paste in het landschap als een hand in een handschoen. De huisjes langs de oever van het meer waren met dezelfde zorgvuldigheid gebouwd en voorzien van een met glas afgeschermde veranda aan de kant van het meer en een zonneterras boven de veranda. Hier was een dure architect aan het werk geweest, dacht Virgil, maar niet kortgeleden, want alles ademde de sfeer alsof het al langer bestond en heel goed was onderhouden.

Bij de huisjes stonden geen auto's geparkeerd. Toen ze het hoofdgebouw naderden, ging de weg naar links en omlaag, en zagen ze een parkeerterrein dat door een vijf meter hoge groene heg aan het zicht van het hoofdgebouw en de huisjes werd onttrokken. Er stonden vier auto's van de sheriffdienst geparkeerd, plus een stuk of twintig auto's van burgers, en een lijkwagen. Er was nergens een smeris te zien, alleen een medewerker van het resort, die koffers uit een Yamaha Rhino-golfwagentje in een Mercedes Benz-stationcar tilde.

Dieper het bos in, aan de andere kant van het parkeerterrein, zag Virgil de hoek van een groene plaatstalen loods die waarschijnlijk een winkel was. Zowel het parkeerterrein als de winkel was niet te zien vanuit het hoofdgebouw en de huisjes. Mooi gedaan.

'Waar zijn de boten?' vroeg Johnson toen Virgil het parkeerterrein op reed.

'Geen idee,' zei Virgil. 'Aan de andere kant van het hoofdgebouw, denk ik.'

Toen ze uit de pick-up stapten, kwam iemand van het resort naar ze toe, een vrouw van een jaar of veertig in een rood met blauw uniform, en vroeg: 'Kan ik iets voor u doen, heren?'

'Hoe komen we bij het hoofdgebouw?' vroeg Virgil.

'Daar de treden op en dan het pad volgen,' zei ze, en daarna: 'U weet dat het hier alleen voor dames is?'

'We zijn van de politie,' zei Johnson.

'Aha, juist. De sheriff en zijn mensen zijn er al.' En tegen Virgil: 'Bent u ook van de politie?'

Johnson lachte en zei: 'Ja, absoluut,' waarna ze de treden op liepen en het pad van flagstones door het bos volgden.

Het hoofdgebouw en zijn met gras begroeide bult bevonden zich op het hoogste punt van een helling bij een natuurlijke inham in de oever van het meer. In deze inham bevonden zich de aanlegsteigers en ze zagen een variëteit aan vaartuigen: voornamelijk kleine motorboten, maar ook een paar kano's, kajaks en houten roeiboten. Honderd meter meer naar rechts liepen twee vrouwen hand in hand over een smal zandstrand, dat uitkeek over het water met daarin een drijvende steiger, waar vanaf gedoken kon worden.

Op het grote zonneterras zaten ongeveer twintig vrouwen in shirt en spijkerbroek aan de diverse tafeltjes met koffie, de restanten van een croissant of een kom vruchten voor zich, die naar hen keken toen ze naar de balustrade liepen. Beneden, bij de waterkant, stonden twee hulpsheriffs in uniform met elkaar te praten.

Een ober, een magere, bleke jongen met donker haar en een scheiding in het midden, waardoor hij op Johnny Depp hoopte te lijken, haastte zich naar hen toe en vroeg: 'Kan ik iets voor u doen?'

'Ik ben van Bureau Misdaadbestrijding,' zei Virgil. 'Hoe komen we bij de steiger?'

'Ah,' zei de ober. 'Komt u maar mee.'

Hij ging ze voor naar binnen, de trap af, tot bij de dubbele deuren, en wees naar een tegelpad. 'Als u dit pad volgt...'

Het pad krulde zich om een rotsrichel, vlak bij de waterkant, en kwam uit bij de aanlegsteigers. Twee vrouwen, die vanaf het zonneterras niet te zien waren geweest, stonden aan het eind van het pad met hun armen over elkaar te praten en naar de bezigheden van de hulpsheriffs te kijken.

Johnson mompelde: 'Ik ben hier pas tien minuten, maar godsamme, moet je de kleinste van die twee zien. En ze heeft een vissershemd aan.'

Virgil zei, zo vriendelijk als hij kon opbrengen: 'Johnson, probeer je een paar minuten gedeisd te houden, oké?'

'Zo praatte je niet toen je mijn pick-up nodig had, vuile bitch.'

'Johnson...'

De twee vrouwen keken om toen ze kwamen aanlopen. Virgil knikte en zei: 'Hallo, ik ben Virgil Flowers van Bureau Misdaadbestrijding. Ik ben op zoek naar sheriff Sanders.'

'Hij is op het meer,' zei de oudste van de twee, een kordate, stevig gebouwde vrouw met een no-nonsense houding en een vermoeide oogopslag. Ze stak haar hand naar hem uit en zei: 'Ik ben Margery Stanhope, de eigenaar van het resort.'

'Ik wil u graag spreken voordat ik terugga,' zei Virgil. 'Ik zag dat er iemand vertrok toen we hier aankwamen, een vrouw die bagage in een auto laadde. Ik moet weten wie er zijn weggegaan sinds de... het incident.'

'Geen probleem,' zei ze. 'Alles wat we maar kunnen doen om te helpen.'

De jongere vrouw was klein van stuk, had roodbruin haar, was begin dertig, aantrekkelijk, met sproetjes aan weerszijden van haar rechte neusje; zo'n vrouw door wie Johnson misschien te veel ging drinken en poëzie ging voordragen, inclusief de complete *Cremation of Sam McGee*. Virgil had het eerder meegemaakt.

En ze was zo mooi dat Virgils hart zachtjes zoemde en zelfs al een beetje begon te juichen, totdat ze vroeg: 'Ben jij de Virgil Flowers die betrokken was bij het bloedbad in International Falls?'

Zijn hart hield op met zoemen. 'Het was niet echt een bloedbad,' zei Virgil.

'Zo klonk het anders wel,' zei ze.

Stanhope zei: 'Zoe, hou je mond.'

'Ik vind dat we een standpunt moeten innemen,' zei Zoe tegen haar.

'Doe dat dan maar ergens anders,' zei Stanhope. Ze keek langs Virgil naar Johnson en vroeg: 'Ben jij ook van de politie?'

Virgil greep snel in. 'Nee, dit is mijn vriend Johnson. We deden mee aan een vistoernooi op Lake Vermilion toen ik voor deze zaak werd weggeroepen. De mensen die dit normaliter zouden doen, zijn allemaal op zoek naar Little Linda. Johnson is niet van de politie.'

'Aangenaam kennis met je te maken,' zei Stanhope, en ze schudde Johnson de hand. 'Wat was je voornaam ook alweer?'

'Johnson,' zei Johnson.

'O,' zei ze, en ze leek zich af te vragen of ze in de maling werd genomen. 'En je achternaam?'

'Johnson,' zei Virgil. Toen Stanhope hem ongelovig aankeek vervolgde hij: 'Echt waar. Johnson Johnson. Zijn ouweheer heeft hem naar een buitenboordmotor genoemd. Iedereen noemt hem Johnson.'

Zoe leek blij verrast, of vanwege de dubbele naam, of vanwege het idee dat iemand naar een buitenboordmotor was genoemd. 'Dan werd je als kind zeker veel gepest,' zei ze.

'Niet zoveel als mijn broer Mercury,' zei Johnson.

'Nu hou je ons echt voor de gek,' zei Stanhope.

'Nee hoor, het is waar,' zei Virgil. 'Mercury Johnson. Lijdt aan chronische depressies.'

'Goddank heeft ma er na twee kinderen een punt achter gezet,' zei Johnson. 'Pa wilde een dochter, en hij had net een nieuwe 25pk Evinrude gekocht.'

'Ach, ik weet het niet,' zei Zoe. 'Ik vind Evvie best een leuke naam.'

Daar moest Johnson om lachen en aangezien ze een mooie vrouw was, lachte hij te hard. Virgil zei: 'Dames, ik spreek jullie later. Ik moet eerst met de hulpsheriffs praten.'

Stanhope zei met een uitgestreken gezicht tegen Johnson: 'Dit is niet om te lachen. Het is een afschuwelijke tragedie.'

Virgil knikte en zei: 'Natuurlijk is het dat.'

Virgil en Johnson keken naar de aanlegsteiger en Zoe vroeg: 'Ze is dood, hè? Little Linda?'

'Dat weet ik niet,' zei Virgil over zijn schouder, nog steeds een beetje uit het veld geslagen door haar vraag over het bloedbad. 'Ik weet niks van die zaak.'

'Ik vraag me af of die verband houdt met deze moord.'

Virgils interesse was gewekt. 'Heb je een reden om dat te denken?'

'Nee,' zei Zoe. 'Alleen dat er maar twee dagen tijd tussen zit.'

'En zeventig kilometer,' zei Virgil.

'Dus jij denkt van niet?' Ze had warme, goudbruine ogen, dus hij nam haar niets meer kwalijk.

'Nee,' zei hij. 'Er zijn te veel andere mogelijkheden.'

Ze knikte. 'Oké, ik begrijp het. Een beetje domme opmerking van me, hè?'

Stanhope antwoordde voordat Virgil het kon doen. 'Ja, dat kun je wel zeggen.'

Ze liepen de steiger op en Johnson zei: 'Die ouwe heks probeerde me de les te lezen.'

'Regel één als je met goede bekenden van een moordslachtoffer te maken krijgt,' zei Virgil. 'Probeer je lachen in te houden.'

Virgil stelde zichzelf en Johnson voor aan de hulpsheriffs en de ene hulpsheriff zei: 'Jij bent die gast van die schietpartij in International Falls.'

Virgil knikte en zei: 'Daar was ik bij betrokken, ja. Ik heb begrepen dat het lijk is gevonden op een plek die "de plas" wordt genoemd?'

'Man, ik wou dat ik erbij was geweest,' zei de hulpsheriff, zonder antwoord te geven op de vraag. 'Dat moet wat geweest zijn. Mijn vader heeft in Vietnam gezeten, maar hij heeft het artikel over die schietpartij wel honderd keer gelezen. Hij zou dolgraag met je willen kennismaken, dat weet ik zeker.'

Zijn maat zei: 'De sheriff wacht op je. Hij is op het meer. Ze hebben het lijk niet aangeraakt, maar er alleen naar gekeken, en voorkomen dat het wegdreef. We wilden geen sporen wissen. Een van jullie technische teams uit Bemidji is onderweg. Ik kan jullie ernaartoe varen, als je wilt.'

'Wegdreef?' vroeg Virgil. 'Ligt ze in het water?'

'Ja. Ze is in het voorhoofd geschoten en de kogel is er door het achterhoofd weer uit gekomen.' Hij zette zijn vinger op zijn voorhoofd, in het midden, vijf centimeter boven de aanzet van zijn neus. 'Het hoofd is een ravage. Ze is achterover uit de boot gevallen, een soort kajak, maar haar voet bleef klem zitten onder het stoeltje, daardoor is ze niet gezonken. De laatste keer dat ik er was, dreef ze daar nog steeds.'

'Als plaats delict hebben we daar weinig aan,' zei Virgil.

'Nee, inderdaad,' zei de hulpsheriff.

'Wie heeft haar gevonden?' vroeg Johnson.

'De gids. Van het resort. George Rainy. Hij is daar nu ook.'

'Oké, laten we dan gaan,' zei Virgil.

Johnson vroeg: 'Mag ik mee?'

'Van mij wel,' zei Virgil. 'Of je kunt teruggaan en met mevrouw Stanhope op ons wachten.'

'Ik ga mee,' zei hij.

Ze stapten in een van de Lunds, de boot die standaard voor de meren in Minnesota werd gebruikt, Virgil en Johnson voorin, en de tweede hulpsheriff, die Don heette, achterin bij de 25pk Yamaha. Het werd een kort tochtje van nog geen kilometer. Er stonden geen huisjes aan de oever van het meer; wel zag Virgil aan de andere kant een paar huisjes en boothuizen, en ook verder weg. Maar hier, aan de westkant van het resort, liep de oever al snel steil naar beneden en ging bij de kreek over in moerasland. Ze kwamen bij de monding van de kreek en zagen een rij beverburchten, kleine hooibergjes van takjes en twijgjes, en maakten toen een bocht, bukten voor een laaghangende tak, voeren het smalle gedeelte door en kwamen bij de plas.

Bij de rechteroever lagen vier boten met in totaal zeven mensen erin, en Don stuurde die kant op. 'Die met die witte honkbalpet is de sheriff,' zei Don. 'De man die alleen in zijn boot zit is George, de gids. De twee met die groene reddingsvesten zijn van het mortuarium, om het lijk op te halen, en de andere drie zijn hulpsheriffs.'

'Hoe komt het dat George haar heeft gevonden?' vroeg Virgil. 'Weet iemand dat?'

'Gisteren, bij het avondeten, had niemand haar gezien,' zei Don. 'Af en toe koken de gasten in hun eigen huisje, hoewel miss McDill dat nooit deed. Maar goed, ze zijn haar niet meteen gaan zoeken. Pas vanochtend, toen een paar dames een stukje gingen peddelen, zagen ze dat een van de kajaks weg was. Een van hen zei: "Hé, was miss McDill gisteravond niet een stukje gaan varen?" Toen zijn ze teruggegaan en bij haar huisje gaan kijken, maar daar was ze niet, en ze wisten dat ze graag het meer op ging om naar het adelaarsnest te kijken...' Hij wees naar een witte pijnboom aan het eind van de plas, met het nest bovenin, ongeveer dertig meter boven de grond. '... dus is George in een boot gesprongen en hiernaartoe gevaren, en hij heeft haar gevonden. Hij is teruggegaan en toen hebben ze ons gebeld.'

Don zette de motor uit en ze dreven naar het groepje boten toe. Toen ze dichterbij kwamen, ging Virgil staan, keek over de boeg, zag een omgeslagen kajak van olijfgroene kunststof en het witte shirt van het lichaam dat ernaast dreef. De sheriff stond ook op en vroeg: 'Ben jij Virgil?'

'Ja,' zei Virgil, en toen hun dolboorden elkaar raakten schudden ze elkaar de hand. De sheriff was een grote, zwaargebouwde man met een hondengezicht vol kreukels, als een shirt van de vorige dag. Hij droeg een beige uniformhemd, een bruine uniformbroek en zware dienstschoenen die niet geschikt waren voor een boot.

'Ik heb die twee stukken gelezen die je voor *The New York Times* hebt geschreven,' zei hij. 'Best interessant.'

'Dat was niet zo moeilijk... het was een interessante zaak,' zei Virgil.

Sanders stelde de andere hulpsheriffs en George Rainy voor, knikte naar de twee mannen van het mortuarium en zei: 'Zij komen het lijk ophalen.'
'Wat is je indruk?' vroeg Virgil.
'Het ziet eruit als moord,' zei Sanders. 'Het zou misschien zelfmoord kunnen zijn, maar ik kan me bijna niet voorstellen dat een vrouw zichzelf in het voorhoofd schiet. Veel te bloederig. Dus iemand heeft haar beslopen en haar doodgeschoten. Of misschien is het een ongeluk, een verdwaalde kogel, dat kan ook.'
'Het is moord,' zei Virgil. 'Heel misschien zelfmoord, maar een ongeluk is het niet,' vervolgde hij terwijl hij naar de oever keek.
'Waarom geen ongeluk?' vroeg Johnson.
'Te veel bomen,' zei Virgil. 'Ze staan te dicht op elkaar. Je zou dichter naar de waterkant moeten komen om ertussendoor te kunnen schieten. Dan pas kun je haar zien. Het is uitgesloten dat iemand een halve kilometer verderop een geweer afvuurde en dat zij toevallig in de baan van het schot stond. En als het iemand in een boot was die haar hier opwachtte, en beide boten deinden een beetje, dan zou hij heel dichtbij moeten komen om haar te kunnen raken.'
Johnson knikte, keek naar het witte shirt dat als een sluier om het lijk in het water dreef en wendde zijn blik af.
Virgil vroeg aan de sheriff: 'Heb je al een tijdstip van overlijden? Heeft er iemand schoten gehoord?'
'Tot nu toe hebben we nog niemand kunnen vinden.'
Virgil knikte en zei: 'Don, duw ons eens af van de boot van de sheriff, meer naar de kajak toe.'
Ze dreven ernaartoe en Virgil boog zich buitenboord om naar het lijk te kijken. Hij kon het gezicht niet zien, maar wel de enorme schade die aan het achterhoofd was aangericht. Hij keek over zijn schouder en zei: 'Als je geen pistool van een zwaar kaliber op de bodem van het meer vindt, was het een geweer.'
De sheriff knikte. 'Dat dacht ik ook al.'
'Maar laat de mannen van de technische recherche wel naar een pistool zoeken. Als de schutter in een boot zat, heeft hij het misschien overboord gegooid, en ook als het zelfmoord was.' Hij zag geen andere sporen van geweld. Eén schot en de vrouw was dood. Virgil ging rechtop zitten en vroeg: 'Waar is de dichtstbijzijnde weg?'
De hulpsheriffs keken om zich heen en een van hen wees. 'Ik denk dat die daar is, die kant op.'
'Hoe ver weg?'

'Ik schat... driehonderd, vierhonderd meter? Een landweg die om het meer loopt en de kreek kruist, ongeveer, eh... achthonderd meter stroomafwaarts, dan een stukje vlak langs het meer loopt en daarna in een bocht om de huisjes op de westelijke oever. Jullie hebben ze waarschijnlijk gezien toen jullie hier aankwamen.'

'Is het mogelijk om verder de kreek op te peddelen?' vroeg Virgil.

'Nee,' zei de hulpsheriff. 'Ten noorden van de plas ligt het vol rotzooi. Je zou er nog beter doorheen kunnen waden, want zo diep is het daar niet. Maar de bodem is modderig, dus ik weet niet of je er wel doorheen kunt lopen. Volgens mij niet. Niet gemakkelijk in elk geval.'

Ze bleven nog een minuut of tien dobberen en praten. Ze hadden het lijk in het water laten liggen, vertelde de sheriff, omdat er iemand van BM zou komen, wie dat dan ook mocht zijn, die er eerst naar moest kijken en groen licht moest geven. 'Zoveel moorden hebben we hier niet.'

Virgil zei: 'Laat het maar afvoeren. Er is een lichte stroming, dus ze kan iets afgedreven zijn als er vannacht wind stond, maar verder is het onmogelijk te zeggen waar ze zich precies bevond toen ze werd geraakt. Tenzij we ergens bloedspatten vinden.' Hij keek om zich heen en vervolgde: 'Als je een paar man heel langzaam langs de oever laat varen, helemaal vanaf de monding van de kreek tot aan het uiteinde van de plas, en laat kijken of ze bloed op het groen en de waterlelies zien. Als ze daarlangs is gedreven, zijn er misschien bloedspatten te vinden.'

De sheriff knikte naar zijn twee mannen en ze duwden hun boot af.

Terwijl zij in gesprek waren, ontfermden de mannen van het mortuarium zich over het lijk. Ze hadden een zwarte lijkzak meegebracht en bespraken de best mogelijke aanpak om het lijk in de boot te hijsen zonder er rugpijn aan over te houden. Het viel Virgil op dat Johnson niet naar het lijk wilde kijken.

Sheriff Sanders zei: 'We kunnen jullie hulp en die van de andere mensen van BM goed gebruiken. Al mijn mannen zijn met de zaak van Little Linda bezig. Die begint in een nachtmerrie te ontaarden. Linda's moeder is een of ander publiciteitsbeest. Ze houdt persconferenties en heeft een paragnost in de arm genomen. Gek worden we van dat mens.'

'Nog geen spoor van Little Linda?'

'Nee, maar de paragnost zegt dat ze nog leeft. Ze is op een donkere plek, er staan grote stenen om haar heen en ze heeft het koud. En hij ziet mos.'

'Mos?' vroeg Johnson.

'Dat zegt hij,' zei Sanders.
'En nu zijn jullie op zoek naar mos?'

Op dat moment riep een van de hulpsheriffs die een meter of vijftig verderop op zoek waren naar bloedspatten: 'Er drijft hier een pakje sigaretten.' En meteen daarna riep de andere: 'En een aansteker.'
Virgil knikte naar Don, de sheriff zei dat de anderen daar moesten blijven, Don startte de motor en Virgils boot en die van de sheriff voeren
naar de bewuste plek. Daar aangekomen zagen ze een bijna vol pakje
Salem op het water drijven, en een stukje daarachter de onderkant van
een rode plastic Bic-aansteker.
'Rookte ze?' vroeg Virgil.
'Dat weet ik niet,' zei de sheriff.
'We moeten deze plek markeren... misschien is ze hier vermoord.' Hij
wenkte de gids, die naar hen toe kwam varen. 'Heb je markeringsboeien
bij je?' vroeg Virgil.
Rainy zocht achter in zijn boot en vond een boei: een geel plastic ding in
de vorm van een halter met een touwtje en een loden gewichtje eraan.
'Gooi hem hier maar uit,' zei Virgil.
Rainy deed het, het gewichtje zakte naar de bodem om de plek te marke-
ren voor de mannen van de technische recherche.
'Laat de sigaretten en de aansteker maar drijven,' zei Virgil. 'Misschien
kunnen de technische jongens er iets op vinden.' En tegen de hulpsheriffs: 'Blijf naar bloedspatten zoeken.'

Op de plas trokken de mannen van het mortuarium met enige moeite het
lichaam in hun boot. De sheriff zei tegen zijn ondergeschikte: 'Breng me
terug.'
Virgil zei: 'Ik ga even aan de overkant kijken, zoeken naar een plek waar
misschien iemand heeft gestaan. We varen een keer langzaam langs de
oever.'
'Je weet waar je me kunt vinden,' zei de sheriff.

Ze begonnen op de plek waar de plas overging in de kreek en voeren in
wandeltempo. Virgil keek naar de kreek en zoals de hulpsheriff had gezegd lag die vol dode bomen en afgewaaide takken. Hij betwijfelde of je
erdoorheen kon waden, en met een boot ging het helemaal niet. Ze volgden de oever van de plas en tuurden naar de waterkant toen Johnson zei:
'Daar.'

'Waar?'

'Zie je die berk met die dode kroon?' Hij wees naar een veldje met onkruid bij een muur van espen en berken. 'Als je iets naar links kijkt, zie
je een donkere opening in het onkruid. Ik kom dat vaker tegen in het
groen langs de rivier, als er iemand heeft gelopen. Daar, bij die beverburcht.'

'Oké.' Virgil keek om naar de boten bij het lichaam. 'Hij kan haar daar
hebben opgewacht.'

'Een schot van tachtig, hooguit negentig meter,' zei Johnson. 'Met de
loop op een zandzak goed te doen.'

'Het kan ook vijftig meter geweest zijn, en dat ze daarna is afgedreven,'
zei Virgil. 'Toch een goed schot.'

Don zei: 'Zo goed ook weer niet. Tachtig, negentig meter. Dat stelt hier
niks voor.'

'Ik zal je eens wat zeggen,' zei Virgil. 'Hij had één kans, geen oefenscho-
ten, en hij heeft haar precies midden in het voorhoofd geraakt. Waarschijnlijk bewoog ze, of in elk geval een beetje. Hij schoot op een men-
selijk wezen en moest er rekening mee houden dat hij werd betrapt, dat
iemand hem zag en hoe hij ervandoor moest. Als je al die stress bij elkaar
optelt, was het een verdomd goed schot. Hij wist wat hij deed.'

Don keek van de oever naar de boten, daarna weer naar de oever, knikte
en zei: 'Oké, dat is ook wel weer zo.'

Johnson keek naar de beverburcht, een lage hoop takjes en twijgen aan
de modderige waterkant, en zei: 'Bijna onmogelijk om daar vanaf het
water te komen. Je kunt een boot misschien langs die beverburcht wringen, maar zelfs dan...'

Virgil schudde zijn hoofd. 'We kunnen het beter vanaf de kant doen, via
de route die de schutter heeft gevolgd. Die moeten we toch nalopen.' En
tegen Don: 'Breng ons terug naar de sheriff, wil je?'

De mannen van het mortuarium hadden McDill in de lijkzak gelegd en
ritsten die net dicht toen ze terugkwamen. De sheriff keek ze aan en
vroeg: 'En?'

Virgil zei: 'Ik denk dat we een plaats delict hebben.'

3

Nu het lijk uit het water was, voer de sheriff naar zijn twee mannen die op de waterlelies naar bloed zochten en zei dat ze moesten wachten totdat ze door hem werden teruggeroepen, of totdat het technische team arriveerde en ze werden weggestuurd. Daarna vertrokken ze in colonne, met de sheriff voorop, gevolgd door Virgil, Johnson en Don in hun boot, George Rainy, de gids, in die van hem en als laatste de boot met het lijk. Op de plas had Virgils telefoon maar één knipperend balkje gehad, maar toen ze terug waren had hij er weer vier. Zodra Don de motor uitzette en ze naar de steiger dreven, belde hij het kantoor in Bemidji en sprak met de agent van dienst.

'Je zou toch een technisch team onze kant op sturen?'

'Ze hadden er al moeten zijn,' zei de agent. 'Wacht, ik zal ze even bellen.' Na een minuut was hij weer aan de lijn. 'Ze zijn op een afgesloten brug gestuit en moesten een omweg maken. Over tien of vijftien minuten zouden ze bij je moeten zijn.'

'Hebben jullie nog mensen in Bigfork?'

'Ja, nou. Het wordt daar alsmaar erger. Wist je dat Fox erbij is?'

Bij de aanlegsteiger stonden een stuk of tien vrouwen toe te kijken met de mengeling van nieuwsgierigheid en afschuw die je meestal bij moorden ziet. Virgil sloeg het touw om een kikker, trok de boot naar de kant, stapte uit en hield de boot stil zodat Johnson en Don konden uitstappen. Toen de sheriff aan wal was, gaf Virgil hem het nieuws over het technische team door en zei: 'Laten we zo gaan kijken of we het spoor kunnen vinden. De plek waar de schutter van de weg naar de waterkant is gelopen.'

'Goed.'

En tegen Johnson: 'Ga jij naar het hoofdgebouw en kijk of je wat broodjes kunt regelen. Ik barst van de honger.'

'Wat ga jij doen?'

'Ik wil het lijk bekijken,' zei Virgil.

Johnson knikte en liep de steiger af. Virgil liep naar Rainy, die zijn boot aanlegde, en vroeg of hij nog even in de buurt wilde blijven zodat ze straks konden praten. De gids knikte, zei: 'Ja, meneer' en volgde Johnson in de richting van het hoofdgebouw.

De mannen van het mortuarium hadden de lijkzak op de kant getild en Virgil vroeg of ze hem open wilden ritsen. McDill lag op haar rug en haar gezicht zat vol rode vlekken als gevolg van hypostase, de ophoping van bloed in een stoffelijk overschot als gevolg van de zwaartekracht. Ze had ondersteboven in het water gelegen, waarschijnlijk de hele nacht.

De ingangswond in het voorhoofd was zo groot als Virgils pinknagel, maar het bot eromheen was versplinterd, alsof de kogel was geëxplodeerd zodra hij de schedel binnen was gedrongen. De uittredende kogel had de linkerhelft van het achterhoofd weggeslagen, waardoor een deel van de hersenmassa zichtbaar was. Na een nacht in het water zag die eruit als grijze kaas. Virgil had de indruk dat er een geweer van een klein kaliber was gebruikt, een .223, of misschien een .243, met patronen met holle punt. Ze droeg een spijkerbroek en hij stak zijn hand erachter om te voelen of er iets in de kontzakken zat, misschien een portefeuille, maar dat was niet het geval.

'Hebben jullie nog andere verwondingen gezien?' vroeg Virgil.

De mannen van het mortuarium schudden het hoofd. 'Helemaal niks,' zei de een. 'We zullen het nakijken als ze straks op tafel ligt, voordat we haar doorsturen naar de patholoog. Als we iets vinden, hoor je het.'

Het lijk zou voor de autopsie naar het Ramsey County Care Center in de Twin Cities worden gestuurd.

'Oké, rits maar dicht,' zei Virgil. Toen liep hij op zijn hurken als een eend naar de waterkant, boog opzij en spoelde zijn handen af in het water.

Stanhope had hem zien terugkomen en was aarzelend de steiger op gelopen. Toen Virgil zich oprichtte, deinsde ze een stapje achteruit, wendde haar blik af en vroeg: 'Is zij het?'

Virgil knikte en zei: 'Je hoeft hier niet te blijven. Zullen we naar binnen gaan?'

Ze deed nog een stap achteruit, keek weer naar de lijkzak, huiverde en ging hem voor naar de deur van het hoofdgebouw en de trap naar de eerste verdieping op. Virgil vroeg: 'Hebben jullie hier internet?'

'Ja, natuurlijk. In alle huisjes, en hier hebben we draadloos.'

Het kantoor van de Eagle Nest bestond uit drie grote kamers met twee assistentes, houten bureaus met computers en moderne platte beeldschermen, en een stel dossierkasten. Aan de met knotwilghout betimmerde wanden hingen twee opgezette vissen, en het gewei van een eland en ingelijste foto's van vooraanstaande gasten. Aan het gewei hing een Schots geruite damesbaret. Virgil gebruikte Stanhopes computer, opende Google Earth, zoomde in op het meer, vond de plek waar ze het lijk hadden aangetroffen en schoof het beeld opzij tot de weg langs het meer er ook op stond.

'Handig,' zei de sheriff, die over zijn schouder meekeek.

'En het kost niks,' zei Virgil. Hij selecteerde het beeld en printte het.

De sheriff reed voorop en Johnson zat achter het stuur van de pick-up terwijl Virgil een broodje met kaas en salami at. Tussen twee happen door zei Virgil tegen Johnson. 'Je zag wat groen zonet, bij het lijk.'

Johnson knikte en keek uit het zijraampje naar het bos. 'Ik heb je weleens verteld over dat lijk dat ik in de rivier heb gevonden.'

'Al honderdduizend keer,' zei Virgil.

'Meteen nadat ik het had gevonden heb ik de politie gebeld. Iemand van de waterpolitie van Wisconsin kwam naar me toe en hij wist wie het slachtoffer was. Een of andere gast uit Lake City die uit zijn boot was gekukeld.'

'Ja, ja, dat weet ik allang.' Hij spuugde een stukje peper uit het raampje.

'Maar wat ik je níét heb verteld, was dat die smeris het lijk wilde vastleggen totdat we een grotere boot hadden om het te bergen,' zei Johnson. 'Dus hij bindt er een touw aan vast zodat hij het dichter naar de oever kan trekken en aan een boom kan vastbinden. Maar dat lijk lag al een week in de rivier, was helemaal opgezwollen en zat vol met gas, dus toen hij aan het touw trok, werd het lichaam uitgerekt en blies het een enorme gaswolk midden in mijn gezicht.'

'O, gatver,' zei Virgil. 'Weet je wat je in zo'n situatie moet doen? Maar je had zeker geen potje Vicks bij je...'

'Luister nou even,' zei Johnson. 'Wat er gebeurt, ik begin te kotsen. Ik kots alles uit wat ik in me heb en zelfs daarna blijf ik kotsen. Er kwam niks meer uit, alleen spuug, maar ik kon niet meer ophouden. Die smeris kotste ook, en uiteindelijk ben ik weggegaan, terug naar mijn huisje, en al die tijd moest ik maar kotsen. En ik kreeg die stank niet van mijn lijf. Ik nam een douche, waste mijn haar en heb zelfs mijn kleren verbrand, maar ik bleef die stank ruiken, en dan moest ik weer kotsen. Dat heeft een hele week geduurd en daarna, een week of drie later, begon het opnieuw en duurde het weer een paar dagen. Dus weet je, vanochtend dacht ik dat een plaats delict wel interessant zou zijn, maar toen ik haar in het water zag drijven... rook ik die stank weer.'

'Ik heb niks bijzonders geroken, alleen de geur van het water,' zei Virgil.

'Het is ook niet echt,' zei Johnson. 'Het zit in mijn hoofd. Die stank.'

'Daar heb ik weleens van gehoord,' zei Virgil. 'Mensen die een geur of een beeld niet meer kunnen kwijtraken.'

'Het beeld deed me niks... zoveel heb ik toen niet van die gast gezien,' zei Johnson. 'Maar toen ik jou met je gezicht vlak bij haar gezicht zag en ik dat haar om haar hoofd zag zweven, kwam het allemaal terug. Ik begrijp niet dat je dat kan.'

'Het is mijn werk,' zei Virgil.

'Ja, nou...' Johnson zuchtte, reikte achter zich, haalde een blikje Budweiser uit de koelbox en trok het open. 'Ik denk dat je beter een auto kunt huren, Virgil. Ik ga terug naar Vermilion. Ik heb het gehad met die moordshit. Ik dacht dat het interessant zou zijn, maar het is alleen maar smerig.'

Op de plek waar de weg het dichtst langs het meer liep reden ze de berm in. De sheriff en Virgil liepen de ene kant op en Johnson de andere, want Virgil wist dat hij en Johnson een spoor zouden herkennen, maar van de sheriff was hij daar niet zo zeker van. Ze hadden dertig meter over de weg gelopen toen Virgil het zag. 'Daar.' Hij draaide zich om en riep: 'Johnson!'

Johnson dribbelde naar hem toe en Virgil zei: 'Verder dan hier gaan we niet; dat laten we door de jongens van de technische recherche doen.'

Het was uitgesloten dat de moordenaar hier doorheen was gelopen zonder een spoor achter te laten. De bodem was redelijk vast maar vochtig en het groen jong en bladerrijk, van het soort dat gemakkelijk afbreekt en veel in de schaduw van moerasgebieden groeit.

'De grote vraag is waar hij zijn auto heeft gelaten,' zei Virgil. De weg was smal en ze zagen nergens een plek waar je een auto kon parkeren. 'Hij kan hem hier niet neergezet hebben; te veel kans dat iemand hem zou zien.'

De sheriff zei: 'Verderop zijn een paar leegstaande huisjes. Hij kan zijn auto daar hebben neergezet, achter een ervan, uit het zicht. Of stel dat hij het geweer hier heeft gedropt, is doorgereden naar het resort en daar heeft geparkeerd? Je kunt in een kwartier of twintig minuten hiernaartoe lopen. Op een gravelweg als deze kun je een auto van ver horen aankomen. Als je een beetje oplet, kun je op tijd het bos in schieten als er een voorbijkomt.'

'Een onbekende man zou in het resort zeker de aandacht trekken,' zei Virgil. 'Misschien is de dader een vrouw?'

Johnson zei: 'Als het een vrouw is, zeker een die in het resort verblijft, heeft ze McDill misschien gezien toen ze in de kajak het meer op ging. Misschien heeft ze haar zelfs gevraagd waar ze naartoe ging, is snel hierheen gerend en wham!'

Virgil keek het bos in. 'Als dat zo is, kan het geweer hier nog liggen. Tenzij ze gisteravond is teruggekomen om het op te halen, maar dan zou ze een groot risico nemen. Want als iemand haar zag, zouden ze het zich zeker herinneren.'

'We doen navraag bij iedereen die hier langs is gekomen,' zei de sheriff. 'Iedere idioot in een auto.'

Er kwam een auto aan, die ze al hoorden voordat ze hem zagen, en toen hij kwam aanrijden, bleek het een witte bestelbus. 'Het technische team,' zei Virgil.

Het team bestond uit vier man, onder leiding van Ron Mapes, die Virgil voor het laatst had gezien toen ze de moord op een indiaanse politieman van het Chippewa-reservaat in Red Lake onderzochten.

Virgil vertelde ze wat ze tot nu toe hadden gedaan, maakte melding van de markeringsboei op het meer en daarna gingen alle blikken naar het spoor door het bos. 'We hebben gezichtsbescherming en metaaldetectors nodig,' begon Mapes.

Virgil zei tegen Mapes: 'Kunnen jullie nu alvast een kijkje nemen? Om te zien of er iets opvalt? Toen in Red Lake zei je dat de dader klein van postuur was, en dat heeft me in de goeie richting gestuurd.'

'Oké,' zei Mapes.

De teamleden droegen hoge rubberlaarzen, gezichtsbescherming en katoenen handschoenen tegen de muggen, en ze gingen langzaam en zorgvuldig te werk. Ze liepen stapje voor stapje het pad op, gaven hun ogen goed de kost en zochten naar metaal. Terwijl zij hun werk deden, liepen Virgil, de sheriff en Johnson verder de weg op om de opritten te controleren die erop uitkwamen. Die waren onverhard of van grind en ze liepen heuvelopwaarts, naar de jachthuisjes, die gewoonlijk tot aan de herfst leegstonden, vertelde de sheriff.

De mannen van de technische recherche waren een minuut of tien uit het zicht aan het werk geweest toen de anderen terugkwamen, en de sheriff belde Avis op het vliegveld van Grand Rapids om een suv voor Virgil te reserveren. Hij had het gesprek net beëindigd toen ze iemand hoorden terugkomen, en even later zagen ze Mapes, die zich heel behoedzaam langs het spoor door het bos bewoog en nog steeds geconcentreerd om zich heen keek. Zodra hij weer op de weg stond deed hij zijn gezichtsbescherming af en zei: 'Het barst daar van de muggen... de bodem wordt drassiger na honderd meter.'

'En?'

'Ik kan je niet beloven dat het de dader is, maar wel dat het een vrouw is geweest die daar heeft gelopen,' zei Mapes. 'Waarschijnlijk heeft ze er meer dan eens gelopen, of misschien waren ze met zijn tweeën, want de sporen overlappen elkaar.'

'Voetsporen van de verkenning,' zei Virgil.

'Hoe dan ook, tot nu toe hebben we drie gedeeltelijke voetafdrukken gevonden,' zei Mapes, 'zo te zien van een dameslaars of damesschoen. Ik vermoed een schoen, want het is een lage hak. De exacte schoenmaat kan ik je niet geven, want het is vooral de afdruk van de hak die we hebben gevonden, maar zo te zien is de hoofdletter M uit het rubber gestanst, een logo. Een van mijn mannen denkt dat het om schoenen van het merk Mephisto gaat. En Mephisto's, zegt hij, kosten ongeveer driehonderd dollar.'

'Geen alledaagse schoenen dus,' zei Virgil.

'Shit, ik weet niet eens of je ze wel overal kunt kopen, behalve dan in de Cities, bedoel ik,' zei Mapes. 'Hoewel je ze natuurlijk op internet kunt bestellen.'

'Wat nog meer?' vroeg Virgil.

'Nou... niks,' zei Mapes. 'Maar ik vind dit al heel wat.'

'Niks op de beverburcht?'

'Daar zijn we nog niet aan begonnen. Ik ga nu weer verder.'

'Goed werk, Ron,' zei Virgil.

De sheriff keek Virgil aan en zei: 'Het moet iemand van het resort zijn. Een vrouw, met schoenen uit de grote stad.' Sanders maakte een minder gespannen indruk. Het was nu meer een stadsprobleem dan een plaatselijke zaak en daar leek hij wel blij mee te zijn.

'Laten we teruggaan en met Stanhope gaan praten,' zei Virgil. 'En als een van je mannen me daarna een lift naar Grand Rapids kan geven, kan Johnson zijn eigen weg gaan.'

'Regel ik voor je,' zei de sheriff.

Op de terugweg naar het resort zei Johnson: 'Ik heb het gevoel dat ik je aan je lot overlaat.'

'Nee, dat doe je niet,' zei Virgil. 'Dit is jouw werk niet. Ga maar een mooie vis voor me vangen.'

'Ik ga helemaal niks vangen,' zei Johnson somber. Hij boog zich over het stuur en keek naar de blauwe lucht. 'Er rust een vloek op deze trip.'

Bij het resort stapte Virgil uit, pakte zijn weekendtas van de achterbank, liep om de pick-up heen en zei tegen Johnson: 'En blijf van de Budweiser af zolang je onderweg bent.'

'Ja, ja...'

'Ik meen het, Johnson. Er komen verdomme al genoeg dooie mensen op mijn pad.'

Johnson grijnsde. 'Zodra ik de bocht om ben, gooi ik een bierblikje uit het raam. Dat noem ik het Virgil-Flowers-Memorial-blikje. En het blijft tot de eerstvolgende ijstijd in de berm liggen.'

En weg was hij.

Virgil zei tegen Sanders dat hij eerst met Rainy, de gids, wilde praten, daarna met Stanhope, en daarna met de mensen die zij zouden noemen. 'Het kan een tijdje duren,' zei hij.

De sheriff haalde zijn schouders op. 'Tja, het gaat om moord, dus ik neem aan dat het tijd kost.' En na een korte stilte: 'Van George zul je niet veel wijzer worden.'

'O nee?'

'George drinkt,' zei Sanders. 'Elke dag na zijn werk maakt hij een tussenstop bij de drankwinkel, koopt een fles whisky en drinkt die thuis leeg. Hij probeert zich dood te drinken. Daar was hij gisteravond ook mee bezig. Hij was veel te lam om ergens in een hinderlaag te gaan liggen.'

'Heeft hij daar een speciale reden voor, dat drinken?' vroeg Virgil.

'Niet dat ik weet,' zei Sanders. 'Misschien is hij het gewoon zat om hier te zijn.'

Ze troffen Rainy en spraken hem in een vertrek dat 'de bibliotheek' werd genoemd, een kamertje met drie fauteuils, een paar honderd gebonden boeken met door de zon verschoten omslagen, en zes geraniums in roodstenen potten in het raamkozijn. Rainy woonde een kwartier rijden van het resort, in de richting van Grand Rapids maar buiten de stad. Hij werkte op een aantal meren in de omgeving, gidste vissers in de zomer en herten- en berenjagers in de herfst. Hij verdiende honderd dollar per dag plus fooi en was op de dag van de moord op een ander meer aan het werk geweest. De volgende ochtend zou hij met een paar vrouwen het water op gaan om ze te leren te vissen op snoekbaars.

'Toen ik vanochtend de steiger op kwam, renden ze daar al rond als kippen zonder kop. Ze zeiden dat miss McDill het meer op was gegaan en niet was teruggekomen. Dus zeg ik: "Nou, dan zal ik maar even gaan kijken, hè?" Dus ik spring in een boot, vaar ernaartoe en daar was ze. Ik heb niks onderzocht of zoiets... Ik voer de plas op, zag haar en herkende haar onmiddellijk aan de kajak en haar witte shirt.'

'Heb je haar aangeraakt?' vroeg Virgil.

'Shit, nee, ik kijk tv,' zei de gids.

Virgil knikte. 'Oké. Ideeën over wie het gedaan kan hebben?'

Rainy schudde zijn hoofd. 'Nee. Nou... misschien één. Als jullie maar niks tegen miss Stanhope zeggen. Ik moet hier werken.'

'Van mij zullen ze niks horen,' zei Virgil, en de sheriff knikte.

'De vrouwen hier zijn... je weet wel, veel vrouwen hier zijn van de andere kant,' zei Rainy.

Virgil keek naar de sheriff, die met een nauwelijks zichtbaar knikje aangaf dat hij het ermee eens was maar er uit beleefdheid niets over had gezegd.

'Denk je dat ze...?'

Rainy knikte. 'Lesbo's,' zei hij. 'Kijk, je ziet ze in de bars hier in de buurt – in de Goose meestal – en als ze genoeg op hebben, hoor je over de ruzies die er zijn. Niet dat ze op het parkeerterrein met elkaar op de vuist gaan, maar er wordt heel wat geschreeuwd. Ruziën over wie het met wie doet. Dus het zou met seks te maken kunnen hebben.'

'Was miss McDill...?' vroeg Virgil aan de sheriff.

'Geen idee,' zei Sanders. 'Ik weet wel dat er hier ook veel vrouwen komen die níet lesbisch zijn. Margery heeft me weleens verteld dat ze dat doen omdat ze in de vrije natuur de machowereld even willen ontvluchten. Ze hebben geen hekel aan mannen, maar ze willen er gewoon even uit en onder elkaar zijn.'

'Wanneer is dat begonnen?' vroeg Virgil. 'Over wie er al dan niet lesbisch zou zijn?'

'Iemand van de branchevereniging maakte er een opmerking over, en die was haar in het verkeerde keelgat geschoten,' zei de sheriff. 'Ik liep haar toevallig tegen het lijf en toen begon ze erover. We kennen elkaar al sinds de lagere school.'

'O.'

De sheriff grinnikte. 'Je zegt "o" zoals alleen een smeris dat kan.'

'Nee, nee...' zei Virgil, 'maar je vraagt je toch af... als dit door iemand van buitenaf is gedaan, iemand die hier in het resort verbleef, hoe ze wist waar ze precies moest gaan staan. Bij de plas, bedoel ik.'

'Misschien met behulp van Google Earth, net als wij hebben gedaan,' zei Sanders.

'Dat is een mogelijkheid,' gaf Virgil toe.

'En daarna heeft ze de plek verkend,' voegde Sanders eraan toe.

'Of het is iemand uit de omgeving,' zei Virgil.

'Hoor eens,' zei Sanders, 'als je mij zou vragen hoe ik daar moest komen, bij de plas, vanaf de weg, zou ik heel goed op de kaart moeten kijken en misschien wel een kompas moeten gebruiken, en ik woon hier al mijn hele leven. Dus óf de dader kent de omgeving veel beter dan ik, óf ze heeft op Google Earth gekeken. Of op een plattegrond. Of ze heeft gps gebruikt. En ze heeft de plek verkend. Dat geldt zowel voor iemand van buitenaf als voor iemand uit de buurt. Je moet hoe dan ook de plek verkennen.'

'Of het was een hertenjager,' droeg Rainy bij. Virgil en de sheriff keken hem aan. 'Als het gaat vriezen, is het hier best uit te houden. Geen muggen, geen modder. Dan kun je de plas al van een paar honderd meter afstand zien. John Mack heeft een paar jachthutten in de bomen, ongeveer vijf minuten lopen ten westen daarvan. De jongens uit de buurt gebruiken dat stuk bos, van de weg tot aan het meer, om de herten op te drijven, naar Macks jachthutten toe.'

'Daar zullen ze heel wat jongens voor nodig hebben,' zei Virgil.

'Nee, dat valt best mee,' zei Rainy. 'Zoals ik al zei is het zicht dan veel beter. Met zes tot acht drijvers rond het middaguur drijven ze op de eerste dag van het jachtseizoen de herten naar het westen en die komen dan klem te zitten tussen de twee kleine plassen. Hun kinderen, in de boomhutten, schieten er dan altijd wel een of twee. De drijvers zetten hun kinderen op de platforms om ze een paar schoten te laten lossen.'

'Ik zal het in gedachten houden,' zei Virgil. 'Bedankt.'

Voordat ze de bibliotheek uit liepen, boog de sheriff zich naar de gids en zei: 'Zolang je hier werkt, zou ik maar niet te vaak de term "lesbo's" gebruiken.'

Rainy's adamsappel ging een paar keer op en neer. 'Ik zal eraan denken. Ja.'

In de gang van het hoofdgebouw zei Sanders tegen Virgil: 'Ik wil niet dat je de indruk krijgt dat de mensen hier tegen homo's zijn. Sommige vrouwen in het resort zíjn misschien wel lesbisch, maar dat maakt niemand iets uit. Wij willen juist graag dat ze het stadje in gaan, om te winkelen en in de restaurants te lunchen, want deze vrouwen hebben geld. Het resort kost tweeduizend dollar per week en ze blijven vaak langer dan een maand. En niet om met een koeltas vol biertjes op de achterbank van een pick-up te pitten.'

Virgil glimlachte. 'Zoals Johnson en ik, bedoel je?'

'Kijk, ze komen veel in de Wild Goose, zoals George je al vertelde,' zei Sanders. 'Als je tegen Tom Mortensen, de eigenaar, zou zeggen dat hij zijn lesbische clientèle zou kwijtraken, zou hij een acute hartstilstand krijgen. Zij houden hem juist in bedrijf. Hij heeft ze graag en zij komen daar graag. En ze veroorzaken aanzienlijk minder last dan een stel cowboys.'

Ze gingen naar het kantoor om met Stanhope te praten. Zoe, de vrouw die dacht dat Virgil een bloedbad had aangericht, zat te werken aan een computer. Ze droeg een zwarte bibliothecaressenbril, wat inhield dat Virgil vrijwel zeker verliefd op haar zou worden, want hij viel elke keer voor die bijziende intellectuelenlook. Als ze een overbeet had gehad, had hij haar ter plekke ten huwelijk gevraagd.

Stanhope stond achter haar, keek mee over haar schouder en naar het blad papier dat ze in haar hand had. 'Ik weet zeker dat we hem voor de eerste juli hebben betaald,' zei ze. 'De vierde viel op vrijdag, betaaldag, en ik herinner me dat hij er toen niet was voor het vuurwerk, omdat hij altijd helpt met het opzetten...'

'Dan zie je wat het probleem is,' zei Zoe, en ze tikte met haar nagel op het beeldscherm. 'Als hij in juli terecht is gekomen, moeten we hem ook meenemen in de cijfers van het derde kwartaal.'

Stanhope voelde hun aanwezigheid in de deuropening, draaide zich om en zei: 'Hallo. We zijn even bezig met een boekhoudkundig probleem.'

'Als je straks tijd hebt,' zei Virgil, 'zou ik graag willen dat je me meenam naar het huisje van miss McDill, dan kunnen we onderweg een beetje over haar praten.'

'Laten we dat dan maar meteen doen,' zei Stanhope.

De sheriff zei: 'Ik laat dit aan jou over, Virgil. In de tussentijd ga ik met de mensen van de pers praten.'

Virgil knikte. 'Oké, doe dat. En probeer voor mij die lift naar Avis te regelen.'

Zoe zei: 'Mijn kantoor is in de stad. Ik kan je wel brengen, als je wilt. Over een halfuur ben ik hier klaar.'
'Dat zou geweldig zijn,' zei Virgil.

Alle huisjes hadden een naam. Dat van McDill heette Common Loon en het had één slaapkamer, met een extra slaapplek op de vliering, die ook toegang gaf tot het zonneterras.

Verder beschikte het huisje over een apart vertrek dat je als werkkamer kon gebruiken, met een computertafel, een vaste internetaansluiting en instructies op de muur voor een draadloze verbinding, een Xerox-laserprinter, een luxueuze bureaustoel en een telefoon met een binnen- en een buitenlijn. De keuken was klein maar efficiënt ingericht en de zitkamer had een natuurstenen open haard. McDills Macintosh-laptop was gekoppeld aan de vaste internetaansluiting.

'Geen tv,' merkte Virgil op.

'Dat hebben we bewust gedaan,' zei Stanhope. 'Als je tv wilt kijken, kun je dat in de tv-kamer in het hoofdgebouw doen. Het idee erachter is dat je hier juist bent om aan de tv en de dagelijkse sleur te ontsnappen.'

'Maar je moet toch...'

'We hebben gemerkt dat de vrouwen die hier komen de gemiddelde tv-rotzooi spuugzat zijn, maar de meerderheid kan zich ook niet veroorloven zich compleet te isoleren. Het zijn vaak zakenvrouwen die contact met de buitenwereld moeten houden. Het zal je opgevallen zijn dat je mobiele telefoon hier prima functioneert.'

'Inderdaad,' zei Virgil.

'We hebben een energiezuinige signaalversterker in het hoofdgebouw, die is aangesloten op onze antenne – bij de winkel; je kunt hem hier niet zien – die weer in verbinding staat met de zendmast bij de snelweg,' zei Stanhope. 'Dus alle verbindingen zijn aanwezig en voor iedereen te gebruiken, maar je ziet ze niet. We mikken op een uitstraling van het meer rustieke.'

Virgil plofte in de fauteuil en gebaarde haar op de bank plaats te nemen. 'Ik heb een paar vragen die je waarschijnlijk wel kunt beantwoorden.'

McDill was de vorige avond niet gezien, maar dat was niet ongewoon, vertelde Stanhope. Sommige vrouwen brachten de hele dag door op het meer, in de zon, dus dan waren ze aan het eind van de dag bekaf en gingen ze vroeg naar bed. Anderen gingen de stad in, naar een bar die de Wild Goose heette. Dus waar iedereen zich op een bepaald moment precies bevond was moeilijk te zeggen.

'Eerlijk gezegd wist ik niet eens dat niemand haar gisteravond had gezien,' zei Stanhope, 'totdat het vanochtend ter sprake kwam.'

'Was ze sociaal in de omgang?'

'Ach, wat zal ik zeggen... gemiddeld. Ze was eerder bazig dan sociaal. In gesprekken had ze altijd het hoogste woord, maar er komen hier meer vrouwen die zo zijn. Dus wat dat betreft paste ze bij de rest.'

En McDill kwam graag in de Wild Goose.

'Was ze lesbisch?'

'Hm-hm,' zei Stanhope, en ze knikte. 'Ja, dat was ze, maar ze kwam hier niet voor romantiek. Ze had een levenspartner in de Cities – die is op de hoogte gesteld en zal hiernaartoe komen – maar eigenlijk kwam Erica hier om even weg te zijn van alles. Om na te denken. Om te ontspannen. Ze was een van de meisjes die soms te veel dronken. Ik bedoel, ze ging niet echt door het lint, maar je kon haar beter niet laten rijden als ze naar de Goose gingen.'

'Even voor de duidelijkheid: ik heb niks tegen lesbische vrouwen,' zei Virgil, 'maar ik moet het toch vragen. Was ze, voor zover je weet, betrokken bij een of andere stressvolle seksuele escapade?'

Stanhope schudde haar hoofd. 'Voor zover ik weet niet.'

'Geen seksuele concurrentiestrijd met een van de andere vrouwen hier?'

'Volgens mij niet. Ze was hier een week en ze zou nog een week blijven. Ze deed mee met de anderen: 's morgens vroeg yoga, 's ochtends en 's middags boswandelingen en kanoën, maar ik heb nog nooit gemerkt dat ze toenadering tot iemand zocht.' Ze legde haar handen tegen haar slapen en drukte. 'Ik kan het nog steeds niet bevatten. Geloof me, als ik ook maar enig idee had over wat er is gebeurd, zou ik het je onmiddellijk vertellen. Maar ik heb niks gemerkt.'

'Oké. Is er hier weleens eerder iemand omgekomen?'

Ze knikte. 'Twee keer. De ene vrouw was bewust hiernaartoe gekomen om te sterven. Ze was dol op de natuur, en op het resort. Het was in het najaar en we waren al min of meer gesloten. We reden haar met haar rolstoel de steiger op, zodat ze naar het meer kon kijken. Na een paar dagen overleed ze, aan alvleesklierkanker. En we hadden een vrouw die een hartaanval kreeg, vier of vijf jaar geleden. Ze leefde nog toen ze in het ziekenhuis aankwam, maar daar is ze toen overleden.'

Ze praatten nog een paar minuten, maar Stanhope was te zeer van streek door de moord. Haar verwarring was echt, constateerde Virgil, die was te emotioneel om gespeeld te zijn.

Hij stelde zijn laatste vraag. 'Er vertrok iemand toen ik hier aankwam.

Wie was dat?'

'Dorothy Killian, uit Rochester,' zei Stanhope. 'Haar vertrek was gepland. Ik denk niet dat ze interessant voor je is, maar wat weet ik daarvan? Ze is vierenzeventig. Ze zit in een of ander kunstcomité in Rochester en ze hebben morgenmiddag een belangrijke vergadering, dus ze moest wel gaan.'

'Oké,' zei Virgil. 'Nou, als ik hier nog een paar minuten kan rondkijken, dan sluiten we de boel weer af totdat de technische recherche het onderzoek komt doen.'

Stanhope stond op, slaakte een zucht en zei: 'Wat een afschuwelijke gebeurtenis. Ze was nog zo jong. En actief, en intelligent.'

'Geliefd?'

Stanhope glimlachte. 'Nou, ze was geliefd bij de mensen die net zo waren als zij, als je begrijpt wat ik bedoel. Ze was een harde tante. Dus ze schrikte bepaalde mensen af. Maar mensen die succesvol zijn doen dat nu eenmaal.'

Virgil bleef nog tien minuten, om het huisje snel maar grondig te doorzoeken.

McDill had twee grote koffers meegebracht. De ene was leeg; de kleren die erin hadden gezeten hingen in de kast of lagen in de la. De andere was nog voor een deel gevuld: een plastic tas met vuile was, tassen en doosjes met persoonlijke bezittingen, parfum, haarverzorgingsartikelen. Bij geen van de kledingstukken, schoon of vuil, zaten papiertjes in de zakken.

In haar tas zat een dunne portefeuille met ruim achthonderd dollar in contant geld. In een verborgen zijvakje zat een envelop van Wells Fargo met nog eens drieduizend dollar. Hij nam de overige inhoud van de portefeuille door: een nieuwe visvergunning van de staat Minnesota, aangeschaft net voordat ze naar het resort was gekomen, verzekeringspapieren, een kortingspasje van Northwest Airlines, vijf creditcards – hij nam zich voor de saldi en haar andere financiën te checken – een pasje van de Mercedes-Benz-pechservice, lidmaatschapskaarten van een aantal musea waaronder het Minneapolis Institute of Art, het Walker Art Center, het Museum of Modern Art en het Metropolitan Museum of Art in New York, het Norton Simon Museum in Pasadena en het Art Institute of Chicago.

Een liefhebber van kunst.

Tussen deze kaartjes vond hij een dubbelgevouwen stukje karton waarop hij, toen hij het openvouwde, de afdruk van een paar vrouwenlippen in rode lipstick zag, verder niets. Hij legde het kaartje op de ladekast. Interessant.

Ze had een digitale camera. Hij zette het toestel aan en bladerde door de vijfentwintig foto's die ermee waren genomen. De meeste opnamen waren van op en rondom het meer, en zes van in een bar, vrouwen die zich amuseerden, luidruchtig, zoals vrouwen dat doen wanneer ze losgaan en zich veilig omringd weten door een groep vriendinnen.

Hij haalde het geheugenkaartje eruit om de foto's op zijn eigen laptop over te zetten. Hij legde de camera op de kast, naast het kartonnen kaartje, pakte haar sleutelbos, met de grote, zwarte elektronische sleutel met het logo van Mercedes-Benz erop, en stak hem in zijn zak.

Haar laptop was beveiligd met een wachtwoord. Hij probeerde een paar voor de hand liggende en besloot toen de laptop over te laten aan de jongens van het technische team.

McDills telefoon lag naast de laptop op het bureau. Hij zette het toestel aan en zag dat ze in de week dat ze hier in het resort was geweest, zesendertig keer was gebeld, voornamelijk door één nummer in de Cities, regiocode 612, wat de binnenstad van Minneapolis was – het reclamebureau? – en door enkele andere nummers, en dat ze ook zelf had gebeld met een nummer met regiocode 952.

Hij keek op haar rijbewijs. Ze had in Edina gewoond, wat klopte met de 952-code, dacht Virgil. Werk en thuis, dus. Hij pakte zijn notitieboekje en schreef alle nummers op die ze had gebeld terwijl ze in het resort was, en daarna die van de inkomende gesprekken. Lokale nummers kwam hij niet tegen.

Hij dacht daarover na, nam de hoorn van de vaste telefoon op het bureau en kreeg een kiestoon. Juist, ze had met dit toestel dus ook mensen kunnen bellen. Hij zou die gesprekken bij de telefoonmaatschappij opvragen...

Na een laatste blik om zich heen schreef hij een briefje voor het technische team, met uitleg over de lipstick en de camera zonder geheugenkaartje, en legde het op de ladekast.

Hij schreef: *DNA in de lipstick? Wat denken jullie?*

4

Virgil liep terug naar het hoofdgebouw, groette onderweg een paar vrouwen met een knikje, haalde zijn reistas op, vond Margery Stanhope in het kantoor en vroeg: 'Al iets gehoord van de vrienden van miss McDill?'
'Ze belden vanuit de lucht. Ze hebben ervoor gekozen met het vliegtuig te komen, maar dat blijkt langer te duren dan wanneer ze de auto hadden genomen.'
'Misschien kan ik ze van het vliegveld halen?'
Ze schudde haar hoofd. 'Nee. Een van de redenen waarom het zo lang duurt is dat ze blijkbaar de indruk hadden dat het resort diep in de bossen gelegen was. Ze hebben in St. Paul een watervliegtuig genomen, dus ze landen straks op het meer.'
Virgil keek naar buiten. Het meer was niet erg groot, nog geen vierkante kilometer, met eilandjes erin. Heel mooi, maar niet bepaald de ideale landingsbaan. 'Laat je hier vliegtuigen landen?'
'Af en toe,' zei ze. 'Waar sommige mensen niet blij mee zijn, met name een lastige, oudere man die me vanavond zeker zal bellen, gevolgd door iemand van Bosbeheer, morgenochtend.'
'Aha. Nou, als ik je accountant kan vinden...'
'Ze is bij het gereedschapsschuurtje. Als je naar het parkeerterrein loopt...'
'Ik weet waar het is,' zei Virgil. 'Oké, ik spreek je later. Ik wil met de vrienden van miss McDill praten.'
'Heb je al iets ontdekt?'
'Misschien,' zei Virgil, en hij koos voor een raadselachtige glimlach.

Zoe Tull was in gesprek met een latino die bij een werkbank een gedemonteerde onkruidmaaier met een benzinemotor aan het repareren was. Ze zag Virgil, zwaaide en vervolgde haar gesprek met de latino. Virgil haalde McDills sleutels uit zijn zak, drukte op de knop van de portierontgrendeling en zag de lichten van een zilverkleurige SL550 oplichten.
Hij opende het portier aan de bestuurderskant, hurkte en keek naar binnen. De gebruikelijke autorommel: papieren zakdoekjes, een oplader

voor een mobiele telefoon die in de sigarettenaansteker was geplugd, een flesje Off!, een verbanddoos, pepermuntjes, kauwgom, twee lipsticks, een bonnetje van een pinautomaat, met een saldo van 23.241 dollar bij Wells Fargo, pennen, potloden, een chequeboekje, een zakmes, een ledlampje, twee lege colaflesjes, een trui, een katoenen jack, een paraplu en een tiental visitekaartjes in een leren etuitje.

Hij dacht: wat een bende, toen hij Zoe achter zich hoorde zeggen: 'Ze houdt haar auto best netjes.'

Virgil kwam overeind en zei: 'Ik had gehoopt op een afpersingsbriefje. Ben je klaar?'

'Ja. Ik moest nog wat gegevens noteren.'

Virgil keek naar de latino, die weer aan het werk was gegaan met de onkruidmaaier. 'Is hij illegaal?'

'Zou je hem arresteren als dat zo was?' vroeg ze.

Virgil lachte. 'Als ik alle illegale Mexicanen arresteerde die ik tegenkwam, zou ik nergens meer kunnen eten.'

'Nou, hij ís niet illegaal,' zei Zoe. 'Volgens mij laat Margery hier soms weleens een paar illegalen werken, die ze buiten de boeken houdt, maar aangezien Julio hartstikke legaal is, wilde ik het nummer van zijn werkvergunning noteren. Dan denkt de FBI misschien dat we hier een brandschone tent runnen.'

'Ik wil je niet teleurstellen, maar de FBI denkt van niemand dat hij brandschoon is.'

'En geef ze eens ongelijk,' zei ze. 'Ik ken een rechter die de kosten voor het levensonderhoud van zijn vrouw en dochter aftrok van de belasting terwijl ze al drie jaar waren gescheiden en naar Californië waren verhuisd.'

'Heeft hij ervoor gezeten?' vroeg Virgil.

'Hij is er nooit voor gepakt,' zei ze, en ze vervolgde: 'Hij was een cliënt van me. Ik hoorde erover van een bevriende accountant die zijn belastingteruggave doorkeek. Toen hij de rechter ernaar vroeg zei hij: "O, dat wist ik niet." De vuile schoft.'

'Dat schijnt het excuus du jour te zijn als je een ernstige misdaad hebt gepleegd,' zei Virgil.

'Tjonge,' zei ze. 'Hij spreekt Frans.'

Zoe had een rode Honda Pilot met een stalen archiefkluis achter de bestuurdersstoel en een berg lege waterflesjes en ijspapiertjes op de vloer voor de passagiersstoel. Ze borg het dossier op in de kluis, gooide de flesjes en de wikkels op de achterbank en ze vertrokken.

'En, wie heeft het gedaan?' vroeg ze. 'Heb je al een idee?'

'Een paar,' zei hij. 'Maar laten we het niet over de moord hebben. Laten we het over jou hebben. Over je leven en je vriendjes en al die dingen. Goh, mooie schoenen heb je aan. Zijn dat Mephisto's?'

Ze keek hem verbaasd aan. 'Wat?'

'Ik probeer alleen een gezellig gesprekje met je te beginnen,' zei Virgil. Nu hij naast Zoe zat, met zijn schouder bijna tegen die van haar, kon hij haar parfum ruiken, een lichte bloemengeur, een beetje vanilleachtig.

'Virgil, ben je aan de drugs? Is er iets wat ik moet weten?'

'Geen Mephisto's, hè?' Ze keek hem weer aan en tilde haar voet op zodat hij het Nike-logo kon zien. 'Ik zou nog geen Mephisto herkennen als ik er een trap mee tegen mijn gat kreeg,' zei ze.

'Dáár zou pas oorlog van komen,' zei Virgil.

Ze glimlachte en zei: 'Bob Sanders vertelde me dat er vaker oorlog uitbreekt op plekken waar jij komt.'

'Ik ben geschokt,' zei Virgil, met gespeelde verontwaardiging in zijn stem. 'Diep geschokt.'

'Toch kom je niet op me over als iemand die een bloedbad heeft aangericht,' zei ze.

'Dat heb ik ook niet gedaan.'

Ze kwamen aan het eind van de oprijlaan en toen Virgil naar links keek, zag hij het busje van de technische recherche naderen. 'Stop even, wil je? Ik ga even vragen of ze nog iets hebben gevonden.'

Hij sprong uit de auto en toen de chauffeur van het busje hem herkende stuurde hij naar de kant van de weg. Mapes stapte uit aan de passagierskant, met een plastic zakje in zijn hand. Hij gaf het aan Virgil. Virgil hield het op om het beter te kunnen zien.

'Een .223,' zei hij. De koperen huls glom in het licht.

'Hij heeft er niet lang gelegen... ik kon de kruitdamp nog ruiken,' zei Mapes. 'Hij lag in het kreupelhout, vlak bij de oever. De schutter heeft er blijkbaar niet echt naar gezocht, want het ding lag voor het oprapen.'

'Rechts van de plek vanwaar was geschoten? Alsof hij is uitgeworpen door een doorlader?'

'Ja, naar rechts. Maar aan de krasjes te zien is er een geweer met grendelactie gebruikt. Ik stuur Jim...' Hij wees met zijn duim over zijn schouder naar het busje. '... met de huls naar Bemidji om te zien of we er iets af kunnen halen. De andere jongens zijn nog bezig met de beverburcht.'

'Goed gedaan, man.'

'Nou, het ding lag vlak voor mijn neus... zelfs jij zou hem hebben gevonden,' zei Mapes. En na een korte pauze: 'Misschien.'

Virgil gaf hem de autosleutels van McDill en zei: 'Ik wist dat je me zou beledigen, dus ik heb alle sporen in de auto verstoord. Kijk maar of je nog iets kunt vinden.'

Virgil stapte weer in de Honda en vertelde Zoe over de patroonhuls. 'Nu hoef ik alleen nog een geweer en een paar Mephisto's te vinden, en dan zijn we klaar.'

'Kun je aan één huls zien wat voor geweer er is gebruikt?'

'Ik niet, maar het lab. Maar inderdaad, dat kunnen ze zien. Aan de uitwerpsporen. En als we geluk hebben, heeft ze de patroon met haar duim in het magazijn gedrukt en staat er een pracht van een afdruk op. Afdrukken blijven goed zitten op koper.'

'Hm, nou, om te beginnen heb ik geen Mephisto's,' zei ze. 'Waarom vroeg je dat, eigenlijk?'

'Omdat de vrouw die Erica McDill heeft vermoord misschien iemand van hier is, iemand die precies wist hoe en wanneer ze naar de plas moest gaan om McDill daar alleen te treffen. En iemand die misschien Mephisto's droeg.'

'Dacht je dat ík het heb gedaan?'

'Je houdt je in de buurt van het gebeuren op,' zei Virgil. 'Psychopathische moordenaars doen dat ook.'

'Ik hou mij in de buurt van het gebeuren op omdat ik nieuwsgierig ben,' zei ze. 'Bovendien ben ik geen psychopaat. Ik ben hooguit een dwangneuroot.'

'Typisch het antwoord dat een psychopaat zou geven,' zei Virgil. 'De zaak van de nieuwsgierige accountant... een vrouw die bloed als cocktails drinkt.'

Ze wuifde de opmerking weg alsof het een vlieg was. 'Weet je zeker dat de dader een vrouw is?'

'Redelijk zeker,' zei hij.

'En iemand van hier?'

'Dat is een mogelijkheid,' zei Virgil. 'Er zijn goede redenen om aan te nemen dat het iemand van het resort is. Kun je me misschien een paar namen noemen?'

'Nee,' zei Zoe. 'Maar het zet me wel aan het denken.'

'Dat doet het zeker,' beaamde Virgil.

Na een stilte vroeg ze: 'Zou je me al deze dingen eigenlijk wel moeten vertellen?'

'Waarom niet?' zei Virgil. 'Ik heb niks te verbergen.'

'Nou, jeetje, stel dat ik het aan iedereen doorvertel.'

Virgil geeuwde, schoof zijn stoel een stukje achteruit, leunde achterover en deed zijn ogen dicht. 'Je gaat je gang maar,' zei hij. 'Het maakt mij niet uit.'

Bij het vliegveld stopte Zoe bij een plaatstalen loods. Binnen trof Virgil een man met een pilotenpet die op de bank lag te dutten, toen slaperig overeind kwam en vroeg: 'Ben jij die smeris van de staatspolitie?'

'Ja, zoiets,' zei Virgil. Hij huurde een Chevy Trailblazer, haalde zijn weekendtas uit Zoe's auto en gooide hem op de achterbank van de SUV.

'Hoe komt het dat je geen pistool hebt?' vroeg ze door het open autoportier. 'Zijn smerissen niet verplicht een wapen te dragen? Dat heb ik ergens gelezen.'

'Ik weet uit ervaring dat er slechte dingen kunnen gebeuren wanneer je een vuurwapen draagt,' zei Virgil. 'Ten eerste gaat je schouder hangen aan de kant waar je het draagt. In de loop der jaren kan dat tot rugklachten leiden.'

'Ik vraag me af of dit een of andere zinloze poging is om charmant te zijn, of dat je gewoon gek bent,' zei ze.

'Kun je me uitleggen waar de Wild Goose is? Ik wil daar graag rondkijken.'

'Nou, rijd maar achter me aan, dan breng ik je erheen,' zei Zoe. 'Maar het is vooral een vrouwenbar. Je zult je misschien wat eenzaam en opgelaten voelen als je daar bent.'

De Wild Goose was, ongeveer anderhalve kilometer buiten de stadsgrenzen van Grand Rapids, de gemiddelde plattelandsbar in het noordelijke bosland, van gelooide pijnboomstammen met oranje vlekken op een rechthoekige betonnen fundering, een parkeerterrein met vaalgroene gravel, een smalle schoorsteen, een lage, houten veranda aan weerszijden van de voordeur en een uit een boomstam gekerfde staande zwarte beer die de ingang bewaakte, met in een klauw een Amerikaanse vlag.

Op het parkeerterrein aan de voorkant stonden vier auto's, en Virgil zag er om de hoek nog twee staan, waarschijnlijk van de barkeeper en de kok die, zoals bij de meeste plattelandsbars de gewoonte was, hun auto een beetje uit de route hadden gezet om te voorkomen dat dronken klanten er een deuk in reden.

Binnen was de inrichting wat softer dan die van de meeste bars, met veel besloten boxen en slechts enkele vrijstaande tafeltjes, vier krukken bij de bar, een dansvloer met een klein podium, en een jukebox. In drie van de boxen zaten vrouwen: twee in de eerste, drie in de tweede en vier in de derde. Een van de barkrukken werd bezet door een oudere man die in een bijna leeg bierglas zat te staren.

Ze bleven bij de bar staan en Zoe zei: 'Hallo, Chuck' tegen de barkeeper, die Virgil lang maar niet onvriendelijk aankeek. Zoe bestelde een biertje en Virgil nam een Cola Light. Zoe trok haar wenkbrauwen op en vroeg: 'Heb je problemen met alcohol?'

'Nee, ik drink gewoon niet veel,' zei Virgil.

De oude man aan de bar zei tegen Virgil: 'Als je het per se wilt weten, het glas is halfleeg, niet halfvol.'

'Zo te zien is het voor vier vijfde leeg, vriend,' zei Virgil. Ze kregen hun drankjes en liepen ermee naar een box. Virgil liet zijn blik over de vrouwen en het interieur gaan en zag dat de barkeeper naar hem stond te kijken.

'En, wat vind je ervan?' vroeg Zoe.

'Het is een bar,' zei hij met een glimlach. 'Het zal 's avonds wel beter gevuld zijn. Met mensen van de Eagle Point voornamelijk?'

'Eagle Nest.'

'Juist, de Eagle Nest. Voornamelijk vrouwen van het resort. Of een mix van resort en mensen uit de stad, of...?'

'Meer mensen uit de stad dan van het resort. Maar als je in het resort verblijft en je wilt uit, ga je waarschijnlijk hiernaartoe.'

'Lesbisch of hetero?'

'Lesbisch én hetero,' zei Zoe. 'Hetzelfde geldt voor de mensen uit de stad... voornamelijk vrouwen, zowel lesbisch als hetero. Ze voelen zich hier thuis en gieten zich flink vol zonder bang te hoeven zijn dat ze versierd of lastiggevallen worden. Chuck zorgt ervoor dat alles prettig verloopt. En de meeste mannen uit de stad weten inmiddels wel dat dit hun tent niet is.'

'Kom je hier zelf ook?'

'Jazeker,' zei ze. 'Zoals ik al zei is het hier veilig en aangenaam.'

Er kwam iemand binnen, een vrouw met een afgeknipte spijkerbroek, een strak haltertopje, cowboylaarzen, een cowboyhoed en een zonnebril. Ze was klein van stuk maar welgevormd, en ze had haar donkere haar in een enkele vlecht. Op haar gebruinde schouder stond een Marilyn-tatoeage van Andy Warhol. Ze keek een keer in het rond, krabde zich tussen de borsten, kwam naar de bar en vroeg: 'Heb je Wendy gezien?'

'Nee, nog niet geweest.'

'Shit,' zei de vrouw. 'Ze had allang in de Schoolhouse moeten zijn.' Ze zag Virgil en Zoe, haar blik bleef even op Virgil rusten, ging toen naar Zoe en er verscheen een boze trek om haar mond. De twee vrouwen bleven elkaar een paar seconden aankijken en uiteindelijk draaide de laatste zich weer om naar de barman. 'We zijn *Lover Do* aan het opnemen. Als je haar ziet, zeg dan dat we op haar zitten te wachten.'

Virgil keek haar na en toen ze weg was boog Zoe zich naar hem toe en zei: 'Dat is de drummer van de band.'

'En helemaal mijn type,' zei Virgil.

'Dat dacht ik niet,' zei Zoe. 'Ze woont samen met een bandlid.'

'O ja?' zei Virgil, en hij nam een slok cola. 'Nou, misschien gaan ze uit elkaar. Muzikanten leiden vaak een wild leven.'

'Ze woont samen met Wendy, de zangeres,' zei Zoe. 'Het is een vrouwenband.'

O, dacht Virgil. 'Oké.'

'Je hoort te zeggen: "Wat een verspilling."'

'Hé, ik ben een ruimdenkend mens... ik heb aan de universiteit gestudeerd,' zei Virgil. 'Trouwens, zoals jij het vertelt, wordt er weinig verspild.'

'Nee, verdomme.' Zoe sloeg in een keer haar bier achterover.

'Verdomme wat?' vroeg Virgil.

'Nou...' Ze droogde haar lippen met de rug van haar hand. '... Wendy. De zangeres.'

'Is ze goed?'

'Heel goed,' zei Zoe. 'Country, soms een beetje jazz. Maar voornamelijk country. Dixie Chicks, dat soort werk.'

'Dan is ze míjn type zeker niet, lesbisch of niet,' zei Virgil. 'Als ik moest kiezen tussen een hele cd van de Dixie Chicks afluisteren of een pistoolloop in mijn oor steken, dan zou ik goed moeten nadenken.'

'Nou, ze is mijn type wel,' zei Zoe. 'En dat is meteen mijn probleem.'

Virgil bleef haar even aankijken en liet zijn voorhoofd toen op zijn onderarm rusten. 'O nee.'

'Nou, je zou er vroeg of laat toch wel achter zijn gekomen, Virgil,' zei Zoe lachend. 'We kunnen praten en wat met elkaar drinken, maar ik wil niet dat je denkt dat er meer in zit.'

'Verdorie,' zei Virgil.

Hij keek naar de bar en zag de barkeeper glimlachend zijn hoofd schudden, wees op zijn flesje cola en bestelde er nog een. 'Van het huis,' zei de barkeeper toen hij hun drankjes op tafel zette.

'Ik had er wel een scheutje rum in gelust,' zei Virgil.

Virgil zei tegen Zoe: 'Weet je, meestal heb ik het wel eerder in de gaten. Het spijt me als ik je misschien heb beledigd.'

'Nee, nee, niks aan de hand,' zei Zoe. 'Ik heb ook vriendjes gehad. Misschien heb je daarom niks gemerkt. Maar ik... hou meer van vrouwen. Dat is eigenlijk altijd zo geweest, en uiteindelijk heb ik het aan mezelf toegegeven. Maar heel soms voel ik me ook wel tot mannen aangetrokken, hoor. Jij bent bijvoorbeeld een aantrekkelijke man, wat uiterlijk betreft, bedoel ik. Als ik überhaupt op een man val, heeft die meestal sterke vrouwelijke kanten. Zoals jij, met dat lange blonde haar en die verfijnde gelaatstrekken.'

Virgil zei: 'Je wordt bedankt. Mijn psychiater heeft de eerstkomende twee jaar weer genoeg werk.'

'Loop jij bij een psychiater? Kijk, dat vind ik nou interessant. Dat geeft blijk van een onvermoede psychologische gevoeligheid.'

'Ik ga niet naar een psychiater,' zei Virgil. 'Ik loog.'

'O ja?'

'Ja,' zei hij. 'Dat doe ik vaak, liegen.'

Ze zei: 'Sorry. Voor dat lesbische, bedoel ik. Ik wilde je niet misleiden, als ik dat heb gedaan.'

'Geeft niks. Maar die band heeft niet toevallig een hetero saxofonist, hè?'

Hij had haar weer aan het lachen gekregen en vroeg: 'Waarom gebruiken de vrouwen in Minnesota geen make-up? Ik zie hier tien vrouwen van wie de helft, onder wie jij, heel aantrekkelijk is, maar niemand heeft lipstick op. Is dat typisch Minnesota? Zijn we er hier te efficiënt voor? Te geëmancipeerd? Wat is de reden?'

'Er zijn niet veel vrouwen meer die lipstick gebruiken,' zei Zoe. 'Het is zo lastig om het netjes te houden. Het gaat er altijd af. Maar als vrouwen uitgaan, doen ze wel lipstick op.'

'Ook lesbische vrouwen?'

'Misschien minder vaak,' zei ze. 'Maar sommigen wel. De meisjesachtige types.'

Virgil dacht hier even over na en zei: 'Aha, nou, ik moet weer eens gaan. Ik moet met Erica McDills vrienden uit de Cities gaan praten. Bedankt voor de excursie. Misschien kom ik vanavond terug om naar de band te kijken. Dan kan ik zien hoe jouw type eruitziet.'

'Wendy... de slet. Maar als ik een vent was, zou ik een stijve van haar krijgen.'

Virgil lachte en zei: 'Als jij de drankjes nu eens afrekent.'

Buiten, op het parkeerterrein, bracht ze hem naar de Trailblazer en vroeg: 'Vind je het echt niet erg als ik het aan anderen doorvertel? Over dat de dader een vrouw is?'

Virgil haalde zijn schouders op. 'Nee, je gaat je gang maar. Dan hebben ze iets om over te praten. Het komt uiteindelijk toch wel op internet terecht. Maar pas wel een beetje op met tegen wie je het zegt, want we hebben wel degelijk met een gestoorde te maken.'

De mannen van de technische recherche zaten te eten in de Eagle Nest. Mapes zei: 'We denken dat ze een boomstammetje met een dikte van een centimeter of tien als geweersteun heeft gebruikt. Zo te zien heeft ze het er zelf voor neergelegd... om de loop van het geweer erop te laten rusten. Er waren nog een paar stammetjes, waar ze mogelijk met haar armen of handen op heeft geleund. Die hebben we allemaal in plastic zakken gedaan om te onderzoeken op vingerafdrukken en DNA. We hebben geen haren gevonden, maar wel katoenvezels, waarschijnlijk afkomstig van het shirt dat ze aanhad. Geen andere hulzen, dus het lijkt erop dat het bij dat ene schot is gebleven.'

'Is het mogelijk dat er andere hulzen in het water zijn gevallen?' vroeg Virgil.

'Dat hebben we gecheckt met de metaaldetector,' zei Mapes. 'Geen enkele uitslag.'

'Dus we moeten het doen met vingerafdrukken of DNA en de Mephisto's?' vroeg Virgil.

'Op vingerafdrukken zou ik niet rekenen. Ik heb die huls eens goed bekeken, en die zag er schoon en een beetje vettig uit. Als er een afdruk op zat, had ik die moeten zien. Maar, je weet 't nooit. Misschien kan het lab iets tevoorschijn toveren. En ik moet ervan uitgaan dat ze door het moeras is gekomen en wist wat ze deed, dus dat ze waarschijnlijk handschoenen droeg. Bij de waterkant valt het wel mee, maar langs het moeras barst het van de muggen, zoveel dat we bijna niet meer door onze netjes

heen konden kijken. Als ze wist wat ze deed, had ze zichzelf waarschijnlijk goed ingepakt. Dan droeg ze handschoenen en misschien ook een
muskietennetje.'

Virgil liet de etende mannen achter en ging op zoek naar Stanhope. Een
vrouw die hij nog niet eerder had gezien deed net de lichten in het kantoor uit. 'Ze heeft ze meegenomen naar de bibliotheek.'

'Eh, wie...?'

'Die mensen uit de Cities. De vrienden van miss McDill.'

Lawrence Harcourt, wiens naam met het reclamebureau verbonden was
geweest, was een slanke man met kort, wit haar, levendige blauwe ogen
achter een militaristisch stalen brilletje en een gezicht dat opvallend rim-
pelloos was voor iemand van zijn leeftijd. Een facelift? De twee andere
leden van het gezelschap, Barney Mann, de creatief directeur van het
bureau, en Ruth Davies, McDills partner, noemden hem altijd Lawrence,
nooit Larry, en hoewel geen van beiden overdreven veel respect voor
hem toonde, luisterden ze wel aandachtig naar hem wanneer hij iets zei.
Mann was een gedrongen, stevige man met een rood gezicht van de
drank, blond haar dat wit begon te worden en een Australisch accent.
Virgil schatte hem op ongeveer vijfenveertig. Hij was luidruchtig, strijd-
lustig en boos.

Davies was zwaar aangeslagen. Ze huilde niet, maar ze was in de war,
alsof ze het niet kon geloven. Ze was klein van stuk en enigszins vorme-
loos, en met haar bruine haar en stalen brilletje deed ze denken aan een
grijze muis. Haar mond was een dunne, rechte lijn, dus wie het ook was
die McDill het kaartje met de lipstickafdruk had gegeven, Davies was
het in elk geval niet geweest.

Alle drie, concludeerde Virgil nadat ze zich hadden voorgesteld en zijn
eerste vragen hadden beantwoord, reageerden ze puur egocentrisch. Ze
waren niet zozeer geïnteresseerd in de menselijke aspecten van McDills
dood, maar vooral in wat die voor hun toekomst betekende. En vervolgens was het vooral hun imago dat hen bezighield, tot in het absurde,
meende Virgil. Ze hadden ieder met hun eigen auto in amper drie uur van
de Twin Cities naar de Eagle Nest kunnen rijden. In plaats daarvan hadden ze een watervliegtuig gecharterd, waarschijnlijk om de urgentie van
het gebeuren te demonstreren, en alles: ergens met elkaar afspreken, het
charteren van het vliegtuig en de vlucht, had zes tot zeven uur geduurd.

Harcourt nam Virgil eens goed op, kneep zijn ogen een fractie dicht en
vroeg: 'Hebt u ervaring met dit soort onderzoek?'

'Ja,' zei Virgil.

'Hij is degene die al die Vietnamezen heeft gedood,' zei Stanhope tegen de anderen.

Ze staarden hem allemaal aan, en Mann vroeg: 'Hebt u al enig idee wat er gebeurd kan zijn? En wie het heeft gedaan?'

Virgil opende zijn mond om te antwoorden, maar Davies was hem voor. 'Ik wil haar zien. Stel dat ze het niet is.'

'Ze is geïdentificeerd door mensen die haar kenden,' zei Virgil zo vriendelijk mogelijk. 'En de foto op het rijbewijs van Erica McDill komt exact overeen met het gezicht van de vrouw die is gedood.'

'Toch wil ik...' begon ze, waarna ze zich omdraaide en Stanhope haar op de schouder klopte.

Mann zei: 'U zei dat u ideeën had.'

'Na een eerste onderzoek wijst alles erop dat de dader een vrouw is die weet hoe ze met een geweer moet omgaan en die bekend is met de omgeving. Het kan iemand van hier zijn, of iemand van buiten, een gast van het resort. Als ik het motief wist, zouden we dichter bij een duidelijk antwoord kunnen komen.'

Mann wreef met zijn hand langs zijn neus, keek Harcourt aan en zei: 'Dat is niet wat ik had verwacht te horen.'

Harcourt knikte en Virgil vroeg: 'Wat had u dan wel verwacht?'

Hij haalde zijn schouders op. 'Dat dit uit het niets kwam en niemand ook maar enig idee over de mogelijke dader had. Als dat zo was, zou ik u waarschijnlijk het motief kunnen vertellen.'

Virgil hield zijn handen op. 'Ik ben een en al oor.'

Mann zei: 'Op weg hiernaartoe vertelde Lawrence me dat Erica en hij waren overeengekomen dat zij zijn aandelen in het bureau zou overnemen. Ze zou dan ongeveer driekwart van het aandelenpakket in handen hebben, wat haar de totale controle over het bureau zou geven. Sinds Erica echter de leiding heeft overgenomen, heeft ze iedereen laten blijken dat ze het bureau wilde stroomlijnen, het efficiënter wilde maken.'

'Ze wilde mensen ontslaan,' zei Harcourt. 'Wel vijfentwintig of dertig. Veel van deze mensen werken al heel lang voor het bureau. Tot dan toe werden ze beschermd door de raad van bestuur. Erica, als CEO, had de macht ze te ontslaan, maar haar doen en laten zou worden gevolgd door de raad van bestuur, en er zaten al een paar leden in de raad die haar niet erg mochten. Dus daar zou zeker heibel van komen.'

'Hoe dacht u zelf over die ontslagen?' vroeg Virgil hem.

Harcourt deed een stap achteruit, ging in een van de fauteuils zitten en sloeg zijn benen over elkaar. Hoewel hij een spijkerbroek en enkellaarsjes aanhad, viel het Virgil op dat hij sokken tot over de kuit droeg. 'In de meeste gevallen was ik ertegen,' zei Harcourt. 'Enkele mensen zouden we wel kunnen missen, maar ik zag geen reden voor een rigoureuze grote schoonmaak.'

'Maar u was wel van plan uw aandelen aan haar te verkopen?'

Harcourt slaakte een zucht en liet zijn blik over de oude boeken op de planken aan de muren gaan. 'Ik had de aandelen in eerste instantie gehouden omdat ze me een aardig dividend opleverden,' zei hij. 'Maar ik ben eenenzeventig en mijn hart doet het niet al te best meer. Ik moet mijn nalatenschap op orde brengen. Maar een reclamebureau is voornamelijk intellectueel bezit. Het bestaat uit een groep mensen met talent en een verzameling cliënten. In feite bezit je helemaal niks, afgezien van een stel bureaus en stoelen. Zelfs onze computers worden geleased. Dus als ik mijn kinderen mijn aandelen liet erven en Erica kreeg er genoeg van, dan had ze de meest talentvolle mensen kunnen meenemen en haar eigen bureau kunnen beginnen, en dan waren mijn kinderen de pineut. Dan zouden ze geen cent krijgen. Maar een eigen bureau beginnen hield voor Erica ook een groot risico in. Hoge opstartkosten, een kleinere klantenlijst. Dus het was ook in haar belang dat de dingen bleven zoals ze waren. Al die dingen waren voor mij een reden om de aandelen van de hand te doen en voor Erica een reden om ze van me over te nemen. We waren een paar weken geleden tot een akkoord gekomen. Maar we hebben de deal nooit afgerond.'

Mann zei: 'Waar het om gaat is dat we in de Cities met dertig mensen zaten die doodsbang waren dat ze hun baan zouden kwijtraken. Er zitten mensen bij die al vijfentwintig of dertig jaar voor het bureau werken. Die kunnen nergens meer naartoe. Die zijn te oud. Opgebrand. Stel dat iemand van deze mensen, een of meer, haar... nou ja, haar heeft vermoord om dit te voorkomen. Dat was míjn eerste idee toen ik hoorde dat ze was vermoord.'

'Maar zou de dood van McDill de ontslagen ook echt hebben tegengehouden?' vroeg Virgil.

Mann krabde zich op het hoofd. 'Dat weet ik niet. Voor een tijdje in elk geval. Ik weet niet wie haar aandelen nu krijgt. Haar ouders leven nog, geloof ik.'

'Ja, dat klopt,' zei Davies. 'Ik krijg niks. Geen cent.'

'Heeft ze jou helemaal niks nagelaten in haar testament?' vroeg Mann haar.

'Volgens mij had ze geen testament,' zei Davies. 'Ze was ervan overtuigd dat ze eeuwig zou leven.'

'Natuurlijk had ze ergens een testament,' zei Harcourt. 'Ze was veel te... ik wil niet zeggen berekenend, maar te rationeel om geen testament te hebben.'

'Ach, jezus, kom op, Lawrence,' viel Mann uit. 'Die vrouw was zo berekenend als wat.' En tegen Virgil: 'Op kantoor noemden ze haar ST. De stalen trut.'

Virgil keek de man glimlachend aan en vroeg: 'En... stond u ook op de lijst? Om ontslagen te worden?'

'O, nee!' zei Mann. 'En dat heeft ze me wel een miljoen keer verteld.'

'Barney doet alle grote accounts en iedereen is heel blij met hem,' zei Harcourt. 'Als hij zou vertrekken, zou hij zeker een deel van de klanten meenemen.' Hij wachtte even en vervolgde toen: 'Ik had redenen om aan te nemen dat Erica van plan was hem een partnerschap aan te bieden, of een deel van de aandelen.'

Mann hield zijn hoofd schuin. 'O ja? Nou, dat kan ik nu wel schudden.'

Virgil stak zijn handen op. 'En? Wat gaat er nu gebeuren? Met het bureau?'

Mann en Harcourt keken elkaar aan, Mann wendde zich weer tot Virgil en zei: 'Dat weet ik niet.'

Harcourt zei tegen Mann: 'We moeten hier meteen al regelingen treffen en dan teruggaan naar de Cities. We moeten met de raad van bestuur om de tafel gaan zitten. Onmiddellijk. Er moet vóór aanstaande maandag, als de klanten gaan bellen, een nieuw management operationeel zijn.'

'Wat gaat er met mij gebeuren?' vroeg Davies. 'Wat moet ik doen?'

Opnieuw keken Harcourt en Mann elkaar aan. Geen van beiden zei 'ik weet het niet', maar Virgil kon het op hun gezicht lezen, net als Davies.

Virgil haalde zijn notitieboekje tevoorschijn, schreef een paar ideeën op en sprak met Harcourt, Mann en Davies afzonderlijk. Harcourt en Mann zeiden dat ze de vorige dag in de Cities waren geweest en ze gaven Virgil een lijst met de namen van de mensen die dat konden bevestigen. Dus tenzij een van hen een obsessieve leugenaar was, hadden ze een sluitend alibi voor de moord, want de Cities waren gewoon te ver weg om even snel heen en weer te rijden.

Davies had echter geen alibi. Ze was 's morgens ziek geweest, zei ze, en toen ze uiteindelijk uit bed was gekomen, was het al bijna middag geweest. Ze had boodschappen gedaan in een grote supermarkt, waar het niet waarschijnlijk was dat iemand haar had herkend. Thuisgekomen voelde ze zich nog steeds niet lekker – 'Ik had iets verkeerds gegeten, denk ik.' – dus had ze een beetje schoongemaakt, een dvd gekeken en was ze vroeg met een boek naar bed gegaan. De dvd noch het boek verstrekte een elektronisch spoor dat haar aanwezigheid thuis bevestigde.

Toen pas begreep ze de strekking van de vraag en protesteerde: 'Ik zou Erica nooit kwaad doen... ik híéld van haar. Ze was mijn grote liefde. We waren al zes jaar samen. Bovendien weet ik niks van wapens. En ik ben hier nog nooit geweest. Ik weet niet eens waar het precies is gebeurd.'

'Had jij of Erica nog andere relaties? Was die van jullie... Hoe noem je dat... open?'

'Nee... nee, het was geen open relatie,' zei ze. 'Ik bedoel, in het begin misschien wel, toen gingen we allebei nog met andere vrouwen om, als je begrijpt wat ik bedoel...'

'Ja, dat denk ik wel,' zei Virgil.

'... maar toen ik eenmaal bij haar was ingetrokken, waren we elkaar trouw.'

Virgil knikte. 'Juist. Ik geloof je als je zegt dat je Erica nooit kwaad zou willen doen, maar ik moet het toch vragen, want weet je, als er iemand anders was en er was sprake van een seksuele spanning, en als ze zich van die ander probeerde los te maken om bij jou te zijn...'

'Had die ander míj dan niet beter kunnen doodschieten?' vroeg Davies. 'Waarom zou ze degene doden die ze wilde hebben?'

'Omdat je degene doodt die je afwijst,' zei Virgil. 'De liefde doet vreemde dingen met mensen...'

Davies slaakte een diepe zucht. 'O, god, weet je, misschien is er toch iets geweest. Ik denk dat ze ooit een tweede relatie heeft gehad, maar dat ze daar een jaar geleden een eind aan heeft gemaakt.'

'Met wie?'

Ze haalde haar schouders op. 'Dat weet ik niet. Ik durfde het niet te vragen. Ik was bang dat als ik ernaar vroeg, ik haar voor het blok zou zetten. Dus heb ik gedaan alsof mijn neus bloedde en heb ik extra mijn best gedaan voor ónze relatie.'

'Maar je moet toch een vermoeden hebben gehad, van iemand, van een naam...'

Ze zei: 'Nee, ik vermoedde alleen een relatie. Ik weet niet eens of die wel bestond. Misschien had ze het wel moeilijk op haar werk. We spraken nooit over haar werk. Dat wilde ze niet. Onze relatie was voor haar juist een manier om zich los te maken van haar werk. Dus het is mogelijk dat ik het vermoeden van een relatie had, maar dat het in werkelijkheid iets heel anders was. Dus nee, ik kan je geen naam geven, of een verdachte.'

Ze zag er zo uitgeput en verfomfaaid uit dat Virgil haar liet gaan. Mann en Harcourt waren met Stanhope meegegaan om het mortuarium te bellen en te vragen of het stoffelijk overschot al voor de autopsie naar Ramsey County onderweg was en of er nog andere regelingen moesten worden getroffen. Virgil kwam net de gang in lopen toen de deur van Stanhopes kantoor open ging en Mann naar buiten kwam. Hij draaide zich om en liep met grote passen in de richting van de voorkant van het hoofdgebouw. Virgil ging hem achterna en haalde hem in toen hij de bar in liep.

'Meneer Mann...'

Mann keek om en knikte naar de bar. 'Ik moet eerst wat drinken.'

Bij de bar keek de barkeepster hem aan en zei: 'Meneer, er worden hier eigenlijk alleen dames bediend.'

'Geef me verdomme een borrel, juffie,' zei Mann.

'Meneer...' Nog steeds beleefd.

Mann liet haar niet uitpraten. 'Ik ben hier voor Erica McDill. Als je me niks te drinken geeft, sleep ik je voor de rechter wegens discriminatie op zoveel verschillende punten dat je een oude vrouw bent voordat je het gerechtshof uit komt. Een martini, een dubbele, met twee olijven, en ik wil het zien als je hem mixt, want als je erin spuugt, gooi ik je verdomme uit het raam.'

'Hé, rustig aan,' zei Virgil. De barkeepster, met een van boosheid vertrokken gezicht, deed een stap achteruit, pakte de shaker en deed er een paar ijsblokjes in.

'Rustig aan mijn reet,' zei Mann. 'Zodra ik een paar drankjes in mijn kraag heb, huur ik een auto en rijden Harcourt en ik terug naar de Cities. Wat een tijdverspilling. Wat doen we hier eigenlijk? We zijn dáár nodig.'

'Nemen jullie miss Davies mee?'

'Ja, ik denk het wel, als ze dat wil,' zei Mann. Hij keek toe terwijl de barkeepster zijn martini inschonk. 'Jammer dat het zo'n zuurpruim is.'

De barkeepster schoof het glas over de bar en zei: 'Stik er maar in, klootzak.'

Mann grijnsde naar haar en daarna naar Virgil en zei toen: 'Militante barkeepers hebben jullie hier.' Hij nam een slokje uit zijn glas. 'Maar ze maakt een prima martini.' Hij legde met een klap tien dollar op de bar en de barkeepster legde er met een klap vijf dollar wisselgeld naast. Hij schoof de vijf dollar over de rand als fooi.

De barkeepster, met rood geverfd haar, donkere bijgetekende wenkbrauwen en een naamkaartje waarop stond dat ze Kara heette, keek naar het
geld, daarna naar Virgil en zei: 'Jij bent die politieman. Ze zeiden dat je
eruitzag als een surfer.'

'Ja,' zei Virgil.

Mann keek opzij en zei: 'Je hebt inderdaad die surferlook.'

'Best leuk, voor een smeris,' zei de barkeepster, met een half glimlachje
naar Mann.

'Hartstikke leuk,' zei Mann. 'Als ik gay was, zou ik meteen met hem het
nest in duiken.'

'Jongens,' zei Virgil, 'koppen dicht.'

De barkeepster bleef hem even aankijken, knikte net zichtbaar naar het
eind van de bar en liep weg. Mann, die zijn aandacht bij zijn drankje had,
zei: 'Wat een dag.'

'Als jullie straks terugrijden naar de Cities, en dan ga ik ervan uit dat of
mevrouw Davies of meneer Harcourt achter het stuur zit, want jij hebt
gedronken...'

Mann grijnsde weer en zei: 'Je bent een optimist, knul.'

'... dus als jullie straks onderweg zijn, maak dan een lijst van de mensen
die ontslagen zouden worden. Met speciale aandacht voor degenen die
het meest verbitterd zouden zijn, en voor de vrouwen.'

'Denk je echt dat de dader een vrouw is?'

'Tot nu toe is dat het meest waarschijnlijk,' zei Virgil. 'Maar jouw opmerking over de mensen van het bureau neem ik ook serieus. Ik heb erover nagedacht en als je de kaarten van Google Earth bekijkt en weet dat
de mensen van het bureau wisten waar Erica naartoe ging, dat er werd
gepraat over wat ze hier deed, kun je tot een schatting komen. Ik hou het
op fiftyfifty dat de dader iemand van hier of iemand van daar is.'

'Denk je?' Mann likte aan een olijf en stak hem in zijn mond.

'Wat me brengt op mijn volgende vraag: met wie had McDill vorig jaar
een verhouding? Eentje waar ze een jaar geleden een punt achter zette.
Was het iemand van het bureau?'

Er zat nog één slok in het martiniglas en Mann hield het voor zijn mond,
twee centimeter van zijn onderlip, keek enige tijd recht voor zich uit en
dacht na. Uiteindelijk keek hij Virgil aan en zei: 'Dus Ruth wist ervan?'

Dat was geen gok. Hij had uitgevogeld waar Virgil zijn informatie vandaan had. Slimme jongen. 'Ja,' zei Virgil. 'Maar ze weet niet wie het
was.'

'Abby Sexton, redacteur van een woontijdschrift in de Cities,' zei Mann.

'Zij heeft nooit voor het reclamebureau gewerkt, maar haar man, Mark, werkt wel bij ons.'

'Haar man. Juist. Was hij een van de mensen die ontslagen zouden worden?'

'Dat zou kunnen. Het gerucht ging dat Erica Ruth zou hebben verlaten voor Abby, maar dat Abby haar min of meer aan de kant heeft gezet. Ze had haar pleziertjes met Erica gehad, is teruggegaan naar haar man en is prompt zwanger geraakt. Dat stak Erica nog het meest, dat ze zwanger was. Maar goed, Mark werkt op Accountbeheer. Hij is niet slecht, maar ook niet bijzonder. Hem ontslaan zou natuurlijk een leuke manier zijn om wraak te nemen, nu hij net vader is geworden. Want tijdschriften betalen nog niet genoeg om een kanarie te kunnen onderhouden.'

Kara stond aan het einde van de bar en Mann stak zijn wijsvinger naar haar op. Ze hief haar ogen ten hemel en kwam terug om een nieuwe martini te maken.

Virgil haalde zijn notitieboekje tevoorschijn, schreef de naam Abby Sexton erin en vroeg: 'Hoe heet dat tijdschrift?'

Mann zei: '*Craftsman Ceramics* of zoiets. Ze zijn gespecialiseerd in keramiek: tegels, plavuizen, potten en vazen, dat soort dingen.'

'Je bent goed bij de tijd,' zei Virgil. 'Wat zou ik nog meer moeten weten?'

'Geen idee. Dat van Abby zou ik er niet mee in verband hebben gebracht, want ik denk niet als een smeris. Maar ik neem dit heel zwaar op, deze moord. Als ik nog iets bedenk, bel ik je.'

Virgil knikte en zei: 'Bedankt. Ik bel jou morgen voor die lijst. En als je een telefoonnummer van Abby Sexton voor me kunt vinden, zou dat helemaal meegenomen zijn.' Hij draaide zich om en knikte even naar Kara, liep toen de bar uit, sloeg links af en liep naar de toiletten.

Even later kwam de barkeepster de gang op, bleef vlak voor hem staan en fluisterde: 'Dit kan me mijn baan kosten, en banen als deze vind je niet gauw. Hier in elk geval niet. Dus ik zou het op prijs stellen als je... nou ja, je weet wel.'

Virgil knikte. Hij was net als de Associated Press: bronnen genoeg, maar altijd anoniem.

'Ik zag je met Zoe, toen je in haar auto stapte,' zei Kara. 'Wist je dat ze lesbisch is?'

'Ja.'

'Nou, waar het om gaat is dat ik haar graag mag – ik ben hetero, trouwens – maar ik vind dat je moet weten dat Zoe twee korte, eh... romances heeft gehad met ene Wendy Ashbach, een countryzangeres uit Grand Rapids.'

'Die in de Wild Goose optreedt,' zei Virgil.

Ze knikte. 'Heeft Zoe je dat verteld? Maar goed, Wendy heeft al eeuwenlang een vriendin, ene Berni Kelly...'

'De drummer?'

'Ja. Nou, je bent slimmer dan je eruitziet, als je dat allemaal al weet.'

'O... dank je,' zei Virgil. 'Dus er is een soort liefdesdriehoek met Zoe, Berni en Wendy.'

'Tot eergisteravond,' zei Kara. 'Toen is het een rechthoek geworden. Of een vijfhoek.'

'O ja?'

'Er waren een stel vrouwen in de bar blijven hangen, het was bijna sluitingstijd en er werd flink gezopen. Het is mijn taak om te blijven tot de laatste klant vertrokken is. Dus het was laat toen ik buiten kwam en naar mijn auto liep. Op dat moment zag ik miss McDills auto het parkeerterrein op draaien. Ze kon mij niet zien, want ik stond helemaal aan de andere kant, waar de auto's van het personeel altijd staan. Miss McDill en Wendy Ashbach stappen uit de auto, lopen ervan weg, miss McDill blijft opeens staan en pakt Wendy vol op de mond. En Wendy doet vrolijk mee. Ze staan daar een tijdje te vozen, wat me best een beetje opwond, moet ik toegeven, en daarna verdwenen ze in het donker naar miss McDills huisje. Ik weet niet wat er de volgende ochtend is gebeurd, of ze heel vroeg stiekem naar buiten zijn gekomen, of wat dan ook.'

'En je hebt dit aan niemand verteld?' vroeg Virgil.

'Nee, maar als iemand ze de volgende ochtend had gezien, zou iedereen het inmiddels weten,' zei Kara. 'De meeste lesbische vrouwen kennen Wendy, omdat ze een lekker ding is en op vrouwen valt, en als McDill haar in bed had gekregen, zou iedereen dat buitengewoon interessant vinden.'

'Aha.'

'Dat is precies wat ik ook dacht. Aha.' Ze keek de gang in. 'Ik moet gaan...'

'Zeg, Kara, praat er met niemand over. Er loopt hier een gestoorde moordenares rond en je kunt maar beter niet haar aandacht trekken.'

'Je meent het, Sherlock,' zei ze. 'Mijn achternaam is Larsen. Ik sta in het telefoonboek van Grand Rapids. Als je me meer vragen wilt stellen, bel me dan. Maar doe het niet als ik hier aan het werk ben, oké?'

Virgil vond Margery Stanhope in het kantoor. Ze was alleen en zat uit het raam naar het donkere water van het meer te staren. Toen Virgil binnenkwam draaide ze haar stoel om en vroeg: 'Heb je de dader gevonden?'

'Nog niet. Margery, als je iets wist wat licht op deze zaak zou werpen, of als er in de afgelopen paar dagen iets opmerkelijks met miss McDill was gebeurd, als ze zich anders dan anders had gedragen, dan zou je het me toch vertellen, hè?'

Ze zei: 'Er is iets gebeurd. Wat is er gebeurd? Waarom vraag je dat?'

'Ik vraag me af wie eergisteren de nacht in McDills huisje heeft doorgebracht en waarom niemand me daarover heeft verteld,' zei Virgil.

Stanhope ging rechtop zitten. 'Eergisteren? Daar weet ik niks van. Ik bespioneer de gasten niet... maar ik zou ervan gehoord moeten hebben. Als het waar is, zou ik ervan weten.'

'Denk je dat het niet waar is? Ik heb het uit betrouwbare bron.'

Ze zei: 'Ik zal ernaar informeren. Ik kom er wel achter.'

'Doe dat,' zei Virgil. 'Hier heb je mijn mobiele nummer. Je kunt me altijd bellen.'

5

Om negen uur reed Virgil in het donker het resort uit en belde Zoe Tull. Ze nam op en hij hoorde zwoele, Norah Jones-achtige muziek op de achtergrond. 'Ga je vanavond naar de Wild Goose?' vroeg hij.

'Dat zou ik kunnen doen, maar ik blijf er meestal weg op de avonden dat Wendy optreedt. Want dan komt ze altijd naar me toe om me in mijn tieten te knijpen... als je begrijpt wat ik bedoel.'

'Nee, dit is nieuw voor me. Ik bedoel, ik heb zelf ook weleens in tieten geknepen, zowel menselijke als die van een koe, maar...'

'Ze komt naar me toe, maakt een praatje met me, doet alsof er niks aan de hand is en we nog steeds de beste vriendinnen zijn, en dan confronteert ze me weer met Berni,' zei Zoe.

'Berni de drummer? Die met die cowboylaarzen en die mooie je-weet-wels?'

'Ja, die. Ze noemt zichzelf Raven. Net als The Edge en Slash en al die anderen.'

'Nou, als ze naar je toe komen, kun je naast me in de box komen zitten en je hand op mijn been leggen,' zei Virgil.

'Daar wordt ze niet warm of koud van, vermoed ik,' zei Zoe.

'Maar ik wel,' zei Virgil. 'Ik snak naar een tedere vrouwenhand.'

Na een korte stilte schoot ze in de lach en zei: 'Ik mag die machobullshit van jou wel. Goed, ik neem je mee naar de Goose.'

'Mooi, want ik moet je iets vragen,' zei Virgil.

'Kan dat niet over de telefoon?'

'Mobiele telefoons zijn radio's,' zei Virgil. 'Je weet nooit wie er meeluistert.'

'Doe niet zo paranoïde,' zei ze. 'Maar ik vind het niet erg om te gaan. Haal je me thuis op of zie ik je daar?'

'Aangezien het me niet zal lukken je dronken te voeren en misbruik van je te maken, kunnen we beter daar afspreken,' zei Virgil. 'Dat is ook sneller, want ik rijd vannacht naar het zuiden.'

'Naar de Cities?'

Virgil knikte naar zijn spiegelbeeld in de voorruit. 'Ja.'

'Ik dacht dat je hier zou blijven tot het onderzoek was afgerond,' zei Zoe. 'Ik ga alleen een paar dingen ophalen... morgen kom ik weer terug.'

'Geef me een kwartier,' zei ze. 'Wacht op me op het parkeerterrein als jij er het eerst bent. Dan kunnen we samen naar binnen gaan.'

Hij stak de telefoon in zijn zak, zag de geelwitte, diamantvormige knipoog in de greppel op het allerlaatste moment en ging op de rem staan. Een hinde wandelde het licht van zijn koplampen in, bleef recht voor de Chevy staan, op een afstand van amper vijf meter, keek hem aan en liep toen naar de overkant.

Virgil wachtte, want de eerste hinde werd gevolgd door een tweede, en een derde, die allemaal voor hem langs liepen als dames op weg naar een theekransje. Toen hij dacht dat de laatste was overgestoken, reed hij langzaam vooruit, keek opzij en zag er nog zes langs de weg staan, maar toen kon hij doorrijden.

Hij hoefde maar vijf minuten op Zoe te wachten. Ze draaide het parkeerterrein op, sprong uit de Pilot en stak het parkeerterrein over, gekleed in een witte blouse met volants en een paar openstaande knoopjes die veel van haar figuur prijsgaven, een strakke spijkerbroek die nog meer van haar figuur prijsgaf, en chique cowboylaarzen, gemaakt van de huid van hanentestikels, of zoiets, met geborduurde rode roosjes erop.

'Mooie laarzen,' zei Virgil tegen haar decolleté.

'Mijn ogen zijn hier,' zei ze.

'Ja, ja,' zei hij terwijl ze over het parkeerterrein naar de deur liepen. 'Dat citaat heb ik in minstens acht films gehoord.'

'Wat is je lievelingsfilm?'

Hij bleef voor de deur staan, dacht na en zei: 'Dat is een veel te belangrijke vraag om op de veranda van een bar te beantwoorden.'

'Je hoeft je keus niet te verdedigen,' zei Zoe. 'Noem gewoon een titel.'

'*The Big Lebowski*,' zei Virgil. 'Die gast blijft je bij.'

'Ik was al bang dat het zoiets zou zijn,' zei ze.

'Ik had *Slap Shot* kunnen zeggen,' zei Virgil.

'Ach, jezus. Kom, laten we iets gaan drinken.' En toen ze binnen waren: 'Als je *Hannah and Her Sisters* had gezegd, had je me vanavond misschien in bed gekregen.'

'Dat was ik van plan,' zei Virgil. 'Ik zweer het.'

'Het is niet waar,' zei ze. 'Ik lieg vaak. Net als jij.'

De band was aan het spelen, een song van de Dixie Chicks, waar Virgil niks aan vond, wat trouwens voor alle songs van de Dixie Chicks gold. Het was niet zozeer dat hij ze echt slecht vond, maar op de een of andere manier verlamden ze zijn zenuwgestel zodat hij kwijlend en stuiptrekkend op de grond viel. Ze gingen in de laatste vrije box zitten en Virgil bekeek eerst het publiek, ongeveer vijftig vrouwen en acht tot tien mannen, en daarna de zangeres.

Wendy was een uit de kluiten gewassen blonde schoonheid in Janis Joplin-stijl... niet zoals die frêle blonde popjes uit Nashville, maar sterker, met borsten die zelf hun richting bepaalden wanneer ze zich abrupt omdraaide, een smalle taille en lange benen. Ze had zich bewust gekleed in een gewaagd witleren cowgirlpakje, met franjes aan de blouse en de rok, en haar cowboylaarzen leken op die van Zoe. En lipstick, een grote mond met volle lippen, met dieprode lipstick die glinsterde in de schijnwerpers. Hier stond de afzender van het kuskaartje dat hij in McDills huisje had gevonden, dacht Virgil.

En zingen kon ze. Niet zo'n glashelder sopraantje dat tegenwoordig in Nashville populair was, maar de doorleefde, door whisky aangetaste stem van muzikanten van de oudere generaties. Virgil luisterde echt naar de song, hoewel de tekst een regelrechte bedreiging voor zijn intelligentie vormde. Toen ze uitgezongen was, zei Wendy met haar whiskystem: 'Het laatste nummer van deze set, voor degenen die willen dansen, een langzame wals in traditionele North-Minnesota-stijl: *The Artists' Waltz*. Ik heb het zelf geschreven en hoop dat jullie het leuk vinden.'

En Virgil vónd het leuk.

Een stuk of tien stellen, allemaal vrouwen, dansten op de muziek terwijl Chuck de spiegelbol aanzette en het licht dimde. Het was een echte, langzame wals die heel romantisch klonk. Virgil luisterde aandachtig, keek het ene moment naar Wendy en dan weer naar Zoe, die haar ogen niet van Wendy kon afhouden en zo hard met beide handen in de tafelrand kneep dat haar knokkels spierwit waren. Ze had inderdaad tegen hem gelogen, dacht Virgil. Zelfs als hij *Hannah and Her Sisters* had geantwoord, was ze heus niet met hem naar bed gegaan. Want dit meisje wás al verliefd.

Toen het nummer afgelopen was zei Wendy: 'We nemen een kwartiertje pauze en dan zijn we weer terug met een uur van de beste muziek die de Wild Goose te bieden heeft. Dankjewel.'

Het geluidsniveau daalde en Zoe, die halverwege haar biertje was, boog zich over de tafel en vroeg: 'Wat was de vraag die je niet over de telefoon wilde stellen?'

Virgil schudde zijn hoofd. Hij wilde het eigenlijk niet meer vragen nu hij haar reactie op Wendy had gezien. Aan de andere kant, door vragen niet te stellen loste je geen moordzaak op.

'Nou,' zei hij, 'ik zag je net naar Wendy kijken en toen drong het pas tot me door hoe vol je nog van haar was... bent... een van de twee.'

'Ik ben niet vol van haar,' zei Zoe. 'Ik ben klaar met Wendy.'

'Als ze je terug zou vragen, zou je het dan doen?' vroeg Virgil.

'Nee,' zei ze, maar ze kneep weer in de tafelrand. Virgil keek haar hoofdschuddend aan en uiteindelijk zei ze: 'Goed dan... ja.'

'Dat lijkt er meer op,' zei Virgil. 'Je liegt wel erg slecht.'

'Wat heeft dat met de vraag te maken?'

Virgil keek haar diep in de ogen en zei: 'Wist jij dat Wendy eergisteren de nacht heeft doorgebracht met Erica McDill, in haar huisje in de Eagle's Lair?'

'De Eagle Nest, en ik geloof je niet,' zei Zoe. Ze keek hem recht aan en hij voelde dat ze de waarheid sprak. Toen zei ze: 'Waarom probeer je me dit wijs te maken? Is het de bedoeling dat ik leugens ga rondvertellen?'

Virgil wilde net antwoord geven toen Wendy de box in schoof, naast Virgil kwam zitten en haar dij tegen die van hem duwde. Ze keek Zoe over het tafeltje aan, zei: 'Hé, schatje', keek opzij naar Virgil, keek Zoe weer aan en vroeg: 'Wie is je mooie vriendje?'

'De smeris die onderzoek doet naar de moord in het resort,' zei Zoe.

Wendy verstrakte een fractie; Virgil zag het en voelde het.

Zoe vervolgde: 'Virgil is degene die al die Vietnamezen heeft afgeslacht in International Falls. Hij ziet er misschien uit als een surfer boy, maar in werkelijkheid is hij een bikkelharde massamoordenaar.'

'Hé,' zei Virgil, 'ik...'

Op dat moment kwam de drummer, Berni slash Raven, aan Zoe's kant de box in schuiven. Ze keek eerst naar Wendy, toen naar Zoe en zei: 'Ik dacht wel dat ik jullie hier zou vinden.'

Wendy wierp haar blonde haar achterover, zoals Marilyn Monroe het zou kunnen hebben gedaan, en zei: 'O god, doe niet zo bekrompen.'

'Ik weet dat je me uit de tent probeert te lokken,' zei de drummer. Ze droeg een zwarte spijkerbroek, een zwart mouwloos spijkerjack met niets eronder, en veel zwarte oogschaduw. RAVEN, was er op de borstzak van het spijkerjack geborduurd. Ze keek opzij naar Zoe en zei: 'Ik wou dat je zelf een liefje vond.' Ze keek naar Virgil en vroeg: 'Maar hij is het niet, hè?'

'Hij is van de politie,' zei Wendy. 'Hij stelt vragen over de moord.'

'O ja?' zei Berni. 'Stel mij dan eens een vraag.'

Virgil haalde zijn schouders op. 'Waar was je gisteravond om acht uur?'

'Om acht uur... hm... toen lag ik in bed, aan Wendy te denken en met mezelf te spelen,' zei ze, waarna ze Virgil aankeek om te zien of hij zich opgelaten voelde. Dat was niet zo. Hij dacht: geen alibi.

'Nu ik,' zei Wendy. 'Stel mij ook een vraag.'

'Niet doen,' riep Zoe.

'Waarom niet?' vroeg Wendy, maar Virgil keek in Wendy's ogen en zag dat ze het wist. Dus stelde hij zijn vraag.

'Ik wil graag weten wat Erica McDill eergisternacht tegen je heeft gezegd. Of dat misschien iets met de moord te maken had.'

'Ze heeft Erica McDill eergisteravond niet gezien,' zei Berni. 'Ze moest opeens naar Duluth...'

Er viel een doodse stilte in de box. Zoe staarde naar Wendy, die van Virgil naar Berni en toen weer naar Virgil keek. Berni had alleen aandacht voor Wendy en zag de waarheid in haar ogen. Ze riep: 'Vuile slet!' haalde uit en sloeg Wendy boven op haar linkeroog.

Virgil was te laat om in te grijpen. Hij zag de stoot komen, wilde reageren, maar de vuist was al onderweg en kwam met een solide *whap* op Wendy's oog terecht, en ergens diep vanbinnen dacht hij: mooie stoot.

Wendy sloeg achterover en knalde met haar achterhoofd tegen de houten wand van de box. Haar mond vertrok van woede en in een wervelwind van nagels en tanden kwamen de twee vrouwen de box uit. Ze vlogen elkaar aan en rolden algauw stompend en krijsend over de vloer.

Waarmee Virgils vraag was beantwoord: de drummer had het niet geweten.

Zoe riep naar Virgil: 'Haal ze uit elkaar! Haal ze uit elkaar!'

Virgil voelde er weinig voor. Hij wist uit ervaring dat wanneer vrouwen de sociale grenzen zodanig overschrijden dat ze elkaar lijfelijk aanvliegen, ze levensgevaarlijk zijn. Mannen leren als kind al vechten: hoe ze moeten staan, hoe ze de ander moeten afbluffen of een bloedneus moeten slaan, hoe ze moeten dreigen met 'ik krijg jou nog wel', en daarna gaat iedereen tevreden naar huis. Vrouwen leren die dingen niet, dus als die aan het knokken gaan, scheuren ze iedereen aan stukken die zich in het strijdgewoel durft te mengen.

Maar er moest iets worden gedaan. De andere vrouwen hadden zich al om het tweetal geschaard, alsof het een lynchscène in een film was, en Virgil zag hoe Chuck de barkeeper zich met een deinend hoofd als een visdobber op een winderige dag, door de massa wrong. Virgil waagde zich in het wervelende strijdgewoel, greep een cowboylaars en trok Berni achteruit.

Wendy, die een bebloed gezicht had, kwam haar kruipend achterna. Berni probeerde Virgil van zich af te trappen, maar toen hij haar laars op zich af zag komen, greep hij ook die. Chuck had inmiddels een van Wendy's laarzen te pakken gekregen, maar in plaats van hem van zich af te trappen, deed ze met gebruik van haar buikspieren een sit-up en veerde overeind totdat hij binnen het bereik van haar handen kwam. Toen zette ze haar nagels in zijn voorhoofd. Chuck wankelde achteruit maar hield de laars vast en trok Wendy met zich mee. Berni probeerde Virgil weer te schoppen, dus draaide hij haar voet om, waardoor ze op haar buik terechtkwam. Virgil plantte zijn knie in het midden van haar rug en drukte haar als een schildpad tegen de grond, haar armen en benen zwaaiden alle kanten op, maar haar lijf bleef waar het was.

De andere vrouwen drongen zich tussen de twee vechters en Berni krijste: 'Laat me los, klootzak!' Virgil hoorde Wendy ook schreeuwen en tegen de vrouwen die het dichtst bij stonden zei hij: 'Kunnen jullie me helpen? Alsjeblieft? Hou haar in bedwang. Doe haar geen pijn, hou haar alleen vast.'

Ze deden wat hij vroeg en toen de vrouwen bij Wendy dat zagen, deden ze hetzelfde bij haar, waardoor Chuck zich ook kon terugtrekken. Hij wankelde naar de bar, pakte een droogdoek en drukte die tegen zijn bloedende voorhoofd.

Zoe riep door het rumoer: 'Knap werk!'

Virgil wist niet hoe hij dat moest opvatten, dus hij haalde zijn schouders op.

'Gaan we?' vroeg ze.

'Ze heeft mijn vraag nog niet beantwoord,' riep Virgil terug.

Zoe werkte zich met behulp van haar ellebogen zijn kant op. 'Daar is het nu misschien niet het geschikte moment voor,' zei ze.

'Ze kan mijn rug op,' zei Virgil.

De twee vechtersbazen stonden weer overeind, maar ze werden uit elkaar gehouden door de groep vrouwen, en net als in andere kroeggevechten waarvan Virgil getuige was geweest leek iedereen, afgezien van twee of drie angsthazen, zich wel te amuseren.

Virgil werkte zich door de massa naar Wendy en zei: 'Meekomen. Achter de bar.' Hij gaf haar een duw in die richting en toen een dronken vrouw tegen hem snauwde: 'Wie denk je verdomme dat je bent?' snauwde hij terug: 'Ik ben van de politie, en als je niet heel gauw aan de kant gaat, keten ik je met mijn handboeien aan de bumper van mijn auto.' Ze deed een stap achteruit; zo dronken was ze ook weer niet.

Chuck dirigeerde haar naar het magazijn, dat vol kratten en biervaten stond. Virgil maakte drie zitplaatsen door kratten op elkaar te stapelen. Wendy had een blauwe plek onder haar oog, een bloedende mondhoek en een gezwollen onderlip. 'Zitten,' zei Virgil tegen Wendy en Zoe, en toen ze op de kratten zaten, ging hij terug naar de bar, pakte schone handdoeken en deed een paar vuistgrote ijsblokken in een ervan. Berni werd nog steeds omringd door vrouwen, die haar opengekrabde voorhoofd verzorgden. Huilend vertelde ze de anderen over het verraad dat haar was aangedaan.

Terug in het magazijn gaf Virgil Wendy de handdoek met het ijs en zei: 'Hou dit een halfuur tegen je lip en je oog. Dan is het morgenochtend minder erg.'

'Het is niet mijn eerste blauwe oog, en het zal waarschijnlijk ook niet het laatste zijn,' zei Wendy.

'Oké. Maar je hebt eergisteren dus de nacht met Erica McDill doorgebracht. Kwam daar ook seks aan te pas?'

Ze keek hem grijnzend aan en Virgil merkte dat de vechtpartij haar nauwelijks uit het evenwicht had gebracht. 'Natuurlijk. Wat dacht jij dan dat we hebben gedaan? Een potje Pinocchio?'

Zoe zei: 'Ze bedoelt *pinochle*.'

Wendy haalde haar schouders op. 'Weet ik veel...'

'Waar was je gisteravond tussen zes en acht?'

'In de Schoolhouse, bezig met een nieuw nummer,' zei Wendy. 'Het grootste deel van de tijd in elk geval. Er liepen voortdurend mensen in en uit. Om iets te eten te halen en zo.'

Zoe zei: 'De Schoolhouse is de opnamestudio.'

Virgil knikte. 'Met hoeveel mensen waren jullie?'

'Ik, de toetsenist, een jongen van de academie die de arrangementen schrijft, een geluidstechnicus, onze manager, eh, een pizzakoerier die een tijdje bleef hangen... en nog een paar mensen, geloof ik.'

'Dat zijn er best veel, en die kunnen jouw verhaal bevestigen?' vroeg Virgil.

'Natuurlijk,' zei Wendy. 'Hoor eens, ik heb Erica niks aangedaan. Waarom zou ik? Ze zou mijn carrière een zet in de goede richting geven. Ze wist alles van publiciteit en promotie. Ze wilde me meenemen naar Nashville, of Austin, of iets daar in de buurt. Ze kénde mensen.'

'Dus je ging met haar naar bed omdat ze mensen kende?' vroeg Zoe.

'Nou, ja, waarom niet?' zei Wendy.

Virgil zei: 'Het was niet tegen jou persoonlijk gericht, Zoe.'

'Nee, nee, ik begrijp het volkomen,' zei Zoe.

'En op een gegeven moment heb je haar een aandenken aan die nacht gegeven, nietwaar?' zei Virgil.

Wendy keek hem niet-begrijpend aan. 'Wat voor aandenken?'

'Een kusje in lipstick?'

'Waar heb je het over?'

Virgil zei: 'Die lipstickafdruk op dat kaartje?'

Ze schudde haar hoofd. 'Nee, daar weet ik niks van.' Ze haalde de handdoek met ijs van haar gezicht en keek ernaar. Er zat een bloedvlekje op, maar groot was het niet. Haar gezicht was rood van de kou.

'Dus je hebt haar geen lipstickafdruk op een kaartje gegeven?' vroeg Virgil.

'Nee. Heb je die gevonden?'

'Ja, in haar tas,' zei Virgil. 'Ik ging ervan uit dat het van jou was. Ik bedoel, als dat zo was, is er geen reden om het te ontkennen... er is verder niks mis mee.'

'Nee, maar het is niet van mij,' zei Wendy.

'O.' Virgil dacht dat ze loog – heel even die roofdierenblik in haar ogen – maar hij kon geen reden bedenken waarom ze dat zou doen. Misschien omdat ze er de kans voor kreeg? Ze zwegen alle drie enige tijd, waren in gedachten, en toen vroeg Virgil: 'Heeft ze het niet over andere relaties gehad?'

'Ze zei dat ze een vrouw in de Cities had, maar die relatie was vrijwel doodgebloed,' zei Wendy. 'Ze had al besloten er een eind aan te maken, zei ze, maar ze wilde de andere vrouw een beetje ontzien. Ze was van plan haar wat geld mee te geven. Ik bedoel, Erica had geld genoeg. Ze wilde een belangengroep voor me oprichten, om me te sponsoren. Ze zei dat ik binnen drie jaar een miljoen per maand kon verdienen.'

'Meisje toch,' zei Zoe.

'Maar je hebt geen idee wat er met haar gebeurd kan zijn?' vroeg Virgil.

'Nee, echt niet,' zei Wendy. 'Ik ben me lam geschrokken. Ik hoopte eigenlijk dat niemand het te weten zou komen, dat van ons, dat ze het tegen niemand had gezegd. Ik bedoel, dat ik iets met haar had heeft niks te maken met het feit dat ze is vermoord, maar voor mij ziet het er nu slecht uit.'

De deur ging langzaam open en Berni gluurde om de post. 'Wendy?' zei ze met een klein stemmetje.
Wendy keek haar even aan, begon toen te grijnzen en vroeg: 'Hoe is het met je?' Ze stond op, liep naar Berni toe en de twee omhelsden elkaar. Ze begonnen allebei te huilen, Wendy streelde Berni's haar en zei: 'Het is al goed. Stil maar.'

Buiten keek Virgil naar de sterren; het was laat en koud en de lucht was helder.
Zoe zei: 'Nou, dat was een groot succes. Ik dacht even dat ze elkaar zouden vermoorden toen ze over de grond rolden.'
'Ik vond het wel opwindend toen ze elkaar begonnen te zoenen,' zei Virgil. Toen Zoe haar handen in haar zij zette stak Virgil snel zijn handen op en zei: 'Het was een grapje. Jezus.'
'Ik ga naar huis, een potje janken,' zei Zoe.
'Ik ga naar het zuiden,' zei Virgil.
'Mooie nacht om te rijden.'
Virgil legde zijn arm om haar schouders. 'Neem een paar biertjes of rook wat weed en zet een cd van LeAnn Rimes op. Dan komt het allemaal goed.'
'Echt?'
'Nou...' Hij dacht aan zijn drie ex-vrouwen. 'Nee. Maar LeAnn is altijd goed.'

6

Zoe ijsbeerde door het huis en wachtte. Ze had de vaat van die ochtend gedaan, de woonkamer gestofzuigd, de gastenbadkamer schoongemaakt en schone handdoeken opgehangen. Ze was netjes en precies... zelfs in het huishouden was ze een soort accountant. Het enige waarin ze geen accountant was, dacht ze wrokkig, was in haar seksleven. Als ze Wendy kon afschrijven, zou het leven een stuk simpeler zijn. Als ze haar kon opvoeren als verliespost en kon afschrijven met twintig cent per dollar...

En haar gedachten gingen naar Virgil. Hij was aantrekkelijk op een manier die haar aanstond: pezige schouders en armen, grote handen, klein kontje, lang haar, opgewekt. Maar, dacht ze, dat was slechts schijn. Goed, zijn houding en verschijning waren heel natuurlijk. Een knappe, sportieve jongen die opgroeit in een kleine stad, in een stabiel gezin met voldoende maar niet te veel geld. Er was niets onechts aan zijn manier van doen, maar daaronder, had ze gemerkt, zat iets wat koelbloedig, waakzaam en berekenend was. Hard ook, misschien.

De accountant als psycholoog, met een boksbeugel.

Ze glimlachte om het idee toen er werd gebeld. Ze keek op de klok op de schoorsteenmantel: elf uur, precies op tijd. Ze deed open en zei: 'Hoi. Kom binnen.'

Margery Stanhope kwam binnen met hangende schouders en zei: 'Wat een dag.'

'Zeg dat wel. Wil je een margarita?'

'Ja, graag,' zei Stanhope. 'Een dubbele.'

'Heb je het gehoord van de vechtpartij?' vroeg Zoe terwijl ze Stanhope voorging naar de keuken.

'Vechtpartij?' Stanhope gooide haar tas op de keukentafel.

'In de Goose. Wendy en Berni gingen met elkaar op de vuist.'

Zoe mixte de margarita's: een flinke scheut Haciënda del Cristero Blanco, een beetje Cointreau, limoensap, waarmee ze de rand van beide glazen bevochtigde, ze strooide wat zout op het aanrecht, zette de glazen er omgekeerd in, mixte alle ingrediënten met het ijs, deed alles zoals het hoorde... en kreeg Stanhope aan het lachen met haar verslag van de vechtpartij.

'... toen we weggingen had ze haar tong zo diep in Berni's keel gestoken dat Berni blij mag zijn dat ze niet is gestikt.'

'O, jeetje, ik weet hoe gevoelig dat voor jou ligt,' zei Stanhope.

'Ja.' Zoe gaf Stanhope haar glas. 'Daar ga je.'

'Cheers,' zei Stanhope. Ze nam een slokje en voegde eraan toe: 'Je maakt een verdomd goeie margarita.'

Ze liepen de woonkamer in en gingen zitten. Stanhope zei: 'Dus, Virgil...'

'Hij gaat de dader pakken, wie het ook is,' zei Zoe.

'Denk je dat het een van de gasten is?' vroeg Stanhope.

'Laten we hopen van niet. Als dat zo is wordt alles bekend, over hun seksuele voorkeuren en zo. Je weet wat de tv-stations met dat soort informatie zullen doen.'

'Ik moet steeds weer aan Constance denken. Had ik het tegen Virgil moeten zeggen?'

'Als er meer aanwijzingen komen dat de dader een van de gasten is, zullen we wel moeten, denk ik. Als we het niet doen...' Zoe haalde haar schouders op. 'Ik weet het niet. We kunnen in de problemen komen.'

'Ik weet niet hoeveel mensen er nog meer van weten behalve wij,' zei Stanhope.

'Er zijn er in elk geval een paar die het weten,' zei Zoe. 'Het verbaast me eigenlijk dat Virgil er nog niks over heeft gehoord. Een aantal van Wendy's bandleden moeten het weten. Wendy weet het in elk geval.'

'Maar dat zou de indruk wekken dat de band erbij betrokken was,' zei Stanhope. 'Dat zullen ze willen voorkomen.'

'En wij zijn bang dat het erop lijkt dat het resort erbij betrokken is, en dat willen wíj voorkomen.'

Ze zwegen enige tijd, nipten van hun drankjes en dachten na. Toen zuchtte Zoe en zei: 'Als er niks anders uit het onderzoek blijkt, vertel ik het als hij terugkomt, denk ik. Dan zeg ik alleen dat wij er niks van weten, maar dat er nog een moord is gepleegd en dat ze hier is geweest...'

'Vergeet dan de band niet te noemen,' zei Stanhope. 'Hoe meer hij zijn aandacht op de band richt, als oorzaak, hoe minder hij naar het resort zal kijken.'

'Hm.'

'Wat ik dus wil weten,' zei Stanhope, 'is waar jij staat als het resort in opspraak komt.'

'Ik ben voor vijfennegentig procent voor doorgaan,' zei ze. 'Het moet wel

heel erg worden voordat ik me terugtrek. Ik ben het geld al aan het ver-
schuiven. Ik heb met Wells Fargo over een lening gesproken en ze zeggen
dat dat geen probleem is. Ik blijf in de accountancy en benoem Mary tot
partner; dan kan zij het kantoor runnen terwijl ik het resort opzet.'
'Er komt veel voor je op het spel te staan,' zei Stanhope.
'Wat moet ik anders?' vroeg Zoe. 'Ik heb verder niks in het leven.'
'Er komt heus wel iemand op je pad,' zei Stanhope.
'Misschien moet ik met Virgil in bed duiken,' zei Zoe. 'Het zal nooit wat
worden, maar misschien heb ik dan een kind voordat alles in het honderd
loopt.'
'Goed idee,' zei Stanhope, met een stem zo droog als schuurpapier. 'Een
resort en een accountancybureau en een kind... en géén man om je bij te
staan.'
'Ach, ik ga heus niet met Virgil naar bed,' zei Zoe.

Ze zwegen weer enige tijd, toen zei Stanhope: 'Kijk me recht in de ogen
en zeg me dat je niks te maken hebt gehad met de dood van McDill.'
'Margery!'
'Luister, ik zou niks zeggen als het zo was,' zei Stanhope. 'Maar ik weet
dat je een zwak hebt voor Wendy en ik neem aan dat er in het resort een
paar mensen zijn die weten dat Wendy met Erica is meegegaan de dag
voordat Erica werd doodgeschoten. Jij zou het ook gehoord kunnen heb-
ben en ik weet dat je kunt schieten, want ik heb het je zelf zien doen.'
'Ik heb Erica McDill niet doodgeschoten,' zei Zoe.
'En je hebt ook niks te maken gehad met de dood van Constance?'
'Mijn god, nee! Margery!'
'Het spijt me. Ik geloof je. En zelfs al deed ik dat niet, zou ik er niks over
zeggen. Je bent een goed mens, Zoe.'
'Ik was naar de universiteit dat weekend, met een paar vriendinnen. Pas
toen ik terugkwam hoorde ik dat Constance dood was.'
'Het spijt me,' zei Stanhope weer. 'Ik wilde alleen...' Ze wreef over haar
voorhoofd. 'Dit hele gebeuren...'
Ze hield haar glas op, keek door het kristal naar de lamp aan het plafond
en vroeg: 'Zou ik er nog een mogen?'

Wendy Ashbach had een nieuwe 42-inch lcd-televisie met een Blu-Ray-
speler, en zij en Berni waren halverwege *Pretty Woman* toen haar vader
op de deur van de trailer bonsde. Hij deed de deur open en vroeg: 'Wat
zijn jullie aan het doen?'

'Film kijken,' zei Wendy met haar mond vol popcorn uit de magnetron. Ze lag languit op de bank en Berni zat op de grond, met haar rug tegen de bank. Onuitgenodigd kwam haar vader binnen en maakte een wuivend gebaar naar de benen van zijn dochter. Wendy trok haar knieën op om ruimte te maken en Slibe Ashbach plofte neer op de open plek.

'Wat is dat voor shit?' vroeg hij, met een gebaar naar de tv.

'Richard Gere en Julia Roberts,' zei Wendy.

'O, die.' Hij keek een minuut naar het scherm en vroeg: 'Moet ze hem niet pijpen of zoiets?'

'Dat zie je niet,' zei Wendy. Ze pakte de afstandsbediening en drukte op de pauzeknop. 'En, wat kom je doen?'

'Vertel me over die smeris,' zei Ashbach.

'Ik heb hem maar vijf minuten gesproken,' zei Wendy. 'Het is gewoon een smeris.'

'Wat denkt hij?'

'Hij weet niet wat hij moet denken. Er zijn mensen die denken dat McDill is vermoord omdat ze de hoogste baas van het reclamebureau werd en mensen wilde ontslaan, en anderen denken dat het met lesbische relaties en seks in de Eagle Nest te maken heeft. En hij wilde weten of het door mij kwam. Ik heb tegen hem gezegd dat dat niet zo was, ik heb hem mijn alibi gegeven, en hij zei dat hij het zou checken, wat hij van mij mag.'

Ashbach bekeek de twee vrouwen eens goed, zag de krassen op Berni's voorhoofd en Wendy's blauwe oog en vroeg: 'Wat hebben jullie uitgevreten?'

'Berni en ik hebben gevochten in de Goose,' zei Wendy.

'Ze is met McDill naar bed geweest,' zei Berni. 'Eergisteren, de dag voordat ze is vermoord.'

'Wat? Weet die smeris dat?'

'Ja, hij vroeg me ernaar, waar Berni bij zat,' zei Wendy. 'Toen ging ze door het lint. Voordat ik iets kon zeggen sloeg ze me op mijn oog.'

'Rotwijf,' zei Berni. 'Nu ga ik ervan dromen, van jou met McDill.'

'Hij praat met Zoe Tull,' zei Wendy. 'Ze zijn al een paar keer samen gezien.'

'Hebben jullie het over Constance Lifry gehad?' vroeg Ashbach.

'Nee, natuurlijk niet,' zei Wendy. 'Dat mag hij zelf uitzoeken.'

Ashbach keek een minuut lang van de een naar de ander en vroeg: 'Echt niet? Geen woord?'

Wendy hief haar ogen ten hemel. 'Pa, we hebben hem verder niet gesproken, oké? Als we dat zeggen, dan ís het zo.'

'Maar jullie liegen allebei als een idioot,' zei hij.

Berni draaide zich naar hem om en vroeg: 'Goh, en hoe liegen idioten dan, meneer Ashbach?'

Wendy zei: 'Dit heeft niks met ons te maken. Lifry was in de Eagle Nest, net als McDill. Ook een lesbische moord, welbeschouwd.'

'Ook een lesbische moord op iemand die van plan was de band vooruit te helpen, wat wel verdomd toevallig is, als je het mij vraagt,' zei Berni. 'Ik zal jou eens wat zeggen, klein kreng, die grote krokodillenmuil van jou gaat je nog eens heel erg in de problemen brengen,' zei Ashbach.

'O ja?' zei Berni, en ze keek hem recht aan. 'Nou, ik zal jou ook eens wat zeggen, S.A., laten we verdomme hopen dat jíj niks met die moorden te maken hebt. Jij of de Deuce.'

'Pa, ga nou maar, oké?' zei Wendy. 'Smeer hem.'

'Let op je woorden,' zei Ashbach, en hij zwaaide dreigend met zijn vinger naar Berni. 'Pas goed op met wat jullie zeggen.' Hij keek ze allebei nog een keer boos aan en stond op, toen liep hij de trailer uit en smeet de deur achter zich dicht.

Toen hij weg was zei Berni tegen Wendy: 'En ik hoop verdomme ook dat jíj niks met McDills dood te maken hebt.'

Wendy schudde haar hoofd. 'Ik niet,' zei ze.

'Mooi zo, maar als het om Slibe II gaat ben ik daar niet zo zeker van,' zei Berni. 'Elke keer als ik de Deuce zie, heb ik het idee dat iemand hem met een kolenschep een dreun tegen zijn hoofd heeft gegeven. Die jongen spoort niet.'

'De Deuce doet geen vlieg kwaad,' zei Wendy over haar broer. 'Hij is... je moet hem begrijpen. Hij is gewoon anders.'

'Hij begluurt me,' zei Berni. 'Voortdurend. Ik krijg er de kriebels van. Wat zou er gebeuren als ik hem mijn tieten liet zien?'

'Doe dat maar liever niet,' zei Wendy.

'Maak je geen zorgen; dat was ik niet van plan.' Berni huiverde. 'Dan komt hij waarschijnlijk klaar als een fles cola die uit elkaar spat. Zou hij het weleens met zichzelf doen?'

Wendy grinnikte en zei: 'En je moet een beetje oppassen met hoe je tegen pa praat. Als je het te dol maakt, gooit hij je er misschien uit.'

Slibe II zat buiten, bij het achterraam. Hij luisterde mee en was verrukt over het feit dat ze het over hem hadden. Trouwens, hij had Berni's tieten allang gezien, al zo vaak.

Hij had een cementblok naar het eind van de trailer gesjouwd en als hij erop ging staan, kon hij met één oog tussen de jaloezieën door gluren. Toen ze er een keer niet waren, was hij de trailer in gegaan en had hij twee lamellen een stukje omgebogen, zodat hij meer kon zien, en sindsdien was hij er elke avond om te gluren en mee te luisteren.

Berni liep meestal rond in een shirt dat openhing en soms, nou ja, één keer, zonder slipje. Als hij dát had gemist... hij moest er niet aan denken. Het was het mooiste wat hem in zijn hele leven was overkomen. Nog beter dan toen hij de stapel oude *Hustlers* van zijn vader had gevonden.

Hoe hij zich echter in de winter van gezelschap moest verzekeren wist hij niet, en daar maakte hij zich grote zorgen over. Hij kon dan niet op het cementblok gaan staan... dan zouden ze zijn voetafdrukken in de sneeuw zien en doorhebben wat hij deed.

Misschien gebeurde er nog iets goeds, het zou immers nog even duren voordat het ging sneeuwen.

En ze hadden het over hem.

7

Zondagochtend, tijd om op te staan.

Virgil wist uit de nacht altijd wel een paar extra uren te persen als het nodig was. Aan vier uur slaap had hij genoeg om de volgende dag door te komen en aangezien de meeste politieonderzoeken overdag plaatsvonden, wanneer andere mensen beschikbaar waren om mee te praten, kon de nacht gebruikt worden om te reizen, voor introspectie, en voor een terugblik op wat er tot dan toe was gebeurd.

Virgil was iets na tien uur bij de Wild Goose vertrokken en om een paar minuten voor drie 's nachts reed hij zijn huurauto de garage van zijn huis in Mankato in. Hij zette de wekker op acht uur, dacht een paar minuten aan God, aan welke plek McDills dood in Zijn Grote Plan zou hebben – geen enkele, was zijn conclusie – en ging slapen.

De volgende ochtend was hij al op voordat de wekker afging. Hij gooide zijn kleren in de wasmachine, opende de post, schreef een paar cheques voor rekeningen die betaald moesten worden, stopte zijn kleren in de droger, ging op pad om de brieven te posten, te ontbijten in een Caribou Coffee en de huurauto bij Avis in te leveren, en nam een taxi terug naar huis. Hij had bij de koffieshop de *Star Tribune* gekocht. Het stuk over McDill stond op de voorpagina, boven de vouw, met een kop over twee kolommen en een foto erbij. Niets over de moord zelf, alleen dat die had plaatsgevonden en een paar gegevens. De rest was biografisch, met uitingen van geschoktheid van de familie, vrienden en connecties uit de zakenwereld en de politiek.

Hij had zijn kleren opgevouwen en in de kast gelegd, zijn werkkleding ingepakt en was om halftien weer op weg in zijn eigen pick-up, met zijn boot op de trailer erachter. Hij had Barney Manns mobiele nummer de vorige dag genoteerd en toen hij de stad uit reed en koers zette naar de Cities, belde hij het nummer. Manns toestel ging drie keer over voordat er werd geantwoord en Virgil vroeg: 'Hebben jullie die bespreking al gehad?'

'Die is straks, om één uur,' zei Mann. Hij klonk vermoeid. 'Ik kom net mijn bed uit, met een kater. Wil je erbij zijn?'

'Dat weet ik niet. Ben ik welkom?'

'Ik kan niet voor het hele bestuur spreken, maar ik kan je wel vertellen dat de bespreking in de grote presentatieruimte van het reclamebureau wordt gehouden,' zei Mann. 'Ik kan altijd zeggen dat je jezelf hebt uitgenodigd.'

'Geef me het adres, dan zie ik je daar. En ik zou graag het telefoonnummer van Mark en Abby Sexton willen hebben.'

Mann grinnikte. 'Tjonge, wat zullen die blij zijn als je ze belt. "Vertel me eens, meneer en mevrouw Sexton, leverde de lik- en vingerexpeditie van mevrouw Sexton aanwijzingen op die geleid kunnen hebben tot een reactie als deze?" Het lijkt wel zo'n intellectuele politieserie van de BBC, vind je niet?'

'Mag ik het nummer van je?' vroeg Virgil.

'Even in mijn boekje kijken,' zei Mann. 'En zal ik je eens wat zeggen? Je moet een beetje ontspannen. Je klinkt gestrest.'

Virgil belde het nummer toen hij de Cities in reed. Abby Sexton nam op en zei: 'We hebben het gelezen bij het ontbijt. Dit is afschuwelijk. Maar waarom wil je ons spreken?'

'Ik probeer een zo compleet mogelijk beeld van miss McDill samen te stellen. Er is me verteld dat jullie een relatie hadden die op een nogal vervelende manier is geëindigd.'

'Mijn god, wordt daar nog steeds over gepraat? Nou, kom maar hiernaartoe...'

De Sextons woonden in St. Anthony, in een grote bungalow van bruine houtpanelen, op een smal stuk grond, met een garage die uitkwam op een steegje achter het huis. Het was een van de mooiere woonwijken met oude huizen aan de noord- en westkant van het centrum van Minneapolis. Op de veranda hing een schommel en de smalle voortuin was in tweeën gedeeld, met bloemen aan de ene kant en groenten – waaronder aubergines – aan de andere. Virgil vond aubergines smerig, zelfs geroosterd, en hij vatte dit op als een decadente kant van de familie Sexton.

Hij liep de treden naar de voordeur op en belde aan. Abby Sextons blauwe ogen verschenen achter het diamantvormige ruitje in de deur, ze deed open en vroeg: 'Virgil?'

Ze had lichtblond haar, een slank en atletisch postuur, was aantrekkelijk en droeg een witte blouse met lange, opgerolde mouwen, een kaki capribroek en sandalen. Toen ze Virgil binnen vroeg verscheen haar man achter haar, ook lichtblond, slank, atletisch en aantrekkelijk, in een lichtblauw shirt dat mooi kleurde bij zijn blauwe ogen, een kaki surfshort en sandalen. Hij had een appel in zijn hand, schudde Virgils hand met de andere en zei: 'Kom verder. Moeten we onze advocaat laten komen?'

Virgil zei: 'Dit is meer een informatief gesprek dan een verhoor. Maar ik kan jullie niet verbieden je advocaat erbij te halen, dus...'

'We vertrouwen je, tenminste, voorlopig,' zei Abby, met een stralend witte glimlach. 'Ik moet jullie wel af en toe alleen laten om naar de baby te gaan kijken. Hij ligt nu rustig te slapen in zijn bedje.'

Ze gingen naar de woonkamer, met een bank en fauteuils van Pottery Barn, veel antiek, en eiken tafels en boekenkasten in moderne Stickley-stijl. Abby Sexton legde een plastic doosje op de salontafel en zei: 'De babyfoon, dan kan ik horen of hij huilt.'

Virgil wist niet goed hoe hij het gesprek moest beginnen met Mark Sexton erbij, dus hij zei: 'Ik weet niet precies hoe ik moet beginnen...'

'Als je je zorgen om Mark maakt, hij weet alles,' zei Abby Sexton. 'Hij heeft er al die tijd van geweten.'

Mark knikte en leek niet van streek.

'Goed dan,' zei Virgil. Maar hij voelde zich nog steeds opgelaten, want dit was voor hem onbekend terrein. 'Ik heb een paar mensen gesproken en er is gesuggereerd dat de oorsprong van de moord misschien in de Cities gezocht moet worden. Dat miss McDill op het punt stond de grote baas te worden en alleenheerschappij over het reclamebureau te krijgen en dat ze van plan was een aantal mensen te ontslaan. Er is me verteld dat Mark een van die mensen zou zijn, niet vanwege zijn werkprestaties maar uit wraak voor... de onaangename manier waarop jullie relatie is beëindigd.'

'Wij wisten niet dat zij de grote baas zou worden,' zei Mark Sexton. 'Dat heb ik pas vanochtend in de krant gelezen, en ik heb meteen een paar collega's gebeld. Een van de jongens had geruchten gehoord, maar de meeste anderen wisten van niks. Ik denk trouwens niet dat ik ontslagen zou zijn, want ze vinden voor mij niet zo gauw een plaatsvervanger. Maar ja, wie zal het zeggen?'

'Wie was degene die de geruchten had gehoord?' vroeg Virgil.

De twee wisselden een blik, Mark haalde zijn schouders op en zei: 'Barney Mann. Hij is de creatief directeur en fungeert min of meer als centrale informatiebron van het bureau.'

'Hoe was de relatie tussen Mann en miss McDill?' vroeg Virgil.

'Die konden wel goed met elkaar overweg,' zei Mark Sexton. 'Barney is een kei in zijn vak. Erica was dat ook, op haar manier. Ze vormde geen enkele bedreiging voor hem.'

'Net als Hitler,' zei Abby Sexton. 'Ze was goed in wat ze deed, als je het niet erg vond om voor een nazi te werken.'

'Maar je had een relatie met haar,' zei Virgil.

'Alleen voor de seks,' zei Abby Sexton. 'Zelfs een nazi kan goed zijn in bed.' Mark Sexton glimlachte quasibestraffend naar zijn vrouw, alsof ze een koekje op de nieuwe vloerbedekking had laten vallen, dacht Virgil. Hij zei: 'O.' Virgil mocht deze mensen niet, geen van beiden, en hij moest moeite doen om het te verbergen. 'Toen je een eind aan jullie relatie maakte, accepteerde miss McDill dat toen meteen? Of kwam ze langs om te praten? Uitte ze dreigementen? Maakte ze een scène?'

'Telefoontjes... maar dat schijnt erbij te horen,' zei Abby Sexton, en ze trok even haar neus op. 'Het probleem was dat ze niks wilde delen. Ik bedoel, zíj wilde bij Ruth blijven terwijl ze met mij omging – je weet van Ruth? – en ze wilde dat ík Mark dumpte. Maar ik hou ook van mannen, dus heb ik tegen haar gezegd dat ik bij Mark zou blijven. Ik heb zelfs voorgesteld dat we Mark zouden delen, dat we met zijn drieën zouden doorgaan. Maar dat wilde ze niet. Een man delen vond ze geen probleem, maar niet iemand van haar personeel, als we dat mogen geloven.'

'Aha. Dus ze was niet strikt lesbisch?'

'Nee... in feite was ze bi, net als Mark en ik,' zei ze.

Virgil moest dat even verwerken, glimlachte verontschuldigend en vroeg: 'Waar waren jullie eergisteravond? Hier in de Cities?'

'We hebben een oppas, Sandra Oduchenko, die verderop in de straat woont,' zei Abby Sexton. 'Ze kwam om zeven uur en toen zijn wij met een stel vrienden in de stad iets gaan drinken. We barsten van de alibi's. Daarom hebben we geen advocaat gebeld. Wil je alle namen?'

Virgil schreef de namen op en vroeg: 'Hebben jullie enig idee wie het gedaan kan hebben?'

Abby Sexton hief haar ogen ten hemel en haalde diep adem. Haar man keek haar afwachtend aan en uiteindelijk zei ze: 'We denken dat het een reële mogelijkheid is dat het iemand van het bureau was. Als we zouden moeten raden – je zegt toch tegen niemand dat je dit van ons hebt, hè? – zouden we zeggen: Ronald Owen.'

Ronald Owen, vertelde ze, liep tegen de zestig en was in de laatste vijf tot tien jaar van een van de topaccountmanagers afgezakt tot iemand die alleen nog het kleine grut deed, en zelfs dat deed hij niet bijzonder goed.

'Hij is opgebrand,' zei Mark Sexton. 'Maar hij heeft kinderen en alimentatie en een tweede vrouw, dus hij kan het zich niet veroorloven om ontslag te nemen. Bovendien is hij zo'n veteranentype, je kent ze wel... hij was in Vietnam in de nadagen van de oorlog en was verbitterd over hoe het daar is gegaan. Hij beschikt over goede informatiebronnen, dus hij kan geweten hebben dat McDill de leiding over het bureau zou krijgen. En hij jaagt. Elk jaar. Collega's plagen hem ermee, maar hij gaat elk jaar een paar weken antilopen jagen in Montana en herten in Wisconsin. Hij weet alles van geweren. Tegen ons op het bureau zegt hij altijd dat wij niet weten wat het echte leven is. Dat wij ons leven uit een pak cornflakes halen. Zo noemt hij ons, de ontbijtgranengeneratie.'

En ze hadden nog een naam, die van ene John Yao. 'Een Chinees die altijd geruisloos door het kantoor sluipt,' vertelde Mark. 'Hij doet de accounts in Azië, Hmong-zaken, en een paar plaatselijke. Hij is ook een wapenfreak. Ik voel me nooit op mijn gemak als hij in de buurt is.' Ze hadden verder geen specifieke informatie over Yao, en ze wisten niet of hij op de lijst stond om ontslagen te worden, alleen dat zijn accounts weinig voorstelden. 'Klein, onbetekenend spul. Dus het zou kunnen dat McDill van hem en zijn accounts af wilde.'

Virgil stuurde het gesprek terug naar de relatie van Sexton met McDill. 'Werd ze, voor zover je haar kent, vooral door seks gedreven? Toen ze met jou was en zich probeerde los te maken van Ruth, was ze toen uit op een nieuwe, langdurige relatie? Of ging ze de stad uit om de bloemetjes buiten te zetten?'

'Hm. Ze vond het zeker niet leuk toen ik er een eind aan maakte, maar volgens mij was haar relatie met Ruth op sterven na dood. En ik wist dat onze relatie geen kans van slagen had, en zij was slim genoeg om dat ook te beseffen.'

'Is het mogelijk dat ze na haar relatie met jou nog meer verhoudingen heeft gehad? Iemand waar Ruth niet van wist?'

Ze schudde haar hoofd. 'Dat weet ik niet. Als ik het wist zou ik het zeggen, maar ik weet het echt niet.'

'Als dat zo was, was het in elk geval niet iemand van het bureau. Dan zou er zeker over gepraat zijn... Niks is geheim daar.'

Virgil stelde nog een paar vragen, maar als verdachten had hij de Sextons eigenlijk al afgeschreven. Hun alibi's waren doodsimpel te controleren, dus waarom zouden ze erover liegen? Hij was door zijn vragen heen, informeerde een laatste keer of ze nog ideeën hadden over wat er was gebeurd en stond op.

Op dat moment begon de baby te huilen en klonk er een scherp gekrijs uit de intercom.

'Jouw beurt,' zei Abby Sexton tegen haar man, en hij haastte zich de woonkamer uit. 'We proberen de zorg voor het kind echt fiftyfifty te doen,' zei ze.

Ze liep met hem mee naar de voordeur en daar aangekomen zei Virgil: 'Nou, bedankt voor jullie hulp. En misschien kom ik nog een keer terug.'

Ze kwam te dicht bij hem staan, legde haar hand op zijn bovenarm en vroeg: 'Ga jij weleens uit? Hier in de Cities? Ik zie dat je geen trouwring draagt.'

'Ik eh... doe dat meestal meer ten zuiden van de Cities,' zei Virgil, en hij deed een stapje achteruit.

'Nou, als je nog eens in de stad bent, bel ons,' zei ze. 'We houden van creatieve relaties.'

Hij knikte en haastte zich de deur uit. Creatieve relaties mijn reet, dacht hij. Hij mocht deze mensen helemaal niet, maar hij geloofde ook niet dat ze iets met de moord op Erica McDill te maken hadden.

Ruth Davies? Misschien was zij een interessantere kandidaat.

Virgil keek om. Abby Sexton stond nog op de veranda en zwaaide naar hem.

Hij zwaaide terug, stapte in de pick-up en toen hij de hoek om reed dacht hij: niet denken aan een naakte Mark Sexton in bed.

Twaalf uur. Hij belde Mann vanuit de pick-up en vroeg: 'Hoe lang gaat die bespreking duren?'

'Dat weet ik niet, maar het zou weleens lang kunnen zijn. De mensen hier zijn flink aangeslagen. Iedereen zal zijn acht minuten spreektijd willen gebruiken, dus dan zijn we al anderhalf uur onderweg voordat we spijkers met koppen kunnen slaan.'

'Heb je het adres en telefoonnummer van Ronald Owen voor me?' vroeg Virgil.

'Jazeker. Wat heeft Ron hiermee te maken?'

'Dat weet ik niet,' zei Virgil. 'Dat wil ik hem zelf vragen.'

'Die verdomde Sexton heeft zijn naam zeker genoemd,' zei Mann. Het was geen vraag. 'De vuile rat. Hoor eens, ik sta in voor Ron, voor zover dat iets voor je betekent.'

'En voor John Yao?'

'Jezus,' riep Mann. 'De enige niet-yups van het hele bureau en alleen zij worden genoemd.'

'Zou McDill ze hebben ontslagen?'

Na een minuut stilte zei Mann: 'Ron waarschijnlijk wel. Ze mocht hem niet en hij haar evenmin. John Yao niet, denk ik. Hij heeft goede contacten in de Aziatische gemeenschap hier, en die schuift verrassend veel werk onze kant op.'

'Mark Sexton zei dat zijn accounts weinig voorstelden,' zei Virgil.

'Omdat Mark een stomme lul is,' zei Mann. 'Johns accounts waren misschien niet reusachtig groot en het was geen tv- of glamourspul, maar bij elkaar genomen brachten ze een leuke cent op.'

'Dus Yao was safe, maar Owen waarschijnlijk niet,' zei Virgil.

'Ja, en Erica en John konden het goed met elkaar vinden,' zei Mann. 'Geen idee waarom... een bepaalde chemie, of zoiets. Maar ze mochten elkaar wel.'

'Waar woont Owen?' vroeg Virgil.

'Ik voel me een vuile verrader als ik je zijn adres geef,' zei Mann.

'Ik kom het toch wel te weten,' zei Virgil. 'En als Owen het niet heeft gedaan, kunnen we hem maar beter zo snel mogelijk van de lijst schrappen.'

Owen woonde een kilometer of dertig ten noordwesten van Minneapolis, in het landelijk gelegen Grant Township. Virgil zette koers ernaartoe en werd toen gebeld op zijn mobiele telefoon. Hij keek op het schermpje: Davenport.

'Ja?'

'Ben je nog in Grand Rapids?'

'Nee. Ik rijd net St. Paul uit, aan de noordkant, richting Mahtomedi. Ik ga met een man praten die McDill niet mocht.' Virgil gaf een verslag van wat hij te weten was gekomen en vertelde wat hij de rest van de dag ging doen voordat hij terugreed naar het noorden.

'Stacy en haar team zijn gisteravond aan het sporenonderzoek in McDills huis begonnen,' zei Davenport. 'Die zijn daar voor de rest van de dag nog wel bezig. McDills vader is er ook, voor het geval je langs zou willen gaan.'

'Dat is in Edina, hè?' Hij had McDills adres al in zijn boekje staan, in Edina of Eagan.

'Ja. Haar vriendin is gisteravond teruggekomen en heeft wat heibel gemaakt, maar dat is inmiddels opgelost,' zei Davenport. 'Wat denk je van de vriendin?'

'Daar ben ik nog niet uit,' zei Virgil.

'Oké. Hou contact.'

Owens huis stond op een heuvelrug. Een ranch-huis uit de jaren vijftig, waar later een stuk aan was gebouwd, met een garage en een gereedschapsschuur erachter en ongeveer vier hectare land, schatte Virgil. Toen hij aan het eind van de gravel oprit was, zag hij aan de rand van een veldje met zoete maïs een man in een T-shirt en spijkerbroek, die naar hem stond te kijken. Owen, vermoedde Virgil.

Hij parkeerde naast een Chevy-pick-up, stapte uit, keek om zich heen – alles rook naar pas gemaaid hooi en droge gravel – en liep naar het huis. De binnendeur was open en hij klopte op de hordeur. Er klonk muziek uit een van de kamers, maar hij herkende niet wat er werd gespeeld. Een vrouw van een jaar of vijftig, met bruin haar, kwam naar de deur, droogde haar handen met een handdoek en keek hem aan door het gaas. Ze glimlachte en vroeg: 'Kan ik iets voor u doen?'

'Ik ben van Bureau Misdaadbestrijding,' zei Virgil. 'Is meneer Owen thuis?'

'O jee,' zei ze, en de glimlach vervaagde. 'Gaat het over Erica?'

'Yep,' zei Virgil. 'Ik ondervraag de mensen van het reclamebureau.'

'Allemaal, of maar een enkeling?'

'Diverse mensen, in elk geval,' zei Virgil. 'Ik heb net met Mark Sexton gesproken.'

'De vuile schoft,' zei ze. 'En hij heeft u zeker gezegd dat Ron het heeft gedaan?'

'Nee, dat niet, maar...' Virgil krabde aan het gaas. 'Ik moet echt even met meneer Owen praten. U mag daar natuurlijk bij zijn, als u dat wilt. En ik kan u vertellen dat Barney Mann heeft gezegd dat meneer Owen niks met de dood van miss McDill te maken heeft gehad.'

'Daar heeft hij gelijk in. En ja, ik wil erbij zijn.' Ze duwde de deur open en zei: 'Kom maar mee. Hij is in de tuin.'

Owen was de laatste zoete maïs van de zomer aan het oogsten. Hij was gekleed in een Oshkosh-tuinbroek en een T-shirt, als een hobbyboer die er graag goed uitziet. Hij knikte toen Virgil en de vrouw naderden en vroeg: 'Politie?'

Virgil stelde zich voor en de vrouw zei: 'De Sextons.'

'Dan weet ik genoeg,' zei Owen. Aan Virgil vroeg hij: 'Wilt u misschien straks een paar maïskolven meenemen? We hebben te veel voor ons beiden en niet genoeg om in te vriezen.'

'Ik neem er graag een paar mee,' zei Virgil. De maïs geurde zoet en warm in het lichte briesje dat over het land trok, maar hij was ook een tint te geel, dus hij zou misschien wat aan de taaie kant zijn. Of heel erg taai. Hij zei: 'U weet wat ik moet vragen. Was u eergisteravond in de Cities?'

Owen knikte. 'Ja. Ik heb tot zes uur op het bureau gewerkt en ben toen naar huis gegaan.' Hij noemde een paar namen van mensen die hem tot laat op het land hadden zien werken. 'Maar ik zou haar nooit vermoord hebben. Ik zou sowieso niemand vermoorden, om welke reden ook.'

Virgil knikte. 'De Sextons zeiden dat u jaagt. Degene die miss McDill heeft vermoord, kon goed met een geweer overweg.'

'Hoe is het precies gebeurd?' vroeg Owen. Virgil vertelde het en Owen zei: 'Klinkt als iemand uit de omgeving. Je kunt naar Google Earth kijken tot je een ons weegt, maar die beelden vertellen je niet hoe je je door de bossen in het noorden moet verplaatsen. En maar één schot, recht tussen de ogen?'

'Ja.'

'Door dat laatste denk ik dat het een gelukstreffer was, of dat er nog een schot is gelost waar jullie nog niet van weten, dat ze daardoor opkeek en het tweede schot haar recht in het hoofd trof... of je hebt met een gek te maken,' zei Owen, terwijl hij de schutbladeren van een maïskolf kapte. Daardoor werd er onder aan de kolf een door een worm aangevreten stuk zichtbaar. Hij kapte het onderste stuk van de kolf en toen het op de grond viel, trapte hij het plat met zijn laars. 'Waarom zou je zo'n moeilijk schot riskeren als je op het hele bovenlichaam kunt mikken?'

'Geen idee,' zei Virgil. Deze vraag had hij zichzelf nog niet gesteld. 'Misschien wist ze niet beter dan dat ze op het hoofd moest mikken.'

'Ze?'

'We denken dat er een goede kans is dat de dader een vrouw is,' zei Virgil.

'Dus u verdenkt mij helemaal niet?' vroeg Owen.

'Nee, maar ze zeiden dat u een hekel aan haar had en dat ze misschien van plan was u te ontslaan, dus ik moest het nagaan,' zei Virgil. Hij keek naar de vrouw en vervolgde: 'Ik bedoel, misschien heeft uw vrouw haar wel vermoord.'

De vrouw zei: 'Ik kan nog geen muis doodmaken. Ik zet de deur open en jaag ze naar buiten.'

'En waar was u eergisteravond?'

'Op school, Highland Junior High, tot vijf uur,' zei ze. 'Ik geef daar les. En na de les hadden we volleybaltraining.'

Virgil glimlachte. 'Ik heb zelf ook aan iemand uit de omgeving gedacht.' Hij vroeg aan Owen: 'Als u iemand zou moeten uitkiezen, een vrouw die u kent, van wie het voorstelbaar is dat ze McDill heeft doodgeschoten, wie zou u dan noemen?'

Owen dacht na, keek Virgil recht aan en zei: 'Jean.'

'Wie is Jean?'

'Dat ben ik,' zei de vrouw. 'Ik kon die trut echt niet uitstaan.'

Ze praatten nog een paar minuten verder, maar Owen kon niemand van het bureau bedenken die het gedaan zou kunnen hebben.

'Volgens mij is het gewoon zo'n hillbilly-*redneck*-anti-lesbomoord,' zei hij. 'Ik wed met je om honderd dollar dat een of andere simpele ziel van het platteland het heeft gedaan. Ik was een keer bij een footballwedstrijd in Palachek Stadium in Milaca toen ik iemand achter me hoorde zeggen dat een van de quarterbacks gay was, en toen zei de redneck die naast hem zat: "Ik vermoord die flikker", en hij meende het nog ook.'

'Dan vraag je je af of hij hetzelfde over lesbiennes zou denken,' zei Virgil.

'Waarom zou dat anders zijn?'

'Omdat lesbiennes geen bedreiging voor heteromannen vormen,' zei Virgil. 'Er zijn zelfs heteromannen die fantaseren over lesbiennes.'

Jean keek hem aan. 'U klinkt alsof u uit persoonlijke ervaring spreekt.'

Virgil zei: 'Er werd me aangeraden het doen en laten van John Yao ook eens door te lichten. Weten jullie of hij...'

'John? John zou nog geen zieke rat kwaad doen. Dat hebben de Sextons zeker gezegd, hè? De hufters.'

Virgil vertrok met een bruine papieren zak vol maïskolven en komkommers.

Waarom het schot in het hoofd? Was het een crime passionel en had de dader McDills gezicht willen verminken? Dat gebeurde vaak bij homomoorden, maar hij wist niet of dit ook voor vrouwen gold. Maar Owen had natuurlijk gelijk. Het schot in het hoofd had de moord moeilijker en riskanter gemaakt. Iets om over na te denken.

Fantaseerde hij weleens over lesbiennes? Hij dacht erover na en kon het zich niet herinneren. Hij fantaseerde soms over vrouwen, maar de lesbische invalshoek was nog nooit aan bod gekomen. Misschien moest hij dat eens proberen, de eerstvolgende keer dat hij behoefte aan een fantasie had.

Virgil reed weg bij Owens huis en ging weer terug naar de Cities. Eerst naar McDills huis en daarna naar de bestuursvergadering van het reclamebureau, om te zien of die misschien iets opleverde. Hij moest meer druk zetten op Ruth Davies, nam hij zich voor, om te zien of hij iets uit haar kon persen, en hij moest met het technisch team in McDills huis praten.

Hij reed net de rondweg van de I-694 op toen hij werd gebeld door de dienstdoende agent van BM in St. Paul. 'Ken jij ene Zoe Tull in Grand Rapids?'

'Ja. Wat is er gebeurd?'

'Ik weet niet of er iets is gebeurd. Maar ze heeft gebeld, zei dat ze je wilde spreken en dat het dringend was. Nogal dringend, zei ze woordelijk.'

Virgil toetste Zoe's nummer in en ze antwoordde na het tweede belsignaal, wat snel was voor een mobiele telefoon. 'Virgil?'

'Wat is er aan de hand?'

'Er is iemand in mijn huis geweest, vannacht, toen ik in bed lag,' zei ze.

'Wat, jezus. Waarom...?' Hij zag een beeld voor zich, een moordenaar die 's nachts door een donker huis sloop. 'Waarom denk je dat er iemand binnen is geweest?'

'Ik kon vannacht niet slapen,' zei Zoe. 'Ik lag uren wakker, na te denken over alles. Na die vechtpartij bleven al die dingen maar door mijn hoofd spoken. Toen, heel laat, om twee uur, dacht ik dat ik iemand hoorde. In de keuken. Of misschien in mijn kantoor. Ik schoot overeind, deed mijn bedlampje aan, maar toen ik de deur van de slaapkamer opendeed zag ik niks, want het was stikdonker in de rest van het huis. Dus ik riep: "Hallo, wie is daar? Ik heb een pistool." Na een minuut had ik nog niks gehoord, ik kijk om de deurpost en zie mijn kat door de gang lopen, dus ik denk: die zal het wel geweest zijn. Daarna ben ik het hele huis door gelopen en heb niemand gezien. Maar vanochtend was de achterdeur open, een heel klein stukje maar. Ik zag het niet eens, pas toen ik wegging. Toen ik de deur aanraakte en die vanzelf opening. Hij kan nu niet eens meer dicht, want dat ding waar het slot in valt is weg.'

'De schootplaat.'

'Ja, zoiets. Ik heb ernaar gekeken, maar iemand heeft die uit de houten deurpost gewrikt.'

'Heb je de politie gebeld?' vroeg Virgil.

'Ja, en ik heb ze het hele verhaal verteld, ook dat ik met jou heb gepraat,' zei ze. 'Ze zeiden dat de deur duidelijk is geforceerd, maar ze konden niet zeggen wanneer. Ze hebben verder niks gedaan, alleen gezegd dat ik betere sloten moest kopen. En dat ik het tegen jou moest zeggen.'

'Oké, doe dat. Bel een slotenmaker en laat betere sloten in de deuren zetten. Heb je iemand naar wie je toe kunt en bij wie je kunt overnachten? Een motel...'

'Ik kan bij mijn zus terecht als het nodig is,' zei Zoe. 'Haar man is de stad uit.'

'Goed, ga naar je zus,' zei Virgil. 'Ons technisch team is waarschijnlijk nog in de buurt, dus ik zal ze naar je achterdeur laten kijken. Heeft de politie eraan gezeten, of hebben ze alleen gekeken?'

'Nee, nee, volgens mij hebben ze niks aangeraakt,' zei ze. 'Ze hebben alleen gekeken, van heel dichtbij.'

'Mooi zo,' zei Virgil. 'Luister, ik geef je telefoonnummer aan de mensen van de technische recherche. Die nemen contact met je op om je verdere informatie te vragen. Raak de deur niet meer aan. En blijf bij je zus totdat de nieuwe sloten erin zitten.'

'Oké.'

'Wat voor pistool heb je?' vroeg Virgil.

'Ik heb geen pistool,' zei ze. 'Alleen een honkbalknuppel en een cd met blaffende dobermanns, voor op de stereo. Maar ik heb vannacht aan geen van beide gedacht. Wat ben ik toch een sukkel.'

'Ga de slotenmaker bellen,' zei Virgil. 'Zodra hij er is, ga je naar je zus. Ik kom vanmiddag weer terug en bel je als ik er ben.'

Hij belde Mapes van het technische team en zei dat hij iemand naar Zoe's huis moest sturen. Daarna belde hij Zoe weer om te zeggen dat er iemand aankwam. De volgende die hij belde was de patholoog. 'We zijn de bekende dingen tegengekomen, Virgil, en ik kan je vertellen dat ze niet onder invloed van drank of drugs was. En wat betreft de ingangswond in het voorhoofd, waarvan ik aanneem dat je die hebt gezien...'

'Ja.'

'Ik hou het op een .223. We weten het pas zeker als jullie de huls hebben, maar als ik de randen van de ingangswond zie en uitga van de schade die er is aangericht, denk ik aan een *high power* .22 van een of ander model. Mijn beste gok is een .223, of eventueel een oude .222. Ik geloof niet in een van die kleine *hyperspeed* wapens. Nee, ik zet mijn geld op een .223.'

'Bedankt.'

Bevestiging door een onafhankelijke bron. De .223 was een van de populairste vuurwapens in Minnesota en hetzelfde kaliber werd in het leger gebruikt vanwege de geringe terugslag, de relatief goedkope munitie en de grote precisie van het geweer. Dus het enige wat hij hoefde te doen was het geweer vinden, liefst met een paar vingerafdrukken erop, en een plattegrond van de plaats delict.

En hij dacht: als het de moordenaar was die in Zoe's huis had ingebroken, dan was het iemand uit de omgeving, uit Grand Rapids, iemand die met behulp van het plaatselijke geruchtencircuit zou weten dat Zoe met Virgil had gesproken.

Erica McDill had in een rustige buitenwijk gewoond, met huizen van meer dan een miljoen: ruime percelen, hoge bomen en beschutte achtertuinen met een zwembad, voor zover dat te zien was. McDills huis was laag en had een plat dak, het was vermoedelijk gebouwd in de jaren vijftig van de vorige eeuw, een constructie van stalen balken en glas, foeilelijk maar waarschijnlijk van architectonische waarde, dacht Virgil. De oprit liep door tot achter het huis en eindigde bij een garage die groot genoeg was voor vier auto's. Een rechercheur van het technische team, Lane, liet hem binnen, en Virgil zag meteen dat de inrichting door profs was gedaan, van de vloerbedekking tot en met de verf op het plafond.

Hij vond Ruth Davies en McDills vader in de woonkamer, Davies op de grond, omringd door enkele vierkante meters papieren.

Hij sprak eerst met Davies maar kreeg niets uit haar, ze zat alleen maar zenuwachtig te zijn. Op een gegeven moment kreeg Virgil er genoeg van en toen stond ze op en ging naar de keuken om iets te bakken waar pindakaas in zat.

McDills vader, Oren McDill, staarde naar de papieren die het leven van zijn dochter vertegenwoordigden en was aangeslagen, verdrietig en van de kaart. Hij was een lange, magere man met grijs stekeltjeshaar en een eenvoudig gouden brilletje, gekleed in een T-shirt en spijkerbroek. Hij zei dat McDill een testament had gehad en dat hij de executeur was. 'Ik zal een kopie voor je maken zodra ik het uit mijn kluisje heb gehaald,' zei hij. Hij gebaarde naar de papieren en vervolgde: 'Het had nooit op deze manier mogen eindigen. Zij had dit voor míj moeten doen.'

McDills moeder woonde in Arizona, met haar tweede man, maar zij en haar dochter hadden nauwelijks contact met elkaar gehad, vertelde Oren McDill. 'Dat stamt uit de tijd van de scheiding. Erica zat op de middelbare school en ze kon gewoon niet geloven dat haar moeder ons allebei liet barsten. Maar Mae wilde haar vrijheid terug. Ze wilde geen man, of toen in elk geval niet, en ook geen kind. Dat heeft ze ons verteld voordat ze vertrok. Erica is daar nooit overheen gekomen.'

'Ik wil niet...' Virgil keek om zich heen. Ze zaten samen op de afgeschermde veranda, maar ze hoorden Davies rommelen in de keuken. 'Luister, ik wil niet bot zijn, absoluut niet, maar ik moet het toch vragen. Aangezien u weet wat er in het testament staat... erft Erica's moeder dan iets?'

McDill schudde zijn hoofd. 'Geen cent.'

'O. En Ruth?'

'Ruth krijgt honderdduizend,' zei McDill.

'Niet slecht... ze dacht dat ze niks kreeg,' zei Virgil.

McDill fronste zijn wenkbrauwen. 'Ik dacht dat ze dat wist. Volgens mij wist ze wat er in het testament stond. Heb je het haar gevraagd?'

'Ja, maar misschien ben ik niet duidelijk genoeg geweest,' zei Virgil.

'Het heeft er de afgelopen drie jaar in gestaan,' zei McDill. 'Erica zou een nieuw testament laten maken als ze algemeen directeur van het bureau werd en een hoger salaris zou krijgen. Ik kan me nauwelijks voorstellen dat ze daar nooit over hebben gepraat.'

Het technische team, onder leiding van Stacy Lowe, was bijna klaar met het doorzoeken van het huis en het verzamelen van belstaten van de telefoons, agenda's, computerbestanden en al het andere wat misschien in de richting van de dader kon wijzen.

Virgil nam Lowe apart en vroeg: 'Ben je al klaar in de kamer van Ruth Davies?' Hij had gehoord dat de twee vrouwen ieder hun eigen slaapkamer hadden.

'Ja. Ben je op zoek naar iets speciaals?'

'Ik wil haar schoenen zien...'

Lowe nam Davies mee, zogenaamd om iets te bespreken, en zodra ze weg waren glipte Virgil de slaapkamer in om in de kast te kijken. Davies had een schoenenrek waarop negen paar schoenen stonden. Hij bekeek alle paren maar vond geen Mephisto's. Hij ging naar McDills kamer en vond daar ongeveer twintig paar schoenen, waaronder een paar Mephisto's. Vervolgens ging hij op zoek naar Lowe. 'Onderzoek deze schoenen. De jongens in het noorden zeggen dat de dader mogelijk Mephisto's droeg. Zoek naar aarde en moerasklei.'

'Oké. Prima.' Ze bekeek de zolen en zei: 'Ze zien er schoon uit.'

'Doe extra je best.' Hij keek naar de schoenmaat – 8 1/2 – liep terug naar Davies' kamer en controleerde de schoenmaat: 8. Davies kon de Mephisto's van McDill hebben aangetrokken. Zelfs als het paar in de kast nooit in het moeras was geweest, wist hij nu dat McDill Mephisto's had.

Lowe zei: 'We hebben nergens vuurwapens gevonden. Geen geweren.'
Virgil stak zijn vinger op om haar even het zwijgen op te leggen terwijl hij een vluchtige gedachte voltooide. Ach. Ja, dat was het. McDill had Mephisto's. Wendy was de nacht voor de moord in McDills huisje geweest, waar ze die schoenen had kunnen pakken...
Iets om na te gaan.
'Wat is er?' vroeg Lowe.
'Geen vuurwapens, dus? Interessant.'

Davies had geen alibi – ze was ziek, had ze gezegd – maar wel een financieel en misschien ook een emotioneel motief om McDill te vermoorden, en ze kon bij de schoenen komen. Misschien had ze gelogen over McDills testament. Er was een goede kans dat ze had geweten wat McDill deed wanneer ze in het resort was, dat ze graag 's avonds bij het adelaarsnest ging kijken, en misschien had McDill het wel aangewezen op de kaart, of op Google Earth.
Aan de andere kant was Davies' gedrag gewoon te... echt. Ze had niet vooraf antwoorden op Virgils vragen bedacht. Ze had niet nagedacht over hoe ze zich moest gedragen. Alles aan haar was even puur en niet ingestudeerd.
Tenzij ze, dacht Virgil, gestoord was.
Hij had in het verleden weleens te maken gehad met een gestoorde inbreker die na zijn inbraken de onschuld zelve was geweest, omdat hij op de een of andere manier was vergeten dat hij ze had gepleegd. Virgil had niet geloofd dat de man echt loog, want door zijn merkwaardige psychische afwijking kon hij het zich gewoon niet herinneren. Wat hem er natuurlijk niet van weerhield om al het gestolen spul op eBay te verkopen.

Toen Virgil al zijn vragen had gesteld en nog een laatste keer door het huis liep, viel hem iets op: de muren waren niet kaal, maar ze waren ook niet helemaal zoals het hoorde. Hij maakte nog een rondje door het huis, keek bijna achteloos naar de muren en zag op ooghoogte een paar gaatjes van spijkers. Hij vroeg Lowe ernaar. 'Heb je tussen de papieren iets gevonden over de kunst die ze bezat?'
'Ik ben ergens een map met bonnen tegengekomen,' zei Lowe. 'Ik kan die opzoeken als je wilt.'
'Doe dat, en check ze af met alle kunst die je in het huis ziet hangen.' Hij gebaarde om zich heen. Aan elke wand hing wel een schilderij of litho of zoiets, en zo te zien waren de werken niet afkomstig van de zolderkamer

van een of andere amateur... dit was kunst die je in de galeries zag hangen: kleurrijk, bijzonder en zelfs provocerend. 'Kijk of er iets ontbreekt. Ik heb geen idee hoeveel het waard is, maar dat wil ik graag weten. Wat het heeft gekost en waar het is. En als er iets ontbreekt, wil ik weten voor hoeveel het is verkocht.'

Toen Virgil wegging, waren Davies en Oren McDill in de hal bezig Erica McDills kleding uit te zoeken, om die later in te pakken. Een zware taak, wist Virgil, en ze moesten allebei hun tranen bedwingen terwijl ze het deden. Zo liet hij ze achter, in een huis vol verdriet, en reed terug naar de stad voor de bestuursvergadering van het reclamebureau.

Het bureau was op de vierde verdieping van de Laughton Building in Minneapolis, de bekende internationale toren van staal en blauw getint glas. Mann stelde hem voor aan het bestuur, een groep goedgeklede mannen en vrouwen die rondom een essenhouten tafel zaten en elkaar afsnauwden.

Virgil gaf een korte opsomming van wat hij had ontdekt, en opeens riep een van de mannen: 'Ik was bij een wedstrijd van de Twins', waarna ze hem stuk voor stuk, zonder dat hij iets had gevraagd, een alibi verschaften. Het merendeel daarvan zou gemakkelijk te controleren zijn. Er was één man die geen alibi had, maar die was bijna twee meter lang en had zo te zien schoenmaat 13. Desondanks maakte Virgil er een aantekening van. Als een van deze mensen de dader was, zou de aanwijzing ergens anders vandaan moeten komen, van iemand anders, om het te bewijzen. Tegen een uur of vier was hij weer op weg naar het noorden.

Hij bleef denken aan wat Owen had gezegd over een hillbilly-redneck-anti-lesbomoord.

Het was mogelijk, maar Virgil betwijfelde het. Er was meestal meer voor nodig om iemand tot een moord aan te zetten. Niet altijd, maar meestal wel. Geld, seks, een obsessie, rancune, drank... zoiets. Iets wat hij nog niet was tegengekomen.

8

Het huis van Zoe Tulls zus leek meer op een blokhut dan op een echt huis, en het stond aan een gravelweg bij een ondiepe inham van Fifty-Dollar Lake. Zoe had hem per mobiele telefoon uitgelegd hoe hij moest rijden en hem binnengepraat als een luchtverkeersleider. Ze stond in de tuin toen hij de oprit opdraaide.

'De technisch rechercheur die je naar mijn huis hebt gestuurd heeft geen vingerafdrukken kunnen vinden,' zei ze, 'maar het was overduidelijk dat de deur is opengebroken, zei hij.' En daarna: 'Hallo.'

'Hallo,' zei Virgil. 'Ja, ik heb hem gesproken. Hij zei ook dat je sloten nog geen klein kind buiten de deur konden houden.'

'Dat probleem is morgen opgelost.' Ze klemde haar armen om zich heen en rilde. 'Het bevalt me helemaal niet. Ik weet niet of het toeval was, of dat het is gebeurd omdat ik met jou heb gepraat, of dat er een of andere idioot rondloopt die vrouwen vermoordt.'

Een vrouw, een paar jaar ouder dan Zoe, kwam het huis uit: haar zus. Ze leek erg op Zoe, net zo slank maar iets meer getekend door het leven. Ze had koele, afstandelijke groene ogen en een neus die wat aan de grote kant was. Ze droeg een geruit flanellen shirt met opgerolde mouwen en een spijkerbroek. Ze keek Virgil enige tijd zonder een spoor van gêne aan, keek toen langs hem heen en zei: 'Leuke boot.'

'Hij bevalt me goed,' zei Virgil.

'Jullie kunnen beter binnenkomen voordat de muggen jullie levend verslinden,' zei de zus.

'Mijn zus Sig, Signy,' zei Zoe tegen Virgil. En tegen Signy: 'Dit is Virgil.'

Signy's huis rook naar dennenhout en heel licht naar bacon en pannenkoeken. Het had een piepklein keukentje, een kleine woonkamer met een bank, een paar fauteuils, een ovaal, geknoopt vloerkleed, een houtkachel in de hoek en een gang die naar een of meer slaapkamers leidde. Virgil ging in een van de fauteuils zitten en Zoe vroeg: 'En, wat ben je te weten gekomen?'

'Niet veel. Ik heb een paar mensen gesproken die McDill niet mochten, maar die hebben het niet gedaan. Ik heb ontdekt dat Ruth Davies honderdduizend dollar van haar zal erven en dat ze wist dat McDill minstens één keer vreemd is gegaan, dus ze kan gedacht hebben dat hun relatie ten einde liep. O, en ze heeft geen alibi.'

Signy was naar de keuken gegaan, kwam terug met drie flesjes en gaf er een aan Virgil. Negra Modelo. Virgil nam een grote slok en zei: 'Sorry, mevrouw, ik mag niet drinken tijdens diensttijd.'

'Het is me verdomme wat moois,' zei Signy. Ze gaf het andere flesje aan Zoe en hield het derde zelf. 'Dus jij denkt dat die Davies het heeft gedaan?'

'Dat heb ik niet gezegd,' zei Virgil.

'Zo klonk het anders wel,' zei ze.

'Goed dan. Ik denk niet dat ze het heeft gedaan.'

'Wie heeft het volgens jou dan wel gedaan?' vroeg Signy.

'Ik ken het hele spelersveld nog niet,' zei Virgil. 'Over een paar dagen weet ik meer.'

Ze glimlachte naar hem en Virgil zag dat er een stukje van haar voortand was afgebroken. 'Aan je ego mankeert in elk geval niks, zou ik zo zeggen.'

Signy's man was in Alaska. 'Hij ging een keer een brood kopen en kwam uiteindelijk terecht in Churchill aan de Hudson-baai. Deze keer is het Alaska geworden.'

'Klinkt alsof hij verward is,' zei Virgil.

'Dat is hij, een warhoofd,' zei ze. 'Best een goeie vent, maar een warhoofd. Ik denk niet dat hij deze keer terugkomt.'

'Het zou ook kunnen van wel,' zei Zoe.

'Ik geloof er niks van,' zei Signy. En tegen Virgil: 'Hij drijft steeds verder af. De laatste keer wist hij al nauwelijks hoe hij moest thuiskomen. Deze keer is hij achter de horizon verdwenen. Ik denk niet dat hij het gaat halen.'

'Het leven is hard,' zei Virgil.

'Laat Virgil de foto zien die hij je heeft gestuurd,' zei Zoe.

Signy stond op, liep naar het tafeltje in de gang bij de voordeur, pakte een envelop en gaf die aan Virgil. Hij haalde de foto eruit en hield die bij de lamp om hem beter te kunnen zien. Op de foto stond een donkerharige, magere man op de oever van een stuk moerasland, of misschien was het drijfzand, te kijken naar een bulldozer die erin wegzonk en nog maar net boven de oppervlakte uitstak. Van de bulldozer liep een zware ketting naar een tweede bulldozer, die blijkbaar bezig was de eerste uit het moeras te trekken.

'Raad eens wat hij voor zijn beroep doet?' vroeg Signy.

'Hij bestuurt die bulldozer?'

'Ja, en hij veroorzaakt het ene ongeluk na het andere,' zei Zoe.

Virgil gaf de foto terug en Signy vroeg: 'Nog een biertje?'

'Ik zou het eigenlijk niet moeten doen,' zei Virgil. Maar ze ging naar de keuken, gaf hem nog een flesje bier en zei: 'Ik zou er wel iets te eten bij willen maken, maar ik heb niks in huis. Ik eet meestal buiten de deur.'

'Ik heb een zak zoete maïskolven in de pick-up,' zei Virgil.

Signy's gezicht klaarde op. 'Die zou ik wel kunnen klaarmaken. Alleen water koken, toch?'

Virgil ging de maïs halen en gaf de zak aan Signy. Ze keek erin en zei: 'Komkommers. Ik zou een salade kunnen maken. Ik heb nog een paar appels en een krop sla...' Virgil had de indruk dat ze geen grootse kokkin was.

Toen Signy zich in de keuken terugtrok ging Virgil weer zitten en zei tegen Zoe: 'Vertel me alles over de band. Over Wendy en Berni en wie er nog meer in zit.'

De band bestond nu twee à drie jaar, vertelde Zoe, maar Wendy was al sinds de middelbare school een soort beroemdheid in Grand Rapids. 'Ze is altijd al de beste zangeres van de stad geweest. Als jong meisje zong ze in een polkaband en ging ze ook mee op tournee. Alleen in de Iron Range, bedoel ik, niet verder.'

Wendy en Berni raakten bevriend op school en Berni ging drums leren spelen omdat ze met andere instrumenten niet uit de voeten kon. Op de middelbare school speelden ze samen in een rockband, die later countrymuziek ging spelen omdat Wendy had ontdekt dat haar stem daar beter voor geschikt was. Ze vond ook dat countrymuziek vrouwen beter lag dan rock.

Na de middelbare school werkte ze een tijdje in een buurtsupermarkt en daarna ging ze werken voor haar vader, die honden fokt. 'Valse gele haarballen,' zei Zoe. 'Maar ik geloof dat ze er flink aan verdienden. Het bleek een of ander zeldzaam ras te zijn.'

'Ik heb me altijd afgevraagd of ze ze letterlijk fokte,' riep Signy vanuit de keuken. 'Aangezien ze dat met elk ander levend wezen doet.'

'Hou je mond, Sig,' zei Zoe.

Terwijl Wendy overdag werkte, had ze daarnaast haar band. En die band werd steeds beter, want de oude bandleden van school werden gedumpt en vervangen door een paar profs, en Wendy's stem ontwikkelde zich ook steeds verder. Net als haar liefdesleven.

Zoe zei dat Wendy een harteloze sloerie was, die haar liefjes tegen elkaar uitspeelde en af en toe met mannen naar bed ging om iedereen in te wrijven hoe onafhankelijk ze was. En Signy, die de deksel van de pan haalde om te zien of het water al kookte, was het daarmee eens.
'Maar talent heeft ze zeker; dat heb je zelf gehoord,' zei Zoe, en haar gezicht straalde. 'Ze heeft die speciale aantrekkingskracht die niemand koud laat. Zelfs McDill viel ervoor. Dat hebben alleen de echte sterren. Je weet niet wat het is, maar je voelt het wel.'
Berni, daarentegen, was een heel middelmatige drummer. Zoe zei: 'Ze doet wat ze moet doen, maar ze is niet creatief. Dat heeft Wendy me verteld.'
'Denk je dat Wendy haar ook zal dumpen?' vroeg Virgil.
Signy zei: 'Als Wendy denkt dat Berni haar een platencontract kan kosten, zet ze haar zo uit de bus, midden op de snelweg desnoods.'

Wendy wist dat er iets moest gebeuren, vertelde Zoe, want Taylor Swift, die twee jaar jonger was dan Wendy, was al een grote naam aan het worden met de bestverkopende cd in de VS.
'Maar zal ik je eens wat zeggen? Taylor Swift is een soort Grace Slick. Weet je wie Grace Slick was?'
'Jefferson Starship?' zei Virgil.
'Ja, en nog een band, Jefferson Airplane, daarvóór. Iedereen dacht dat zij de koningin van de rock zou worden. Maar toen kwam Janis Joplin en werd zíj de koningin van de rock. Wendy is als Janis Joplin. Maar ze moet er wel wat aan doen. Dat weet ze. De tijd begint te dringen.'

Wendy en Berni woonden samen in een woonwagen in de tuin van Wendy's vader, vertelde Zoe. Berni en Wendy's vader waren dikke maatjes.
'Ik denk dat hij het is geweest die Wendy en Berni weer heeft samengebracht toen Wendy met mij was,' zei Zoe.
'Ben je nog steeds verliefd op haar?' vroeg Signy.
'Wat denk je?'
Signy zei tegen haar zus: 'Ik denk dat het door het gebrek aan keus komt. Als je in de Cities zou wonen, waar genoeg andere vrouwen zijn, zou het

wel goed met je komen. Maar hier, wat zou je hier moeten doen? Uitgaan met Sandy Ericson? Ik bedoel, Wendy is zo'n beetje de enige.'

Zoe deed of ze huiverde en zei tegen Virgil: 'Sandy weegt honderdtien kilo schoon aan de haak.'

'En dat zijn geen spieren,' zei Signy. En tegen haar zus: 'Weet je waarom Wendy jou wel zag zitten? Omdat je accountant bent. Omdat ze dacht dat jij haar kon leren hoe ze haar geldzaken moest regelen. Daarom.'

'Sig, hou je mond,' zei Zoe.

Virgil vroeg: 'Als Berni dacht dat Wendy haar zou dumpen voor McDill, achten jullie haar dan in staat McDill dood te schieten?'

Signy en Zoe keken elkaar aan en haalden tegelijkertijd hun schouders op. Zoe zei: 'Ik weet niet of Berni iets van vuurwapens weet. Ik kan het vragen.'

'Nee, doe dat niet,' zei Signy. 'Je hebt ook al een inbreker in je huis gehad.' En toen: 'Het water kookt. Ik ga de kolven erin doen en over een minuut kunnen we eten, dus jullie kunnen beter aan tafel komen zitten.'

Toen ze opstonden zei Virgil tegen Zoe: 'Ik kan geen reden bedenken waarom iemand in je huis zou willen inbreken om iets wat verband houdt met de moord. Jij?'

Ze schudde haar hoofd. 'Nee.'

'Aan de andere kant hebben we te maken met een geweldsmisdaad, jij kent alle mensen uit de directe omgeving van het slachtoffer, iedereen heeft gezien dat je contact hebt met mij en nu breekt er iemand in in je huis. Is het de eerste keer dat er bij je werd ingebroken?'

'O, ja... ik bedoel, er is weleens ingebroken in de huizen bij mij in de buurt, een paar jaar geleden, door jonge jongens die spullen stalen om drugs te kunnen kopen, maar die werden al heel gauw gepakt.'

'Er wordt wel degelijk ingebroken,' zei Signy. 'Het is niet zo dat Grand Rapids honderd procent misdaadvrij is.'

'Maar dat het nu gebeurde maakt het interessant,' zei Virgil. 'Ze is op de plaats delict gezien, ze is met mij gezien, en nu werd er bij haar ingebroken.'

'In die misdaadprogramma's op tv hebben ze het weleens over mensen die niet weten dat ze iets weten, en daarom zijn ze in gevaar,' zei Zoe. 'Zou het zoiets kunnen zijn? Dat ik niet weet dat ik iets weet?'

Virgil grijnsde naar haar en zei: 'Weet je, misdaadprogramma's op tv en misdaadromans hebben weinig met het echte leven te maken. Volgens mij is er het volgende gebeurd: iemand dringt je huis binnen met het plan je te bedreigen, of je misschien wel kwaad te doen, of om te weten te komen wat je mij hebt verteld, of wat je allemaal weet, hij heeft een eind pijp bij zich of denkt aan zijn vuisten genoeg te hebben, maar dan hoort hij jou zeggen: "Ik heb een pistool" en hij denkt: shit, en hij smeert hem.'

'Of zij,' zei Zoe.

'Of zij. En als je iets wist, zou ik het inmiddels ook weten, toch?'

Signy zei: 'Nou, we hadden ooit een minister van Defensie die het altijd had over bekende onbekenden en onbekende onbekenden, dat soort zaken... dus misschien heeft Zoe wel een onbekende bekende.'

Virgil bleef haar enige tijd aankijken en zei toen: 'Ik geloof dat die twee biertjes me nu al naar het hoofd zijn gestegen, want ik heb geen idee waar je het over hebt.'

Signy had een kleine keukentafel met drie verschillende stoelen. Ze gingen aan tafel zitten en begonnen te eten van een middelmatige salade en overheerlijke zoete maïs met echte boter. Toen vroeg Virgil aan Signy wat ze deed en zij antwoordde: 'Ik heb een winkel in quilts in Grand Rapids.'

'Hé, dat is leuk,' zei Virgil. 'Ik hou van quilts. Mijn moeder maakt ze en ik heb er zelf drie.'

'Ik kan er net van leven,' zei Signy. 'Je houdt nooit een cent over en hebt elke week wel vijftig dollar extra voor iets nodig. Je denkt: alles doet het nog, en dan gaat er iets kapot, of je krijgt een lekke band.'

Zoe zei: 'Signy heeft aan de universiteit van Minneapolis gestudeerd. Beeldende kunsten.'

Virgil moest zijn gedachten over de vrouw bijstellen en deed dat zo opvallend dat Signy zei: 'Wat? Je dacht zeker dat ik een of andere hillbilly was, hè?'

'Nee, en ik kom zelf uit een klein stadje,' zei hij.

'Het is Joe die jou omlaag trekt,' zei Zoe tegen Signy. 'Je zou van hem moeten scheiden. En dan bedoel ik volgende week.'

'Een echtscheiding kost geld en ik heb geen last van hem, dus...' zei Signy. 'Ooit, als ik er het geld voor heb.'

'Ik heb nooit begrepen waarom je met die loser bent getrouwd,' zei Zoe.

'Nou...' zei Signy, en ze pakte een maïskolf van de schaal, hield die rechtop voor zich en keek er met licht loensende ogen naar. Ongeveer vijfentwintig centimeter, schatte Virgil. '... ik zou het echt niet weten,' zei ze na een volle minuut.

Zoe verslikte zich, begon te hoesten, en Virgil vroeg: 'Kun je nog ademhalen?' Ze klopte zich op de borst en zei: 'Er schoot een stuk maïs in mijn luchtpijp.'

'Het zal wel een velletje geweest zijn,' zei Virgil, en hij vroeg: 'Blijf je hier?'

'Totdat de nieuwe sloten erop zitten,' zei Zoe. 'De slotenmaker komt morgenochtend.'

'Wat ga jij morgen doen?' vroeg Signy aan Virgil.

'Mensen uithoren,' zei Virgil. 'Daar rondlopen en iedereen onder druk zetten.'

'Dat zou ik weleens willen zien,' zei Signy. Ze hield haar hoofd schuin en liet haar wang op de vingers van haar ene hand rusten. 'Het lijkt me leuk om jou aan het werk te zien.'

Virgil nam een kamer in een motel langs Highway 169 South, van het soort waar ze niet de moeite hadden genomen de muren te stuken en waar ze grauwgele verf rechtstreeks op de cementblokken hadden gezet. Maar ze hadden er wel dubbele parkeerplekken voor gasten met een boot achter hun auto. De jongen achter de balie vroeg hoe lang hij van plan was te blijven en Virgil zei: 'Drie à vier dagen.'

Voordat hij ging slapen dacht hij aan Wendy in plaats van aan God. Het probleem met een talent in een geïsoleerde omgeving, dacht hij, was dat je nooit precies wist hoe goed je was.

Wendy was de beste zangeres die hij ooit in een kleine bar in Minnesota had gehoord, maar het bleef een kleine bar in Minnesota en dat was nou juist het probleem. Als je Wendy naast Emmylou Harris zette, klonk ze misschien als Raleigh de Pratende Buldog.

Natuurlijk maakte dat niet uit zolang de mensen om haar heen ervan overtuigd waren dat zij hun superster was die het helemaal zou gaan maken, en dat je aan de ene kant je leven in Grand Rapids had, maar dat je kansen in Nashville of Hollywood lagen... of zoiets.

Ten slotte dacht hij nog even aan God en viel in slaap.

De volgende ochtend trok hij een oud maar schoon Nine Inch Nails-T-shirt aan, at vijf van de acht gratis minibroodjes als ontbijt, dronk twee koppen koffie en ging op weg naar de Eagle Nest. Het was weer een mooie dag, de zon kroop omhoog in de hemel en er stond bijna geen wind. Hij vroeg zich af of Johnson aan het vissen was, of dat hij het had opgegeven en naar huis was gegaan.

Die verdomde Davenport.

Het probleem met Davenport, dacht Virgil, was dat hij de neiging had in rechte lijnen te denken. Kaarsrechte lijnen. We hebben een moord in Grand Rapids, het slachtoffer is belangrijk, de BM-agent met het hoogste percentage opgeloste misdrijven is toevallig aan het vissen op een meer in de buurt, dus wat doen we? We sturen Flowers erop af.

Was dat nou creatief? Was dit niet juist een kans voor een nieuwe agent die ervaring moest opdoen? Was er rekening gehouden met de emotionele toestand van de agent, of zijn behoefte aan rust?

Virgil meende van niet.

We schuiven het gewoon door naar die verdomde Flowers en laat hem het maar uitzoeken. Laat hem maar pompen of verzuipen.

Margery Stanhope leunde tegen de balustrade en staarde over Stone Lake toen Virgil naast haar kwam staan. 'Nog steeds van slag?'

'Ik kan het niet van me afzetten,' zei ze.

Virgil tuurde over het meer en zei: 'Nou... nog een maandje en dan kun je de winter vrij nemen.'

Ze zuchtte en vroeg: 'Wat ga jij vandaag doen?'

'Ik wil met de mensen praten die hier nog zijn en die McDill hebben gekend. Ik wil graag een paar namen van je.'

'Wil je ze onder vier ogen spreken of allemaal tegelijk?'

'Allebei,' zei Virgil. 'Ik praat eerst met de hele groep en als we klaar zijn vraag ik of iemand nog iets weet wat ze privé aan me willen vertellen. En dan geef ik ze mijn mobiele nummer.'

'Er is een groepje vrouwen beren aan het spotten op Steven's Island. Voor de lunch zijn ze terug. Zullen we het meteen daarna doen?'

Virgil klopte op de balustrade. 'Oké, ik zie je na de lunch,' zei hij.

Hij belde Zoe. 'Heb je je nieuwe sloten al?'

'Hij is ermee bezig,' zei ze. 'Over een uur is hij klaar.'

'Waar kan ik Wendy en Berni en de rest vinden?' vroeg Virgil.

'Waarschijnlijk in de Schoolhouse. Ze hebben de studio voor een maand gehuurd om een cd op te nemen.'

De Schoolhouse lag aan de oostkant van de stad en het was ooit een schooltje met één lokaal geweest. Een kubus van rode baksteen, met een schoorsteen aan de ene kant en een deur en een belstandaard, zonder bel, aan de andere, met rondom een parkeerterrein met grind waarop zonder herkenbaar patroon zes SUV's stonden geparkeerd. Toen Virgil uit zijn pick-up stapte, zag hij door een van de ruiten de zwaaiende armen van een drummer, maar hij hoorde niets. Hij liep de treden op, ging door de voordeur naar binnen en kwam bij de receptie, waar een magere, nerveuze blonde vrouw achter een bureau iets wat op een manuscript leek zat te lezen, maar wat een songtekst bleek te zijn. Ze kauwde kauwgom in het ritme van een net hoorbare bas.

Virgil zei: 'Ik ben op zoek naar Wendy Ashbach.'

De vrouw vroeg kauwend: 'En wie ben je?'

'Politie,' zei Virgil.

Hij had het blijkbaar op de juiste politietoon gezegd, want ze knikte en zei: 'Virgil. Ik heb over je gehoord. Je was gisteravond bij de knokpartij.'

'Ja.'

'Ze zijn de basistracks van *Lover Do* aan het inspelen en ze worden pisnijdig als je die verpest.'

'Het is niet mijn bedoeling iets te verpesten,' zei Virgil, 'maar ik moet even met Wendy praten en misschien ook met Berni, of met een van de anderen als die iets bij te dragen hebben.'

'Oké. Ben je weleens eerder in een opnamestudio geweest?'

'Nee.'

'Loop achter me aan en ga op de bank bij de achtermuur zitten,' zei ze. 'Je hoeft niet doodstil te zijn, maar je moet je wel een beetje rustig houden. Ze zijn aan het werk.'

De controlekamer was ongeveer vijf bij zes meter en over de hele breedte was een raam waarachter de vrouwelijke muzikanten – bas, sologitaar, toetsen en een viool, allemaal met een koptelefoon – een redelijk simpel deuntje speelden. Achter in de muzikantenruimte was een apart kamertje, ook met een groot raam, waar Berni de drums bespeelde.

Onder het raam, aan Virgils kant, zaten twee mannen gebogen over een mengpaneel dat wel vijf meter breed was, terwijl de speakers aan de zijkanten en erboven het geluid leverden. Wendy was in de controleruimte, stond achter de opnametechnici, met een koptelefoon en een microfoon waarin ze de tekst van het nummer half zong en half neuriede, geleid door de *clicktrack*, die het tempo aangaf.

Niemand besteedde aandacht aan Virgil of de blonde vrouw. Ze concentreerden zich op de muziek, de blonde vrouw wees naar de bank tegen de achtermuur en toen Virgil er ging zitten, kwam ze naast hem zitten.

'Ze nemen nu de basistracks van het nummer op,' zei ze zachtjes. 'De solopartijen worden later ingedubd. Als ze dat perfect voor elkaar heb-

ben, is het Wendy's beurt. Dan zingt ze de echte zangpartij in en wordt
die over de rest heen gezet. Wat ze nu zingt wordt niet opgenomen, dat
doet ze alleen om de anderen op koers te houden.'
Virgil knikte.
De blonde vrouw vroeg: 'Ben je hier vanwege Erica McDill?'
'Ja.'
'Dat was stomme pech. We hadden iemand als zij goed kunnen gebrui-
ken. Ze wist van wanten.'
'Wie ben jij eigenlijk?'
Ze reikte hem de hand en zei: 'Corky Saarinen. Ik ben de manager.'
Virgil schudde haar de hand terwijl de band een slordig einde aan het
nummer maakte. Een van de technici zei: 'Oké, jongens, dat doen we
nog eens over, vanaf het begin van het vierde couplet. Sin, jij doet de
intro en Wendy valt in.'
Ze begonnen weer te spelen en Virgil vroeg zachtjes: 'Waar hadden jullie
McDill voor nodig?'
Saarinen boog zich naar hem toe en fluisterde: 'De gewone dingen kan
ik wel alleen af, je weet wel, de optredens, dat iedereen op tijd op de
juiste plek is. En zaken uitbesteden aan advocaten en accountants en zo
kan ik ook wel. Maar voor de overige dingen: contacten, agenten, adver-
teren, publiciteit, moet je talent hebben. Want je weet niet wanneer mensen je besodemieteren en wanneer ze waar voor hun geld leveren. En je
weet zelf ook dat als je eerste imago niet goed is, het je jaren kan kosten
om dat recht te zetten. Het is iets wat je meteen goed moet doen. En
daarmee had McDill ons goed kunnen helpen.'
'Wat ga je nu doen?'
Ze haalde haar schouders op. 'McDill had al met een paar mensen van
haar bureau over de band gesproken. Ik ga uitzoeken wie die mensen zijn
en wat ze van het plan vinden. Misschien kunnen zij ons aan een nieuwe
pr-man helpen.'
'Je wilde dat McDill voor jullie ging werken. Konden jullie haar betalen?'
'Nee. Maar Wendy en McDill geilden op elkaar. McDill wilde meedoen
vanwege de glamour. Het gevoel dat ze erbij hoorde. Ik bedoel, ze leefde
samen met een dikke huisvrouw, en dan palmt Wendy je in, begrijp je
wat ik bedoel?'
'Wist je dat ze iets met elkaar hadden?' vroeg Virgil.
'Ja, Sin en ik wisten het. We probeerden het stil te houden, want Berni
zou gek worden als ze erachter kwam, wat ook is gebeurd. Heb je Wendy's oog gezien?'

Virgil moest dat ontkennen, want hij had tot dat moment alleen Wendy's achterhoofd gezien. Hij schudde zijn hoofd. 'Nee.'

Saarinen giechelde. 'Ze ziet eruit alsof ze zes ronden met Rocky heeft gebokst.'

'Hoe lang hebben Wendy en McDill met elkaar gerommeld?' vroeg Virgil. Saarinen wierp een vluchtige blik op de zangeres en zei: 'Een paar dagen, vanaf... eh... dinsdag. Ik denk dinsdag. Op zaterdagavond, in de Goose, kwamen McDill en een paar andere vrouwen zich aan ons voorstellen en raakten ze aan de praat. Op maandag kwam McDill naar de studio om ons aan het werk te zien, en op dinsdag kwam de pr ter sprake en merkte ik dat ze al de hele dag, toen de anderen en ik er niet waren, met elkaar hadden gepraat. Je kon voelen dat er iets te gebeuren stond.'

De band kwam aan het eind van het nummer, deed het laatste stukje nog eens over en daarna nog een keer, en uiteindelijk boog de ene opnametechnicus zich naar zijn microfoon en zei: 'Die laatste is goed, jongens.' Wendy zette haar koptelefoon af en draaide zich om. Ze zag Virgil, deed of ze twee keer moest kijken, grijnsde en zei: 'Hé, knul.' Haar blauwe oog was zo groot als een zilveren dollar en werd geaccentueerd door haar blonde haar.

'Wendy,' zei Virgil. 'Dat oog staat je goed.'

'Vind je? Nou, we hebben vanochtend een paar publiciteitsfoto's laten maken. Misschien kunnen we die voor de cd-cover gebruiken.'

Ze trok een bureaustoel op wieltjes onder het mengpaneel vandaan, ging erop zitten en reed naar Virgil toe tot heel dicht bij hem en zette haar voeten tussen de zijne, zodat hun knieën elkaar bijna raakten. Ze deed dit met opzet, maar zonder kwade bedoelingen. Ze drong zich aan hem op om te zien hoe hij reageerde. Hij zei: 'Ik moet met jou en de andere bandleden praten over wie van jullie McDill heeft vermoord.'

Dat bracht haar even van haar stuk. 'Weet je... denk je dat iemand van ons het heeft gedaan?'

'Nee, maar jullie zijn het enige wat ik heb en ik moet ergens beginnen,' zei Virgil, met zijn gezicht vlak bij dat van haar.

'Nou, eens even kijken... volgens mij was het woensdag dat we besloten haar te vermoorden. Ik zei tegen mezelf: "Meisje, er moet iets gebeuren. Haal ergens een pistool vandaan en schiet McDill in haar oor."' De grijns verdween van haar gezicht en ze hield haar hoofd schuin. 'Waar heb je het verdomme over?'

'McDill kan om zakelijke redenen zijn vermoord, maar toen ik daarin ging graven, vond ik niks,' zei Virgil. 'Iedereen had er juist belang bij dat ze in leven bleef. Haar dood gaat veel mensen een hoop geld kosten. Daarna dacht ik dat haar partner het misschien had gedaan, maar die heeft schriftelijke instructies nodig om de straat te kunnen oversteken en ik zie haar iets wat zo gecompliceerd is als dit gewoon niet doen. Vervolgens hebben we een band met leden van wie het liefdesleven alle kanten op vliegt, met jou in het middelpunt. Er komen een hoop emoties bij vrij. Mensen gaan met elkaar op de vuist in bars. De meesten van jullie komen uit kleine steden op het platteland en ik durf te wedden dat er ook een paar bij zijn die een eigen geweer hebben en weten hoe ze door het moeras bij Stone Lake moeten komen. Zo zie ik dat.'

Wendy bleef hem een tijdje aankijken en reed toen terug naar het mengpaneel. Aan de andere kant van het glas borgen de muzikanten hun bladmuziek en hun instrumenten op. Wendy boog zich naar de microfoon, drukte op een knop van het mengpaneel en zei: 'Meiden, allemaal hier naartoe komen. We hebben hier een smeris die denkt dat wij Erica hebben vermoord.'

Nog geen minuut later was de controleruimte gevuld met zes boze vrouwen die geen van allen, met uitzondering van Berni de drummer, bijzonder klein waren. Virgil zag belangstellend hoe Wendy's gezicht in een masker van woede veranderde. Ten slotte leek het wel een Halloweenmasker en Virgil dacht: hier heb je je gevaarlijke gek.

Aangezien hij niet wist wat er ging gebeuren, was hij onder het mom van beleefdheid langzaam opgestaan toen de vrouwen de controleruimte binnendrongen. Dat bracht de geur van verhitte lichamen met zich mee en hij zag dat een paar vrouwen transpireerden van de zojuist afgelopen muzieksessie, wat blijkbaar zwaarder werk was dan hij had vermoed.

Wendy zei: 'Nou, hij zegt dus dat een van ons het heeft gedaan. Wie? Cat, heb jij het gedaan?'

'Nee,' zei de toetsenist. Ze keek naar Virgil en beende op hem af. 'Heeft hij gezegd dat ik het heb gedaan?'

Wendy draaide zich om naar Virgil, wilde iets zeggen, maar Virgil zei op scherpe toon: 'Ik heb geen namen genoemd. Maar er zijn hier een hoop vrouwen die om Wendy heen zwermen en Wendy deed het met McDill. Dus komen jullie allemaal als verdachte in aanmerking. Daarom, wie van jullie Wendy niet mag, steek je hand op, dan kun je gaan.'

Ze keken elkaar aan en enkele vrouwen hadden een geamuseerde glimlach om de lippen. Geen enkele hand ging omhoog.

Berni zei: 'Weet je, mensen worden voor de rechter gesleept als ze dit soort beschuldigingen uiten.'

'Als jij dit als een beschuldiging ziet, ga je gang maar,' zei Virgil.

'Misschien moeten we je een pak op je donder geven,' zei de gitarist, en ze klonk alsof ze het meende.

Ze keken elkaar weer aan, alsof ze van elkaar wilden peilen hoe ver ze zouden gaan, en Virgil deed een stap naar rechts, creëerde daarmee een ruimte van een meter en had nu de muur als rugdekking. Een van de opnametechnici zei: 'Hela, hou daarmee op. We hebben hier kostbare apparatuur.'

Virgil zei tegen de gitarist: 'Nou, kom dan maar, schat. Laat maar eens zien wat je in huis hebt.' En hij zei het met zoveel scherpte dat hij meteen ieders aandacht had.

'Denk je dat je ons allemaal aankunt?' vroeg de gitarist.

'Ik denk het wel,' zei Virgil. 'En zo niet, dan zal ik de helft van jullie flink pijn moeten doen, of jullie desnoods buiten westen slaan.'

'Je bent hartstikke gek,' zei een van de opnametechnici.

'Ik ben een BM-agent die een moordonderzoek doet,' zei Virgil. 'Als jullie me aanvallen, schakel ik iedereen uit die in mijn buurt komt en gaan jullie allemaal de gevangenis in voor mishandeling van een politieambtenaar, wat in Minnesota een misdaad is. En als jullie moord zo verdomd grappig vinden, dan hadden jullie naar het mortuarium moeten komen om naar McDill te kijken, in haar levenloze ogen en naar haar weggeschoten achterhoofd. Zij vond het helemaal niet grappig. Dus als jullie een paar jaar de bak in willen om daarover na te denken, kom dan maar op.'

Dat maakte een abrupt einde aan hun geestdrift, alsof er een lichtschakelaar omgezet werd. De violist zei: 'Dit is waanzin. Ik doe hier niet aan mee. Ik ga geen smeris aftuigen. Mijn vader is zelf smeris.'

'Watje,' zei Wendy.

'Hé, kom mee naar hiernaast en zeg dat nog eens als je durft,' snauwde de vrouw naar Wendy.

De opnametechnicus, een potige kerel met een trendy Hollywood-bril met een zwaar, zwart montuur, liep naar de vrouw en zei: 'Wegwezen allemaal. Straks maken jullie nog iets kapot, verdomme. Wendy, dat mengpaneel kost honderdvijftigduizend dollar. Als er ook maar iets mee gebeurt, betaal jij de schade, of je ouweheer.'

'Ik ga naar huis,' zei de violist.

'Niemand gaat hier weg,' zei Virgil. 'Ik ben hier om jullie te verhoren, een voor een. Vijf minuten per persoon.'

'Niet hier. Doe het buiten,' zei de opnametechnicus.

Er werd uiteindelijk gekozen voor de drumcabine, waar Virgil op de drumkruk ging zitten en hij de vrouwen een voor een, met Wendy als laatste, op een metalen klapstoeltje liet plaatsnemen.

Berni Kelly, de drummer die zichzelf Raven noemde: 'Ik heb je al verteld dat ik alleen was, maar ik heb het niet gedaan. Ik was thuis en lag op Wendy te wachten. Haar vader was ook thuis, in zijn eigen huis, of in elk geval een deel van de avond. Ik heb hem zelf niet gezien, maar zijn pick-up stond voor de deur en hij moet mijn auto ook hebben gezien. Ik wist het niet van Wendy en McDill. Ik was de laatste die erachter kwam, volgens mij.'

'Wat je flink overstuur maakte.'

'Nou, ze is al eens eerder bij me weggegaan,' zei Berni. 'Maar ze komt altijd weer terug. Ik was inderdaad pisnijdig. Gisteravond, bedoel ik. Ik heb haar zo hard geslagen als ik kon.'

'En het was een mooie dreun,' zei Virgil met een grijns.

'Dank je.'

'Zijn jullie nu weer samen?' vroeg Virgil.

'Ja. Luister, ik heb echt niks tegen je. Ik hoop dat je degene vindt die Erica heeft vermoord, ook al mocht ik haar niet. We doen wel stoer tegen de politie, maar dat is gewoon rock-'n-roll, zoals je op tv ziet. Het is niet echt. In werkelijkheid sta ik aan jouw kant.'

'Hoe denk je over Zoe Tull?'

'Ik denk niks over Zoe Tull,' zei Berni. 'Zij en Wendy hebben iets met elkaar gehad, maar Zoe is zo burgerlijk dat Wendy er algauw niet meer tegen kon. Ik bedoel, jezus christus, Zoe wilde dat Wendy haar valentijnshartjes stuurde.'

Cathy – Cat – Mathis, toetsen: 'We hadden je kunnen hebben.'

'Misschien wel,' zei Virgil met een glimlach. 'Jullie waren wat lichaamsgewicht betreft in het voordeel en misschien was het jullie gelukt me tegen de grond te werken, maar ik zou twee of drie van jullie flink pijn gedaan hebben en hoe meer belagers ik pijn doe, hoe meer ruimte ik heb om de rest te pakken. Het zou een interessant experiment zijn; het vervelende is alleen dat er gewonden zullen vallen. Maar als ik geen politieman was, zou ik het graag eens proberen.'

Ze keek hem onderzoekend aan, knikte een paar keer en vroeg: 'Echt?'
Het was een oprechte vraag.
'Ja, echt,' zei Virgil.
'Vind je vechten leuk?' vroeg ze.
'Leuk is niet het goede woord,' zei Virgil. 'Ik vind het intens. Het ontbreekt in mijn leven aan intensiteit.'
'Jij hebt al die Vietnamezen vermoord. Was dat intens?'
'Ik heb zelf niemand vermoord, maar dat was inderdaad intens,' zei Virgil. Voordat ze hem meer vragen kon stellen vroeg hij: 'Waar was je toen McDill werd vermoord?'
'Ik weet niet wanneer ze precies is vermoord, maar ze zeiden dat het aan het eind van de middag was. Ik had karatetraining om zes uur, en daar was ik.'
'Karate,' zei Virgil. 'Hou jij van vechten?'
'Het ontbreekt in mijn leven ook aan intensiteit,' zei ze.
'Met hoeveel mensen doe je dat?' vroeg Virgil.
'Een stuk of acht, negen, plus de sensei,' zei Mathis. 'En toen we klaar waren kwam de volgende groep binnen. Als je mijn alibi wilt checken, zou ik het snel doen, vandaag nog, want mensen hebben de neiging dat soort dingen te vergeten. Ik heb gespard met ene Larry Busch.'
'Als jij iemand moest aanwijzen die Erica McDill kan hebben vermoord, wie zou je dan kiezen?'
Maar ze schudde haar hoofd al voordat hij uitgepraat was. 'Dat is geen eerlijke vraag. Ik heb geen idee wie McDill kwaad zou willen doen. Ik wist dat zij en Wendy iets met elkaar hadden, maar dat was hun zaak, vond ik.'
'Heb je zelf een relatie met Wendy gehad?'
'Ja, een zakelijke,' zei Mathis. 'Ze betaalt me om in haar band te spelen. Ik ben haar werknemer.'
'Maar...'
'Ik ben hetero.'
'Juist. Dus je had geen... liefdesbelangen in de situatie, met McDill of Wendy of Berni of wie ook.'
'Geen enkele.'

Bertha – Bert – Carr, viool: 'Je zoekt in de verkeerde richting. De enige die McDill kwijt wilde... om romantische of om seksuele redenen, zou Berni zijn, en Berni wist van niks. Ik bedoel, ik wíst dat ze het niet wist, want ik had het met haar over Wendy en toen vroeg ze of ik dacht dat

McDill een bedreiging voor hun relatie vormde. Ze wist dat McDill een oogje op Wendy had, maar niet hoe ver het al uit de hand was gelopen.'

'Wanneer kwam jij het te weten?'

'Dinsdagavond. Niemand zei iets, maar we waren hier en Wendy's vader had een stel pizza's meegebracht. McDill en Wendy zaten naast elkaar en ze zaten voortdurend áán elkaar, waar Wendy's pa bij zat.'

'Dinsdag.'

'Ja. Ik heb het teruggerekend.'

'Als ik hier niet moet zoeken, waar dan wel?' vroeg Virgil.

'Op de Eagle Nest,' zei Carr. 'Het resort... je weet toch dat er daar veel van ons komen, hè?'

'Van ons?'

'Lesbiennes,' zei ze.

'Ja. Dat is me verteld.'

'Maar dat is niet alles,' zei ze. 'Is het je niet opgevallen dat er een paar mooie, jonge obertjes rondlopen?'

'Mooie, jonge... Bedoel je...?' Hij dacht aan de ober met zijn bijzondere kapsel, die hem het pad naar het meer had gewezen.

'Ja. Er zijn altijd wel een paar kortstondige romances gaande en die zijn lang niet allemaal lesbisch. Ik heb gehoord dat McDill af en toe weleens een obertje liet komen. Ze speelde graag de strenge meesteres. Je weet wel, niet in leer of latex en die dingen, maar ze vond het wel leuk als zo'n jonge jongen geknield voor haar zat, als je begrijpt wat ik bedoel.'

'O, man, wist Wendy dat?' vroeg Virgil.

'Wendy... Wendy lustte op zijn tijd ook wel een jonge jongen,' zei Carr. 'Dat was iets wat zij en McDill gemeen hadden. Dus vraag ik me af of er die avond toen Wendy bij haar was, misschien ook een jongen was.'

'O, man,' zei Virgil weer.

'Wat? Ben je preuts als het om seks gaat?'

'Nee, maar dit maakt alles een stuk gecompliceerder,' zei Virgil. 'En waar was jij toen Erica McDill werd vermoord?'

'Ik denk... maar dat baseer ik op wat ze op tv zeiden, dat ik hier was, dat ik met Wendy aan *Lover Do* werkte. Er waren hier nog een paar mensen: Gerry, onze manager Corky, Mark daar...' Ze wees door het raam naar de opnametechnicus, die in de speelruimte een microfoon weghaalde.

'Oké. Dus genoeg mensen voor een alibi.'

'Ja, dat lijkt me wel,' zei Carr. 'Ik bedoel, er liepen mensen in en uit en we zijn een tijdje weg geweest om iets te eten. Maar het grootste deel van de tijd waren we hier.'

'Het is maar tien minuten rijden naar de Eagle Nest.'
'Tja, wat kan ik daarover zeggen? Ik weet niet waar iedereen elke minuut was. Tijdens de eetpauze zijn sommigen wel een uur weg geweest.'

Cynthia – Sin – Sawyer, sologitaar. Ze kwam binnen met een saxofoon waar ze één keer op blies en die ze toen naast het stoeltje in de hoek zette.
'Lesbisch of hetero?' vroeg Virgil.
'Ik? Een beetje van allebei,' zei ze.
'Geloof jij dat Wendy en McDill ooit mannelijk gezelschap met elkaar hebben gedeeld?' vroeg Virgil.
'Dat betwijfel ik,' zei Sawyer. 'Als dat zo was zou Wendy daar zeker over opscheppen. En dat heeft ze niet gedaan. Opscheppen, bedoel ik.'
'Ben je ervan op de hoogte dat het mannelijke personeel van de Eagle Nest zich als gezelschap aan de gasten aanbiedt?'
'Natuurlijk,' zei ze. 'Daar bestaat hier een grap over. Als je een bepaald uiterlijk hebt, solliciteer je voor het zomerseizoen bij de Eagle Nest, en de lengte van je lul bepaalt het aantal overuren dat je maakt.'
'Geloof je dat?'
'Ja.' Ze glimlachte.
'Ik begin de indruk te krijgen dat het daar een soort bordeel is,' zei Virgil.
'Dacht je soms dat de vrouwen er komen om de hele dag naar watervogels te kijken?' vroeg ze. 'Geloof me, zo boeiend zijn die nu ook weer niet. Je staat 's morgens op, doet een uurtje yoga, drinkt een kop reinigende groene thee, kijkt een tijdje naar de futen, vaart een rondje in een kano, drinkt een paar martini's, laat je een goeie beurt geven en dan ga je naar bed. Hoort allemaal bij het dagprogramma.'
'Heb jij het gevoel dat iemand van de band McDill iets aan wilde doen?'
Ze boog zich naar voren en tikte met haar vinger op zijn knie. 'Nee. En ik zal je vertellen waarom. Ik ben een verdomd goeie gitarist, een prof. Gerry is uitstekend op de bas... ze is niet van hier; ze komt uit de Cities, is hiernaartoe gekomen vanwege Wendy's stem. En ze heeft zelf een goeie tweede stem. De viool is prima en de toetsen zijn oké. Als we ooit een betere drummer vinden, kunnen we met Wendy ver komen. McDill had deel kunnen uitmaken van dat plan. Ik heb haar horen praten en ik geloofde in haar. Ze wist waar ze het over had. Zij was juist iemand die we goed konden gebruiken.'
'Maar dan moesten jullie eerst Berni uit de band zetten, nietwaar?' vroeg Virgil.

'Nou... ja, maar dat hoefde ze niet te weten,' zei Sawyer. 'Of ze weet het al. Het leven is hard. Misschien kan ze assistent-manager of zoiets worden, of roadie, of reservedrummer, of iets met percussie... een tamboerijn of zoiets. Ze kan een beetje zingen en ze heeft prima tieten, dus op het podium zal ze het zeker goed doen. Ze zou dus kunnen blijven, maar waar het om gaat is dat McDill ons naar dat niveau had kunnen tillen. Zij had er de contacten voor, en ze wist hoe je zoiets aanpakt.'

'Mocht je haar?'

'Eh... nee,' zei Sawyer. 'Maar dat maakte voor mij geen verschil. Als je een te gekke muziekdocent hebt, klaag je niet als hij af en toe in je bil knijpt. Je mag hem misschien niet, maar hé, hij leert je wel een vette gitaarpartij spelen. Dan concentreer je je dáárop. Hetzelfde gold voor McDill. Ik zou nooit met haar naar bed gaan, maar mijn pr had ze altijd mogen doen.'

Ze was onderweg geweest, naar een supermarkt en een WalMart, toen McDill werd vermoord. 'Geen geweldig alibi, dat weet ik ook wel, maar het is niet anders. Ik ben hier in en uit gelopen terwijl zij met *Lover Do* bezig waren, maar ik heb niks te maken gehad met McDills dood.'

Virgil geloofde haar.

Gerry O'Meara, bas, had blijkbaar geen bijnaam. Ze was met Wendy en de anderen met *Lover Do* bezig geweest toen McDill werd vermoord. 'Ja, er zou het een en ander veranderen in de band, maar ik denk dat ze dat zelf ook wel wist. Ik bedoel, ík doe dit voor mijn brood, ik ben er goed in en ik heb al met heel wat grote mensen gespeeld. Het is nu tijd om geld te verdienen. Ik ben bijna dertig, dus als ik het wil maken, moet ik een beetje opschieten.'

'Maar je denkt niet dat de veranderingen in de band op de een of andere manier tot de moord kunnen hebben geleid?' vroeg Virgil.

'Ik zou niet weten hoe. McDill zou ons helpen met de pr en met haar contacten in Nashville en zo, maar dat die veranderingen een reden zouden zijn om haar dood te schieten... Volgens mij was het iets in de Eagle Nest. Dat iemand had gehoord dat ze het met Wendy deed en jaloers is geworden. Ik bedoel, wie kon er anders weten dat Erica elke avond een stukje ging kanoën?'

'Goed punt. Had McDill hier afgezien van Wendy nog andere liefjes, weet je daar iets van?'

'Nee, daar heb ik niks over gehoord. Ik ga niet om met de lesbische scene. Ik ben hetero. Maar de reden dat McDill is vermoord moet een van de twee volgende zijn: een zakelijke – ik bedoel geld – of seks. Het moet een van die twee zijn. Jij hoeft alleen uit te zoeken welke van die twee.'

'Dank je,' zei Virgil.

Wendy.

'Ik denk dat ik er een advocaat bij wil hebben als ik met je praat,' zei ze. Virgil zei: 'Oké. Bel er maar een. En als je je geen advocaat kunt veroorloven, zal ik de rechter vragen je er een toe te wijzen...'

Ze wierp haar handen in de lucht. 'Wacht nou, wacht nou,' zei Wendy. 'Jij wint. Ik hoef er verdomme geen advocaat bij. Stel je vragen maar.'

'Die avond dat je in McDills huisje was, was er toen een man bij? Hebben jullie het bed met een man gedeeld? Op welke manier ook?'

Ze bleef hem even aankijken, plooide haar lippen tot een bedachtzame glimlach en schudde haar hoofd. 'Dus je weet het van de jongens, hè? Maar, nee, we waren met z'n tweeën, aan het poesje-bonken.' Ze zei het bijna achteloos, niet meer om hem te provoceren.

'Had McDill daar nog meer romances met vrouwen? Of met mannen?'

'Het zijn niet echt mannen... het zijn jongens. Iedereen noemt ze jongens. En ik weet niet wat McDill allemaal uitspookte. Ik was daar omdat we hadden gepraat en een paar cocktails hadden gedronken, en omdat we het achter Berni's rug om deden, wat me wel opwond, dus toen Erica op een gegeven moment zei: "Ga mee naar het resort", zei ik: "Oké." Zo snel ging het. Er was niks gepland. We gingen naar haar huisje, dronken nog een paar cocktails en kleedden ons uit. Ik kan je de details geven van wat er daarna gebeurde, als je wilt.'

'Ja, ga je gang,' zei Virgil.

Ze bleef hem even aankijken en zei: 'Fuck you.'

'Maak ik je nerveus?' vroeg Virgil.

'Je bent anders dan andere smerissen die ik heb gekend,' zei ze. 'Wat me zorgen baart is dat ik denk dat je niet helemaal normaal bent. We hebben hier geen behoefte aan een gek. We hebben iemand nodig die deze zaak oplost, niet iemand die een zwarte schaduw over de band werpt.'

Virgil zei: 'Ik wil met je vader praten.'

'Waarom?'

'Uit wat ik heb gehoord maak ik op dat hij min of meer deel uitmaakt van de band. En waar ik steeds aan moet denken is dit: misschien wilde iemand niet dat McDill invloed in de band kreeg. Misschien zag iemand haar als bedreiging, iemand die jou van de rest zou afzonderen of een of meer leden uit de band zou werken. Ik heb van diverse mensen gehoord dat jouw vader een tamelijk belangrijke rol in je carrière speelt.'

'Ja, dat is zo,' zei Wendy. 'Maar ik weet niet wat hij precies is. Geen officieel lid van de band in elk geval. Hij is degene van wie ik zeker weet dat hij mijn belangen op de best mogelijke manier vertegenwoordigt, zodat ik me daar dus geen zorgen over hoef te maken. En over hoe hij het doet maak ik me evenmin zorgen.'

'Hij is je rugdekking,' zei Virgil.

'Precies.'

'Toch moet ik met hem praten,' zei Virgil. 'Er is me verteld dat hij een soort vrijbuiter is en dat hij een goed schot in zijn vingers heeft.'

Ze reageerde niet op die laatste opmerking. Ze zei: 'Nou, ga dan naar hem toe. Hij is er meestal wel.'

9

Voordat Virgil met Slibe Ashbach ging praten belde hij Zoe, die nog steeds thuis was. Hij kreeg aanwijzingen hoe hij er moest komen en reed ernaartoe.

'Met die sloten is niks mis,' zei hij toen hij ze allebei had bekeken. Ze woonde in een bescheiden bungalow met twee slaapkamers. In de ene slaapkamer hing een antiek kruisbeeld in volkskunststijl boven het bed, wat hem aan het denken zette, maar hij vroeg er niet naar.

'De deuren daarentegen zijn waardeloos,' zei hij. 'Zelfs een kind kan die onderste panelen er zo uit trappen, en de raampjes zijn te groot. Iemand met een pistool stoot de loop door het glas, slaat het eruit en steekt zijn hand naar binnen. Als je geld hebt, koop dan nieuwe deuren.'

Dat maakte haar aan het schrikken, maar ze bleef de accountant die ze was. 'Er gebeurt hier eigenlijk nooit iets...'

'Dit is de eenentwintigste eeuw; er gebeurt overal iets,' zei Virgil. Hij zette zijn vuisten in zijn zij en vroeg: 'Dus, waarom zou iemand hier willen inbreken? Waarom?'

'Daar ben ik nog steeds niet uit,' zei ze. 'Ik denk er voortdurend aan, want het laat me niet los. Maar één ding weet ik wel. Ik woon hier nu dertig jaar, zonder enig probleem, ik trek één dag op met een politieman vanwege een moordzaak en dan probeert er iemand in te breken. Dat is volgens mij geen toeval.'

'Nee, dat is het ook niet,' zei Virgil. 'Dus blijf erover nadenken. Dag en nacht. En als je iets bedenkt, bel me.'

Ashbachs huis, een boerderij uit het begin van de twintigste eeuw, stond aan een landweg met een paar zijweggetjes naar de meren, een kilometer of twaalf buiten de stad, waar de asfaltweg overging in grind en ophield bij Ashbachs huis. Een plek die 's winters moeilijk te bereiken zou zijn, dacht Virgil toen hij het zag, en waar je een sneeuwscooter nodig zou hebben.

Het huis leek afkomstig van een schilderij van Grant Wood: wit, met een houten tuinhek en een keurig verzorgd gazon, zinnia's en madeliefjes langs de hekken, ongeveer vijftig meter van de weg. Dichter naar de weg toe stond een bruine, dubbelbrede woonwagen op betonblokken die netjes waren geverfd. Achteraan, aan het eind van de oprit, stond een nieuwere plaatstalen schuur, en rechts daarvan, onder het afdak, twee Bobcats – een graafmachine en een shovel – en een Caterpillar-bulldozer, die een stuk groter was. Aan de andere kant van de schuur stond een dieplader geparkeerd. Aan de andere kant van de oprit was een halfopen schuur die voor twee derde met brandhout was gevuld.

Het land waarop het huis stond schatte Virgil op een kleine tien hectare, met een rij pijnbomen aan het uiterste eind en een paar appelbomen in de boomgaard achter het huis. Aan het begin van de oprit stond een bord waarop met de hand ASHBACH KENNELS was geschilderd. Daaronder, op een ouder bord, stond SLIBE ASHBACH – SEPTIC & GRADING en weer daaronder, op een nieuwer, metalen bord: VERBODEN TOEGANG VOOR ONBEVOEGDEN.

Toen Virgil de oprit opdraaide, zag hij dat er uit de zijwand van de plaatstalen schuur hokken van draadgaas staken, en in elk hok zat een half volgroeide hond met een blonde vacht. Naast de oprit was een grote, keurig onderhouden groentetuin met maïs, bonen en kool, een paar open plekken waar eerder in het jaar vermoedelijk sla en radijs hadden gestaan, en een veldje met donkergroene aardappelplanten, genoeg voor een heel gezin om de lange winter van het noorden door te komen. En helemaal aan het eind van de groentetuin was een veldje met frambozenstruiken.

Leuke plek, dacht Virgil, hoewel wat vlak en geïsoleerd.

Bij het schuurtje met brandhout was een man aan het werk.

Slibe Ashbach was tussen de vijftig en vijfenvijftig jaar, een buitenmens, stevig gebouwd, met een zandkleurige stoppelbaard van een dag of drie, lang en gelig haar, althans van achteren en opzij, want boven op zijn schedel zat niet veel meer. Hij had een T-shirt, een spijkerbroek en modderige rubberlaarzen aan en was aan het werk met een hydraulische beitel waarmee hij de in stukken gezaagde boomstammen spleet en daarna in de schuur opstapelde.

Virgil stapte uit de pick-up en liep naar hem toe. Slibe bleef een volle minuut doorwerken, spleet nog drie stammen in stukken en gooide die op de stapel met eikenhout. Uiteindelijk zette hij de motor van zijn gereedschap af, keek Virgil aan en vroeg: 'Heb je dat bord met verboden toegang niet gezien?'

'Jawel, maar ik ben toch doorgereden,' zei Virgil. 'Ik ben van Bureau Misdaadbestrijding en we doen onderzoek naar de moord op Erica McDill.'

Slibe pakte een kettingzaag van de grond, schroefde het dopje van het oliereservoir en vroeg: 'En wat heb ik daarmee te maken?'

Virgil zei: 'Ik praat met iedereen die connecties met Wendy's band heeft. Uw dochter had een intiem... samenzijn met McDill de nacht voordat ze werd vermoord. Er is me verteld dat McDill plannen had om zich met de band te gaan bemoeien. Er zijn mogelijk mensen die dat niet leuk vinden, dus moeten we dat nagaan.'

Hij praatte te veel, besefte hij. Hij riep zichzelf tot de orde en vroeg: 'Waar was u toen McDill werd vermoord?'

Slibe zei: 'Nou, afgaande op wat Wendy me vertelde over het tijdstip, denk ik dat ik hier was, de honden aan het voeren, of ze aan het trainen. Of ik was binnen, of ergens op het land. Ik was in elk geval hier.'

'Waren er nog meer mensen?' vroeg Virgil.

'Berni was in de woonwagen, een deel van de avond. De Deuce hing ergens rond, waarschijnlijk in het bos. En misschien is een van de buren langsgereden, maar daar heb ik niet op gelet. Dat zou je daar moeten informeren. Vragen of ze me hebben gezien.'

'Wie is de Deuce?'

'Slibe junior. Hij wordt de Deuce genoemd.'

Op dat moment kwam een donkere gedaante in een blauw shirt met lange mouwen, een spijkerbroek en op het hoofd een gele honkbalpet achter de woonwagen vandaan. Hij wierp een vluchtige blik hun kant op en verdween weer achter de woonwagen. Een grote jongen.

'Draagt je zoon een gele pet?' vroeg Virgil.

Slibe draaide zich om, keek naar de woonwagen en zei: 'Ja. Grote knul? Hij spookt hier wat rond, als een... spook. Af en toe krijg ik er de zenuwen van. Hij heeft weinig te zeggen.'

'O, nou... heb je een geweer?'

Slibes glimlach ontblootte een onwaarschijnlijk wit gebit, nep, dacht Virgil, en de lach zelf was al net zo onecht. 'Dacht je hier soms iemand te vinden die géén geweer heeft?' vroeg Slibe. 'Niet minimaal een stuk of zes?'

'En een .223?'

'Ja, die heb ik,' zei Slibe. 'Maar er is al een tijd niet mee geschoten.'

'Die zou ik graag willen meenemen, als dat mag,' zei Virgil. 'Ik zal een ontvangstbewijs voor u schrijven.'

'Ga maar een gerechtelijk bevel halen,' zei Slibe.

'O, nou, dat kan ook,' zei Virgil. 'Maar dat kan u een hoop ongemak bezorgen, als we het op die manier doen. Maar als u het per se zo wilt, is dat uw beslissing.'

Slibe vroeg: 'Wat mag dat dan wel betekenen?'

Virgil haalde zijn schouders op. 'Als we met een gerechtelijk bevel moeten komen, nemen ze meteen al uw wapens mee. Net zo makkelijk. En ze sturen de technische recherche om uw hele huis overhoop te halen.'

'Ach, fuck. De overheid, verdomme.' Slibe schroefde het dopje weer op de kettingzaag en zei: 'Goed dan. In het huis.'

'Ik pak even mijn spullen uit de auto,' zei Virgil. 'Dan kan ik een ontvangstbewijs voor u schrijven.'

Hij liep naar de pick-up, pakte zijn notitieboekje, haalde zijn pistool onder de stoelzitting vandaan en stak het op zijn rug achter de band van zijn spijkerbroek. Toen hij het portier van de pick-up sloot, zag hij de Deuce weer wegschieten achter de woonwagen.

Hij volgde Slibe naar het huis, dat er van dichtbij net zo netjes uitzag als vanaf de weg. De keuken leek op die van Signy: klein, een tafel met twee stoelen en een krant voor hondenfokkers op het tafelblad. Slibe liep naar het aanrecht, opende de keukenla, schoof een stel vorken opzij en haalde er een sleutel uit. Hij liep ermee naar de gang en opende de kast met de stalen wapenkluis.

Toen hij de deur van de kluis had geopend, zag Virgil vier karabijnen, twee jachtgeweren en op de plank erboven de kolf van een zwaar vuistwapen. Hij pakte een van de karabijnen en gaf hem aan Virgil: een legergroene halfautomatische Colt AR-15 Sporter II met open vizier. Meer dan voldoende om McDill neer te leggen. Hij had niets meer van Mapes gehoord over de uitwerpsporen op de huls, maar Mapes vermoedde dat ze van een *bolt action* waren, niet van een halfautomatisch.

'Bedankt,' zei Virgil, en hij trok de grendel achteruit, hield de karabijn bij zijn neus en rook de kenmerkende geur van wapenolie. 'Ik zorg ervoor dat je hem zo gauw mogelijk terugkrijgt.' Hij keek weer in de kluis. 'Zijn dat allemaal dertigers?'

'Afgezien van deze, een punt tweeëntwintig,' zei Slibe. 'Een .308, een 30-06 en de .22.'

Virgil pakte de riotgun .22, rook eraan en zette hem terug. Een jachtpatroon zou McDill hebben kunnen doden, als de kogel haar op de juiste manier had getroffen, maar die zou niet de schade aan het achterhoofd hebben aangericht.

'Ik dacht dat ze vanuit het moeras was doodgeschoten,' zei Slibe.

'Dat klopt,' zei Virgil terwijl hij zich omdraaide en hem aankeek.

'Hebben jullie een kogel gevonden? Hebben jullie het geweer daarvoor nodig?'

'Geen kogel, maar wel een huls. Daar kunnen we een paar proeven mee doen, een testschot met je geweer lossen en als we de kogel nog vinden, kunnen we ze vergelijken.' Virgil haalde zijn schouders op. 'Maar wat we waarschijnlijk gaan doen is een metallurgisch onderzoek, de metaaldeeltjes in het geweer vergelijken met die in McDills schedel.'

Het was stil in het huis, maar nu hoorde Virgil een zacht zoemend geluid; er was een bij naar binnen gevlogen. Slibe stond hem aan te staren, knipperde even als een gekko met zijn ogen en zei toen: 'Nou, jullie doen maar. Als ik mijn geweer maar terugkrijg, en zo gauw mogelijk graag. We gaan in oktober prairiehonden schieten in Wyoming. Dat doen we elk jaar.'

'We zullen ons best doen,' zei Virgil. Bij de voordeur zei hij: 'Ik hoorde dat u hier een kennel hebt.'

'De beste honden van heel Minnesota,' zei Slibe. 'Engelse golden retrievers. Ik ben de grootste fokker in de Upper Midwest. Als je een van mijn honden wilt, met gehoorzaamheidstraining, ben je drieduizend dollar kwijt.'

Virgil floot. 'Drieduizend? Voor een hond?'

'En ik heb een wachtlijst zo lang als je arm,' zei Slibe. Hij haalde een blikje Copenhagen uit zijn zak en stak een plukje tabak onder zijn tong. 'Je kunt het aan iedereen vragen.'

'Wat vond u van McDill?'

'Ik kende haar niet. Als ik afga op wat Wendy me vertelde, had ze wel een paar goeie ideeën. En Wendy wilde dolgraag haar carrière op de rails zetten.'

'En hoe denkt u daarover?' vroeg Virgil.

Slibe wees naar de hondenhokken. 'Zie je die honden daar? Die beesten zijn goud waard. Daar zit het geld. Niemand in Nashville zal enige aandacht schenken aan een meisje uit Grand Rapids, Minnesota. Twintig jaar geleden misschien wel, maar nu niet meer. Zij wil het per se proberen, maar volgens mij is ze niet wijs. Dat heb ik al honderd keer tegen haar gezegd.'

'Dus u vindt dat ze zich tot de honden moet beperken?'

'Ja, dat vind ik,' zei Slibe. 'Maar jonge mensen hebben rare ideeën. Ik bedoel, het is hier niet slecht. Ze heeft alles wat ze nodig heeft. Ik heb mijn hele leven gewerkt om dit op te bouwen, zodat zij het kan voortzetten. Zij en de Deuce, natuurlijk, maar de Deuce kan het niet alleen. Zij weet dat, maar toch denkt ze alleen aan die CMTV-shit.' Hij zweeg even en zei toen: 'Nou, je hebt het geweer. Is er verder nog iets? Ik heb werk te doen.'

Virgil knikte, liep naar de pick-up, draaide zich om en zei: 'Wendy is meer dan alleen goed. Ik weet niet of ze goed genoeg is, maar ze is beter dan goed.'

Er veranderde iets aan Slibes gezichtsuitdrukking. 'Zeg dat maar niet tegen haar. Dan trekt ze naar Nashville of L.A., komt ze uiteindelijk op straat terecht en kan ze de hoer gaan spelen. Ze is geen slechte zangeres, maar voor popster is ze niet in de wieg gelegd.'

Tegen de tijd dat Virgil in de stad terugkeerde, was het laat in de middag. Hij belde het kantoor in Bemidji en regelde iemand om de volgende ochtend het geweer op te halen. Toen keek hij op zijn horloge en reed door naar de Eagle Nest, met de boot nog steeds achter de pick-up. Hij trof Margery Stanhope in haar kantoor, alleen, verdrietig en in gedachten, zoals hij haar de vorige keer ook had gezien. De moord liet haar nog steeds niet los. Virgil ging naar binnen, deed de deur achter zich dicht en ze keek op toen hij in een bezoekersstoel tegenover haar bureau ging zitten.

Ze keek naar de dichte deur en vroeg meteen: 'Wat is er gebeurd?'

'Ik moet je een paar pijnlijke vragen stellen, Margery,' zei Virgil.

Haar wenkbrauwen maakten een sprongetje. 'Wat?'

'Is het waar dat enkele van je obers de gasten extra diensten verlenen?'

Ze leunde achterover en zei: 'O. Verdorie. Nou, ik kan je dit zeggen, Virgil, ik heb ervan gehoord, maar ik heb er geen onderzoek naar gedaan. Wat onze gasten doen, zolang ze het niet op het parkeerterrein doen, is hun zaak. Het zijn volwassen mensen.'

'Ja, maar Margery, jíj hebt ze aangenomen,' zei Virgil. 'Die jongens.'

'Ben je weleens in een Hooters geweest?' vroeg ze.

'Nee, nooit.'

'Ik wel. Ze nemen die meisjes heus niet aan op grond van hun proefschrift.' Ze durfde erbij te glimlachen. 'Heb je Kevin gezien?'

'Nee...'

'Negentien jaar. Volgend jaar tweedejaars aan de UMD. De halve stad denkt dat Kevin gay is, omdat hij met zo'n Frans kapsel rondloopt. Hij laat zijn haar zelfs knippen bij een dameskapper in Grand Rapids. Ziet eruit alsof hij uit een of andere sciencefictionfilm komt stappen. De vrouwen hier zijn niet bij hem weg te slaan. Maar daar bemoei ik me niet mee.'

116

'Ging McDill weleens met een van de jongens naar bed?' vroeg Virgil.
'Ik zou het niet weten,' zei Stanhope. 'Wacht, ik zal het anders zeggen. Het zou kunnen. Ik heb begrepen dat ze ongeveer voor alles in was.'
'Er werd me verteld dat ze met de jongens soms ook als strenge meesteres optrad,' zei Virgil.
Stanhope haalde haar schouders op. 'Ik zou het niet weten.'
'Heb je nog geïnformeerd of iemand wist van de romance van McDill en Wendy?'
'Ja, dat heb ik gedaan, maar ik heb niemand kunnen vinden die het wil bevestigen. En ik ben altijd vroeg op, eerder dan wie ook, maar ik heb Wendy de ochtend erna niet op het parkeerterrein gezien.'
'Maar je hebt er geen problemen mee dat je in feite een exclusieve, spirituele hoerentent bestiert?'
'Dat is niet waar,' protesteerde ze. 'Ik word geen cent wijzer van al die romances. Ik regel zelf niks, voor niemand. Ik grijp gewoon niet in als de natuur haar loop heeft.'
'Behalve dat je de natuur een handje helpt,' zei Virgil.
'Onzin,' zei ze. 'Hoor eens, ga je dit aan de pers vertellen? Ik bedoel, je zou heel wat belangrijke mensen in verlegenheid brengen als je dat doet, en je zou ons bedrijf ook aanzienlijke schade toebrengen.'
'Daar ben ik niet op uit, Margery,' zei Virgil. 'Daar mogen onze beleidsmensen en mijn baas over beslissen. Maar het is mogelijk, waarschijnlijk zelfs, dat al deze seksuele escapades direct of indirect tot de moord hebben geleid. Want mensen worden vermoord om geld, seks, drugs – cocaine en alcohol – en soms gewoon uit waanzin. Geld zie ik hier niet als motief, en drugs evenmin, dus blijven de seks en de waanzin over.'
'De seks hier is niet competitief... absoluut niet,' zei Stanhope. 'De jongens... ik bemoei me niet met de jongens, ik maak geen afspraken voor ze of wat ook, maar iedereen weet dat ze hier zijn en wat ze voor je kunnen doen. Maar er is geen concurrentiestrijd... dat is niet nodig, want waarom zou je, als je voor een paar honderd dollar kunt krijgen wat je wilt?'
'En als je op zoek bent naar liefde?'
Ze zuchtte en zei: 'Daar heb ik geen antwoord op, Virgil. Nou, wil je McDills vriendinnen spreken?'

Virgil had een nare nasmaak aan het gesprek overgehouden. Seks was fantastisch, maar seks voor geld was, althans, in de Amerikaanse samenleving, ronduit verwerpelijk. Het kon hem niet schelen wat Stanhope beweerde; de Eagle Nest was gewoon een hoerentent.

In de bibliotheek werd hij opgewacht door zeven vrouwen van wie hij geen idee had of ze lesbisch of hetero waren. Ze waren allemaal op de hoogte van McDills seksuele voorkeuren, maar geen van de vrouwen had haar met Wendy Ashbach gezien. Een van de vrouwen vertelde dat McDill interesse had getoond in een jongen die Jared heette – niemand kende zijn achternaam en Stanhope was weggeroepen – die ze beschreven als mager en blond, en waar een van de vrouwen aan toevoegde: 'meisjesachtig'.

Na afloop nam Virgil de vrouw apart en vroeg: 'Had McDill intiem contact met Jared?'

'Misschien. Daar hebben we het niet over gehad, maar ik ben er redelijk zeker van dat zijn uiterlijk haar beviel.'

'Heb je hem vandaag gezien?'

'Nee,' zei ze. 'Ik heb hem volgens mij al een paar dagen niet gezien, maar ik heb ook niet echt naar hem uitgekeken.'

Virgil ging op zoek naar Stanhope, vond haar en vroeg: 'Wie is Jared?'

'Jared? Jared Boehm? Hij helpt met de boten.'

'Is hij een van die jongens?'

Ze keek hem met een vermoeide blik aan. 'Ja, ik denk het.'

'Werkt hij vandaag?' vroeg Virgil.

'Nee. Hij moest een of ander examen doen. Op de universiteit in Duluth. Voor zijn toelating. Hij heeft vrijdag voor het laatst gewerkt.'

'Ik heb zijn telefoonnummer nodig.'

Virgil belde Jared Boehm op zijn mobiele telefoon maar kreeg geen antwoord. Toen reed hij terug naar het motel, haalde een blikje cola uit de automaat in de lobby en ging op het bed liggen nadenken over Slibe, Margery, Jared en de jongens.

Geen van de dingen die Slibe hem had verteld, had hem echt vreemd in de oren geklonken, want als iedereen die popster wilde worden voor zijn vader was blijven werken, zou de wereld er waarschijnlijk beter uitzien, dacht Virgil. Tenminste, als je het niet erg vond om honden te verzorgen, gaten in de grond te graven voor septic tanks en boomstammen te splijten voor warmte in de winter.

Margery. Ze zag er niet uit als een hoerenmadam, en misschien was ze dat ook niet echt. Maar ze verdiende wel degelijk geld aan de jongens, want zij trokken de vrouwen aan die wel in waren voor een nummertje nadat ze de hele dag tussen de watersnippen hadden gedobberd.

Jared. Het probleem was dat als Jared zo oud was als Virgil vermoedde, zijn zogenoemde kortstondige relaties volgens het wetboek van Minnesota officieel verkrachting of kindermisbruik waren als de vrouwelijke partner meerderjarig was. En als hij voor seks werd betaald, was het prostitutie. En als er een van deze zaken in het spel was, kon er sprake zijn van chantage en dreigementen over en weer...

Hij moest echt met Jared praten.

En hij had een beetje te doen met Margery. Ze was zijn type wel: een wat oudere, daadkrachtige vrouw die in de North Woods een goed bestaan voor zichzelf uit de grond had gestampt. En die een paar jongens voor zich liet prostitueren.

Hij dacht opeens aan het geheugenkaartje dat hij uit McDills camera had gehaald. Hij had de foto's al vluchtig bekeken op het schermpje van de camera, maar nog niet zorgvuldig. Hij stond op van het bed, zocht het kaartje op, stopte het in zijn laptop en begon de foto's door te nemen. Veel was het niet: de vrouwen in de Wild Goose, foto's die op het meer waren genomen, een paar op een strandje langs de oever van het meer... en een jonge jongen op de steiger, in gesprek met enkele vrouwen, die hij zo te zien iets uitlegde over een boot.

Hij was lang en mager. Meisjesachtig? Misschien, maar ook pezig, met de lange, harde spieren van een wielrenner of hardloper. En hij stond in het midden van de foto... Jared...

Hij zat nog over Jared na te denken toen de telefoon van het motel ging. Vrijwel iedereen die hij wilde spreken had zijn mobiele nummer, dus even overwoog hij het gerinkel te negeren, maar uiteindelijk nam hij toch op. 'Hallo?'

'Met Signy. Ik was van plan een pizza te bestellen, maar ik zit zonder bier. Heb je zin om mee te eten en een paar biertjes mee te brengen?'

'Klinkt goed,' zei Virgil. 'Geef me twintig minuten.'

Hij was verbaasd, maar toen hij even nadacht eigenlijk helemaal niet. Er was een vonkje overgesprongen tussen Signy en hem. Hij stond op, poetste zijn tanden en schoor zich, dacht drie seconden na, sprong onder de douche en schrobde zich helemaal schoon met Old Spice-doucheschuim. Onderweg was het donker maar nog steeds warm. Misschien dreigde er onweer, maar de sterren stonden aan de hemel en hij hoorde nergens gerommel. Hij had de vorige dag bij Signy Negra Modelo gedronken, dus hij kocht een sixpack van dat merk, uit de koeling. In de buurt van het huis verdwaalde hij opnieuw, dus belde hij Signy en praatte ze hem binnen als een verkeersleider.

Toen het licht van zijn koplampen over de voorkant van het huis gleed, stond ze voor de deur te wachten, naar de sterren kijkend, en kwam ze hem tegemoet zodra ze hem zag. 'Ik heb de pizza pas besteld nadat ik je had gebeld. Ik wilde niet met een hele *Meat Lovers* opgescheept zitten als je niet kon komen.'

'Oké,' zei Virgil. 'Misschien kunnen we het bier beter in de koelkast zetten.'

Hij liep achter haar aan het huis in, trok twee flesjes uit het sixpack en zette de rest in de koelkast. Hij was zich zeer bewust van haar lichamelijke nabijheid in de kleine keuken, en Signy zei: 'Zullen we deze in het tuinhuisje opdrinken?'

'Heb jij een tuinhuisje?'

'Dat was het laatste wat Joe voor me heeft gedaan voordat hij naar Alaska ging... een tuinhuisje voor me bouwen. Aan de horren is hij niet meer toe gekomen, die heb ik er zelf in moeten zetten. Kom maar mee.'

Ze pakte een zaklantaarn van het aanrecht en ging hem voor door de achterdeur, over een pad van flagstones, naar de oplopende oever van het meer en daarna weer omlaag. Het was stikdonker en het enige wat hij zag was de lichtkegel van de zaklantaarn, en uiteindelijk het groen gebeitste hout van het tuinhuisje. Ze gingen naar binnen en zij deed de hordeur dicht om de muggen buiten te houden. Er stonden twee aluminium tuinstoelen en twee ligstoelen, en toen zij zich in de ene ligstoel liet zakken, ging Virgil in een tuinstoel zitten.

'Prachtige avond,' zei hij. 'Een miljoen sterren.'

'Augustus heeft massa's prachtige avonden,' zei ze, en ze deed de zaklantaarn uit. Het was doodstil bij het meer, in het westen was nog een klein streepje donkerblauwe lucht te zien, de hemel was bezaaid met sterren en recht voor zich zagen ze de verlichte ramen van de huisjes op de andere oever van het meer. In de verte, uiterst rechts, zagen ze het gouden schijnsel van een kampvuur of barbecue. 'En,' zei ze, 'hoe staat het ervoor met de moord? Ben je iets wijzer geworden?'

'Dat weet ik niet. Ik ben vooral bezig mensen uit hun tent te lokken, door te suggereren dat ik bepaalde dingen weet, wat niet zo is. Om te zien wat er komt bovendrijven.'

'Zoe vertelde me over die Vietnamezen die je hebt afgeslacht.'

'Dat heb ik niet gedaan.'

'Nee, dat weet ik,' zei Signy. 'Zoe weet het ook. Ze denkt dat ze je in het gareel kan houden door er zo over te praten.' Ze trok haar knieën op en sloeg haar armen om haar benen.

'Vrouwen,' zei Virgil. 'Altijd hetzelfde gedonder.'

Ze zaten daar en dronken hun biertje en Virgil vertelde haar over zijn ontmoeting met Berni, Cat en de anderen van de band, over zijn gesprek met Slibe, en over de speeljongens in het resort. Ze zei: 'Slibe is een pure slechterik. Volgens mij heeft hij het gedaan.'

'Denk je?'

'Hij is zeker in staat om iemand te vermoorden,' zei Signy, en ze liet een boer. 'Hij kwam als kind hiernaartoe, zo arm als een kerkrat, en zijn ouweheer sloeg hem elke dag verrot. Slibe leek dat normaal te vinden, dus deed hij hetzelfde met zijn vrouw en zoon. Op een dag vond zijn vrouw het welletjes en ging ervandoor. Sindsdien heeft niemand nog iets van haar gehoord. Maar Slibe vond dat heel erg. Zijn zoon, Slibe junior, is ook iemand om in de gaten te houden. Hij is misschien niet gewelddadig, maar helemaal oké is hij niet.'

'En Wendy? Heeft Slibe haar misbruikt?'

Ze zei: 'Weet je, dat denk ik niet. Wendy is altijd zijn oogappel geweest. De enige oogappel die hij ooit heeft gehad. Afgezien van zijn vrouw dan, misschien.'

'Weet iedereen het hier van die jongens in de Eagle Nest?'

'Misschien niet iedereen,' zei ze, 'maar veel mensen wel. Zoiets hou je niet stil.'

'De sheriff heeft er niks over gezegd.'

'Nou... waarschijnlijk omdat niemand het tegen de sheriff durft te zeggen,' zei Signy. 'Die man is zo fatsoenlijk dat hij zal denken dat hij er iets aan moet doen.'

'En jij vindt dat niet?'

Ze haalde haar schouders op. 'Ach, het is maar gefoezel in het donker. De mensen vermaken zich en ze doen niemand kwaad. Dus wat maakt het uit?'

'Ik weet dat de meeste mensen niet zo over jonge jongens denken, maar als ze nog geen achttien zijn en de vrouwen zijn meerderjarig, spelen er juridische aspecten mee. Dan hebben we het over verkrachting en kindermisbruik.'

Ze zei: 'Ik denk niet dat de jongens het zo zullen zien.'

'Veel vrouwelijke prostituees denken van zichzelf dat ze in de entertainmentbusiness zitten,' zei Virgil. 'Je weet wel, dat ze een soort filmsterren zijn. Maar dat zijn ze niet.'

Signy pakte haar mobiele telefoon en drukte op een sneltoets, ze vertelde wie ze was, informeerde waar de pizza bleef en zei: 'Oké... Hoe lang nog, denk je?' Ze beëindigde het gesprek en zei: 'Jim is onderweg. We kunnen beter teruggaan.'

Hij liep achter haar aan naar het huis, waar zij op de bank plofte en hij in kleermakerszit op de grond ging zitten. 'Heb je nog iets van Joe gehoord?' vroeg hij.
Ze schoot in de lach en zei: 'Ja! Vandaag.' Ze sprong op, liep naar de keuken en kwam terug met een envelop. Ze haalde er een foto uit en lachte weer. Op de foto stonden twee mannen bij een zwarte hoop bont en Joe was een van hen, en het duurde even voordat Virgil het bont herkende als een dode zwarte beer. 'Hij lag in zijn auto te slapen toen de beer probeerde bij hem te komen,' zei Signy. 'Op een camping bij Fairbanks. Joe schreeuwde om hulp, de beer begon rond te rennen en alles kapot te maken, totdat er iemand naar buiten kwam die hem doodschoot.'
Virgil schudde zijn hoofd en gaf de foto aan haar terug. Hij had te doen met de beer. 'Ik ben in Fairbanks geweest. Ze zeggen dat het daar 's winters kouder is dan waar ook ter wereld.'
'Nou, Joe heeft daar de winter nog niet meegemaakt,' zei ze. 'Hij denkt erover om naar Anchorage te gaan en werk te zoeken op een vissersboot.'

Het licht van een paar koplampen scheen door de ramen naar binnen en Signy zei: 'De pizza', en ze liep naar de voordeur. Ze aten in de woonkamer, naast elkaar op de bank, waar ze zo dicht bij hem zat dat hij de warmte van haar arm kon voelen. Virgil vroeg haar naar Grand Rapids, naar haar schooltijd en vrienden, naar de Eagle Nest, de Wild Goose, Wendy, Berni en Zoe.
Ze hadden de pizza half op en Virgil overwoog net of hij nog een punt zou nemen, toen Signy zei: 'Weet je, misschien heb ik wel wat nieuwe informatie voor je. Het schiet me net pas te binnen. Ik weet niet of je er iets aan hebt, want, hoe zal ik het zeggen...?'
'Alle informatie is welkom,' zei Virgil.
Ze zei: 'Erica McDill is niet de eerste lesbienne die is vermoord toen ze probeerde iets voor Wendy's band te doen. En die op de Eagle Nest verbleef.'
Virgil vergat de pizza onmiddellijk. 'Wat?'

10

Signy kon hem alleen flarden van de geschiedenis vertellen. Een vrouw, ene Constance Stifry, of Lifry of zoiets, had twee jaar daarvoor haar vakantie op de Eagle Nest doorgebracht. Ze kwam uit Iowa: Iowa City, Sioux City, Forest City, Mason City... 'Iets met City, ik kan me niet herinneren welke het was, maar de staat was Iowa, dat weet ik zeker.'
'Dat kan ik opzoeken,' zei Virgil.
Signy vervolgde: 'Ik geloof dat ik iemand heb horen zeggen dat ze hier eerder was geweest, maar dat weet ik niet zeker.'
Wendy's band speelde in de stad, vertelde Signy, een hele week in de Wild Goose, hoewel ze daar nog niet de huisband waren. Constance hoe-ze-ook-heette was al wat ouder, maar ze wist veel van countrymuziek. En ze was bevriend met de eigenaar van een vooraanstaande country-club, eentje uit het circuit waar de echt grote acts optraden, en ze had Wendy beloofd dat ze eens met die man zou gaan praten.
Toen ze terug was in Iowa, had ze woord gehouden en had ze met die man, die een heel invloedrijke figuur bleek te zijn, afgesproken dat Wendy als voorprogramma van een topact in zijn club zou optreden.
'En toen,' zei Signy, 'werd ze vermoord. Ze was dood en iedereen hield zich alleen nog maar bezig met het vinden van de dader, waardoor het hele plan om in die countryclub op te treden in rook opging.'
'Van wie heb je deze informatie?' vroeg Virgil.
'Van Zoe, en die had het weer van Wendy. Margery weet er ook van, want Constance dinges, Nifly of Gifly of zoiets, logeerde in de Eagle Nest en ze was lesbisch.'
'Waarom heeft Zoe het me niet verteld?' vroeg Virgil, en hij haalde zijn hand door zijn haar. Hij kon zijn oren niet geloven.
Signy zei: 'Dat weet ik niet. Misschien omdat de vrouw daar werd vermoord, in Iowa, en niemand wist wat er precies met haar was gebeurd. Iemand hoorde ervan, een van de lesbiennes, neem ik aan, en de mensen van de Eagle Nest kenden haar, dus werd erover gepraat. Maar het is al een tijdje geleden, in elk geval een paar jaar. Niemand zag een verband met de dingen die hier gebeurden. Ik geloof dat er werd gezegd dat het

een beroving was. Dat zou kunnen, maar zeker weet ik het niet.'

Virgil zei: 'Nou, er is absoluut een verband. Verdomme, Sig, ik moet een hartig woordje met je zus wisselen. Kent zij alle details van dit verhaal?'

Sig zei: 'Ik weet niet hoeveel ze weet. Het was meer een vage interesse... je weet wel, alsof er een vliegtuig is neergestort en je had een van de inzittenden weleens ontmoet. Zoiets.'

Virgil was gekomen om een pizza te eten en omdat hij dacht dat er een goede kans was dat hij aan het eind van de avond zijn laarzen zou kunnen uittrekken. Sig was een mooie vrouw die duidelijk leed onder haar on-vrijwillige onthouding. En zelfs als Virgil niet in staat was dat probleem deze avond nog op te lossen, uitgaande van het bespottelijke idee dat hofmakerij in het Midden-Westen een samenzijn van minstens drie uur vereiste voordat er tot vrijages kon worden overgegaan, hoopte hij toch in elk geval de basis ervoor te leggen, als een vooruitgeschoven post van waaruit hij de eerstvolgende keer de aanval zou inzetten.

En nu dít.

'O, man,' kreunde Virgil. Hij haalde zijn telefoon uit zijn zak, zocht Zoe's nummer op en belde het. Zodra Zoe antwoordde riep hij: 'Waarom heb je me niks over Constance dinges uit Iowa verteld?'

Ze zei: 'O mijn god.'

'Ik kom naar je toe. Verdomme, Zoe...' Hij verbrak de verbinding.

'Ga je?' vroeg Sig.

'Ik moet...'

Ze hief haar gezicht naar hem op. 'Hè, shit. Ik vond het net zo leuk om met je te praten.'

Ze bevond zich al binnen zijn vriendschapsterritorium, maar hij ging nog iets dichter bij haar staan en zei: 'Ik ook... dat ik het leuk vind om met je te praten, bedoel ik. Maar, verdomme, Signy...'

'Ik weet het,' zei ze, en de teleurstelling was zichtbaar in haar ogen. 'Die vrouw is vermoord. Dus, misschien een andere keer?'

Virgil deed nog een stapje naar voren, boog zich naar haar toe, kuste haar zacht op de lippen, en toen ze zich voldoende aan hem overgaf, voelde hij zich gerechtigd zijn hand op haar bil te leggen en te bedenken hoe mooi het allemaal had kunnen zijn.

Ze duwde hem achteruit en zei: 'Verdomme, kom op. Ga naar Zoe toe. Misschien kun je me morgen bellen. Als je wilt...'

'Dat wil ik absoluut,' zei Virgil. Hij keek om zich heen in de ijdele hoop een excuus voorbij te zien zweven en zich eraan vast te klampen om niet naar Zoe te hoeven gaan, maar hij zag niets. 'Ik bel je morgen,' zei hij.

Signy had zoet smakende lipstick en een beetje parfum op gehad, en zowel de smaak als de geur bleef hem bij toen hij in de pick-up zat en naar Zoe reed.

Zoe wachtte op hem in de woonkamer, gespannen, en met een opgerold blaadje papier in haar hand. Virgil vermoedde dat ze door de kamer had geijsbeerd terwijl ze in gedachten repeteerde wat ze tegen hem moest zeggen.
'Virgil, het spijt me. Ik dacht echt dat het niet belangrijk was...'
'Je weet wel beter,' zei Virgil streng. 'Dus probeer me niks wijs te maken en vertel me wat er is gebeurd.'
'Dat weet ik niet precies, maar ik heb op het net gezocht en een artikel in de *Cedar Rapids Gazette* gevonden. Ze kwam uit Swanson, Iowa, in de buurt van Iowa City. Tussen Iowa City en Cedar Rapids, om precies te zijn. Ik heb het artikel voor je geprint.'
Ze gaf Virgil het opgerolde blaadje en hij streek het glad.

29 september – Restauranteigenaar Constance Lifry (49) uit Swanson is afgelopen zaterdag gewurgd aangetroffen op het parkeerterrein achter Honey's, 640 Main in Swanson, aldus sheriff Gerald Limbaugh van Johnson County.
Lifry stond bekend als buitengewoon actief in de gemeenschap en ze was lid van diverse tuiniersclubs, met rozenstruiken als specialisme.
Limbaugh verklaarde dat Lifry voor het laatst in leven was gezien door twee schoonmaaksters van het restaurant. Die verklaarden dat Lifry zaterdagavond tot ongeveer tien uur in haar kantoor aan het werk was geweest nadat het restaurant om negen uur was gesloten, en haar stoffelijk overschot werd gevonden toen een van de vrouwen naar buiten ging om een sigaret te roken.
'We zijn druk bezig met het sporenonderzoek en hopen dat we de zaak snel kunnen afronden,' aldus sheriff Limbaugh. 'Ik heb Constance vrijwel mijn hele leven gekend en iedereen die haar ooit heeft ontmoet zal bevestigen dat ze een fantastische vrouw was, zeer betrokken bij de gemeenschap en de American Heart Association, iemand die keihard werkte en die voor twintig tot dertig mensen een baan heeft gecreëerd. Dit is een afschuwelijke tragedie en we zullen alles doen om de dader voor de rechter te brengen.'
Verder verklaarde de sheriff dat ze was gewurgd met een koord, maar dat de dader dit niet had achtergelaten.

'We hebben tot nu toe geen getuigen van de moord kunnen vinden,' aldus sheriff Limbaugh, 'maar we zijn nog met diverse mensen in gesprek en we bekijken de videobeelden van de camera bij Larry's Exxon aan de overkant van de straat.'

Dat was de harde informatie; de rest van het artikel bestond uit reacties en een necrologie.

'Is dit alles?' vroeg Virgil. 'Is er nooit iemand voor opgepakt?'

'Er heeft niks over in de kranten gestaan. Ik heb er ook nooit iets over gehoord.'

'Wanneer was ze hier?' vroeg Virgil. 'Ze is in de Eagle Nest geweest, toch? Kwam ze ook in de Wild Goose? Wat had ze met Wendy?'

Zoe schudde haar hoofd. Ze had handenwringend om hem heen gelopen terwijl hij het artikel las, en nu, met de tranen in haar ogen, zei ze: 'Mijn god, ik vind het echt vreselijk.'

Virgil kreeg met haar te doen. 'Zoe...'

'In augustus, twee jaar geleden,' zei ze. 'En ze was in de jaren daarvoor ook al eens geweest, geloof ik. Ze kwam in de Goose, leerde Wendy kennen en raakte met haar aan de praat. Er is een grote countryclub in de buurt van Iowa City, de Spodee-Odee. Een belangrijke club, als opstap, bedoel ik. Veel grote bands hebben daar gespeeld. Willie Nelson trad er op, en Jerry Jeff Walker. Jongens uit Texas.'

'Ga door.'

'En zij, Constance, kende de eigenaar van die club. Die heet Jud of zoiets. Dat is het enige wat ik me herinner. Maar zij en die Jud schenen heel close met elkaar te zijn en ze zei tegen Wendy dat als Wendy het wilde, zij de band bij Jud kon aanbevelen. Waarbij gezegd moet worden dat ze meer in Wendy zag dan in de band. In haar stem, bedoel ik. Daar had ze gelijk in, want de band was in die tijd niet best. Ze zijn nu een stuk beter.'

'Dus ze ging een gig voor Wendy regelen,' zei Virgil.

'Het was meer dan alleen een gig,' zei Zoe. 'Het kon de grote doorbraak zijn. Als je in de Spodee-Odee speelt, tel je mee. Dan ben je goed.'

'Wie zou daar een probleem mee gehad kunnen hebben?' vroeg Virgil. 'Waarmee?'

'Dat Wendy een gig in Iowa City zou krijgen.'

Ze schudde haar hoofd. 'Dat weet ik niet. Waarom zou iemand daar problemen mee hebben? Het zou juist goed zijn.'

'Maar nu zitten we met een tweede vrouw die iets goeds voor Wendy zou gaan doen, en die is ook vermoord,' zei Virgil. 'Waar of niet?'

'Ja,' zei ze.

'Was Lifry lesbisch?'

'Ik geloof het wel,' zei Zoe. 'Ik heb haar nooit ontmoet. Ze viel buiten mijn leeftijdsgroep. Maar ik had het iemand horen zeggen.'

'Wie?'

'Dat weet ik niet meer,' zei ze. 'Misschien Wendy. Wacht, ik wil niemand in de problemen brengen. Ik weet niet van wie ik het heb gehoord, alleen dat iemand het zei.'

'Oké, dus voor zover je weet was ze deskundig...' Virgil spreidde zijn vingers en telde af. '... ze was lesbisch, ze verbleef in de Eagle Nest, ze was met Wendy in gesprek over haar band en ze kwam in de Wild Goose. En ze werd vermoord.'

'Ja, maar pas een tijdje nadat ze hier was geweest,' zei Zoe.

'Waarom heb je me dat niet verteld?' vroeg Virgil.

Ze keek naar hem op en leek weer in gedachten te verzinken. 'Omdat... omdat ik bang was dat het allemaal breed uitgemeten zou worden in de kranten en op tv, je weet wel, als pervers gedoe... lesbiennes die elkaar naar het leven staan... en dat het de Eagle Nest de kop zou kosten. Ik moest rekening houden met Margery. Die heeft jarenlang keihard gewerkt om het resort van de grond te krijgen, en dan blijkt dat er moordenaars rondlopen die het op haar gasten hebben gemunt. Begrijp je?'

'Niet helemaal,' zei Virgil. 'Ik zou het vroeg of laat toch hebben ontdekt. Door het me niet te vertellen heb je mijn onderzoek een paar dagen vertraagd, dat is het enige. Je hebt het spoor koud laten worden.'

'Het spijt me,' zei ze. 'Echt waar.'

Virgil belde Davenport, die een avondwandelingetje met zijn vrouw maakte. Virgil vertelde hem wat er was gebeurd en zei: 'Ik moet naar Iowa City. Er is geen luchtverbinding die me daar sneller brengt dan een auto, maar het is negen uur rijden, en ik heb geen zin om negen uur heen en negen uur terug te rijden. Kan ik een vliegtuig huren? Dat kost hooguit duizend dollar.'

'Is het absoluut noodzakelijk?'

'Tamelijk noodzakelijk,' zei Virgil.

'Weet je wat? Kom hiernaartoe, neem een motelkamer en dan vliegt Doug Wayne je er morgenochtend vroeg naartoe. Zeg maar hoe laat.'

Wayne was van de verkeerspolitie en hij had Virgil al eens eerder ergens naartoe gevlogen. Virgil keek op zijn horloge, deed wat hoofdrekenwerk en zei: 'Morgenochtend zeven uur in St. Paul.'

'Ik zal hem meteen bellen,' zei Davenport. 'Ben je nog in Grand Rapids?'
'Ja.'
'Oké, dan ben je, eh... om twee uur hier. Kun je vijf uur slapen. Is dat genoeg?'
'Ja,' zei Virgil. 'Luister, kun je de verkeerspolitie bellen en zeggen dat ik met mijn zwaailicht aan over de I-35 kom? Als ze me de ruimte geven, kan ik een halfuur extra slapen.'
'Ga daar maar van uit. Maar ik bel het je nog door.'

Zoe zei dat hij zijn boot op haar oprit mocht laten staan en toen hij de aanhanger had losgekoppeld reed hij terug naar het motel, zei tegen de beheerder dat hij zijn kamer aanhield, pakte zijn tas in en vertrok. Davenport belde toen hij het parkeerterrein af reed. 'Je hebt de hele route het groene licht, maar pas op dat je geen hert schept, want dan kan ik niks meer voor je doen. Je hebt toch geen boot achter je pick-up hangen, hè?'
'Nee, geen boot,' zei Virgil. 'Waarom ben je altijd zo argwanend?'
'Omdat je voor me werkt en ik ken je langer dan vandaag,' zei Davenport. 'Ik heb Doug gesproken; hij staat morgenochtend om zeven uur voor je klaar.'
Daarna reed hij met hoge snelheid door de met sterren bezaaide nacht, langs stadjes en dorpjes en boerderijen, Blackberry, Warba, Swan River, Wawina, Floodwood en Gowan, tot aan Highway 33 en daarna vol gas over de I-35 naar het zuiden. Om één uur reed hij Minneapolis binnen. Hij nam een kamer in de Radisson University en zei dat hij om halfzeven gewekt wilde worden.
Hij had niet veel tijd om aan God te denken, maar deed het toch even.

Wayne droeg zijn pilotenoverall en las een boek van Walter Mosley terwijl hij uit een zak pindakaaskoekjes at. Virgil kwam vijf minuten te laat binnen en Wayne zei: 'We kunnen gaan.'
Tien minuten later waren ze in de lucht, op weg naar een vliegveldje ten zuiden van Cedar Rapids. Hertz had hem beloofd dat er een Chevy Impala voor hem zou klaarstaan.
'Vertel me nou eens wat er allemaal is gebeurd nadat ik je de vorige keer heb afgezet,' zei Wayne.
Virgil vertelde hem over het vuurgevecht in International Falls, over wie wat had gedaan, hoe ze een hinderlaag hadden voorbereid, hoe het Vietnamese team erin was gelopen en over het daaropvolgende vuurgevecht bij zonsopgang.

'Man, iedereen was apetrots op jullie,' zei Wayne. 'Er werd over niks anders gepraat. Noord-Vietnamese commando's, man, en jullie hakten ze verdomme in mootjes.'

'Ik voelde me op dat moment helemaal niet zo trots,' zei Virgil. 'Nog steeds niet. En we hebben hun leider laten ontsnappen.'

'Die griet. Ja. Maar de rest, man, dat was nog eens iets...'

Op weg naar het zuiden, van mobiele zendmast naar mobiele zendmast, sprak Virgil met de eerste hulpsheriff van Johnson County, Will Sedlacek, die hem vertelde dat de sheriff in Minnesota aan het vissen was.

'Als je me vertelt dat hij in Grand Rapids is, maak ik mezelf van kant,' zei Virgil.

'Ik weet niet waar Grand Rapids ligt, in Michigan, dacht ik eerlijk gezegd, maar hij vist op Lake of the Woods.'

'Dat is een heel eind van Grand Rapids,' zei Virgil. 'Hoor eens, ik land daar om een uur of elf en ik wil iemand spreken over de moord op Constance Lifry en die beroemde countryclub die jullie daar hebben.'

'De Spodee-Odee,' zei de hulpsheriff. 'Weet je wat? Bel me zodra je bent geland, dan rijden we ernaartoe en kun je met Jud praten.'

'Afgesproken,' zei Virgil.

Het was nog twee uur vliegen naar Cedar Rapids en er was geen wolkje aan de lucht. Wayne zei dat hij een filmpje zou pakken als ze in Cedar Rapids waren. Hij had een reistas meegebracht, zich erop voorbereid in Cedar Rapids te overnachten als Virgil meer tijd nodig had.

'Ik denk niet dat dat nodig is,' zei Virgil. 'Het enige wat ik wil doen is het dossier doornemen en met een paar mensen praten, dan zijn we hier klaar.'

Sedlacek was een brede, gedrongen man met donker haar, die Virgil de bezoekersstoel wees en vroeg: 'Was het moeilijk om ons te vinden?' Met een half oor luisterde hij naar Virgils antwoord en drukte op een toets van zijn kantoortelefoon. Hij zei: 'Hij is er' en hing weer op.

'Ja, ik kon de brug over de rivier niet vinden en had via de andere kant langs de universiteit moeten rijden,' zei Virgil. 'Maar verder viel het wel mee.'

Een tweede hulpsheriff kwam het kantoor binnen met een dossiermap. Virgil stond op en schudde Larry Rudolph de hand, ze gingen zitten en Sedlacek vroeg: 'Wat is er daar in hemelsnaam gebeurd?'

Virgil begon te vertellen en beide mannen luisterden aandachtig. Toen hij klaar was zei Rudolph: 'Dat is wel verdomd toevallig, als het toeval is. Maar weet je, het voelt niet als onze dader. Die van ons deed het met een koord, van dichtbij, persoonlijk. Een geweerschot is iets heel anders.'

'Ze zijn allebei dood,' zei Sedlacek.

'Ja, maar ik begrijp wat hij bedoelt,' zei Virgil. 'Luister, alle informatie over de zaak zit in mijn hoofd, ik heb nog niks op papier gezet, dus als jullie het goed vinden, zou ik graag het dossier doornemen om te zien of ik iets herken.'

'Geen probleem,' zei Sedlacek. 'Er staat alleen niet veel in. Ik bedoel, alle rapporten en zo zitten erin, maar een aanwijzing hebben we nooit gevonden.'

'Wat Jerry woest maakte,' zei Rudolph. 'Constance en hij waren al heel lang bevriend.'

'Jerry is de sheriff,' zei Sedlacek. 'Hij heeft ons afgebeuld tijdens het onderzoek.'

'Zag het eruit alsof iemand haar had opgewacht?' vroeg Virgil. 'Hadden ze haar beroofd? Verkracht? Iets anders?'

'Haar tas was meegenomen, dus het kan een roofmoord geweest zijn,' zei Sedlacek. 'Zeker omdat ze 's avonds laat het restaurant uit kwam. Ze was niet verkracht of zoiets. Niet mishandeld. De dader heeft haar besprongen met het plan haar te wurgen. Misschien dacht hij dat ze de dagomzet van het restaurant mee naar huis nam.'

'Maar dan moet hij dingen over haar hebben geweten,' zei Virgil. 'Dan hebben we het over iemand uit de omgeving.'

'Ja, daar lijkt het op,' zei Sedlacek.

Rudolph voegde eraan toe: 'Swanson is maar heel klein, een gehucht halverwege Cedar Rapids en Iowa City, met maar zeven bedrijven: een benzinestation, een restaurant, dat van Constance, en vijf bars. Minderjarigen gingen ernaartoe om stiekem te drinken, maar daar hebben we een stokje voor gestoken. Toch is het nog steeds een soort trekpleister, waar veel mensen naartoe gaan voor de sfeer.'

'Is de Spodee-Odee daar?' vroeg Virgil.

'Nee, die is in Coralville. Dat is meteen hiernaast.'

Ze praatten nog een paar minuten en ze wezen Virgil een kamertje met een tafel en een stoel. Hij nam een uur de tijd om een dik maar vrijwel informatieloos dossier door te nemen. Het sporenonderzoek zag er degelijk uit, maar de technische rechercheurs hadden gewoon niets kunnen vinden, afgezien van één nylonvezel die in de huid van Lifry's hals was gedrongen, en nog een paar vezels onder haar nagels, waarvan er een paar waren afgebroken, wat aangaf dat ze met een nylon koord was gewurgd.

Dus afgezien van één ding had het ongeveer hetzelfde betekend als ontdekken dat de dader een broek had gedragen. Je had er niets aan.

Toen hij klaar was bracht hij het dossier terug naar Sedlaceks kantoor om hem naar dat ene ding te vragen. Sedlacek vroeg: 'En? Hebben we een doorbraak?'

'Nog geen haarscheurtje,' zei Virgil. 'Eén ding. Dat nylon koord waarmee Lifry is gewurgd... de patholoog zegt dat het diep in de nekspieren is gedrongen. Gaan jullie ervan uit dat de dader een man was?'

'Ja, absoluut,' zei Sedlacek. 'Het moet ergens in het dossier staan, maar dat was onze werkhypothese. Een man met flinke spierkracht zelfs, want ze heeft aardig wat bloed verloren.'

'Dat past niet bij ons daderprofiel,' zei Virgil. 'Wij hebben namelijk sporen van vrouwenschoenen gevonden.'

'Jullie hebben reuzen van vrouwen in het noorden, heb ik gehoord.'

'Ja, maar degenen die ik op het oog heb zijn hier niet toe in staat,' zei Virgil. 'Ze zijn flink en gezond, maar ik zie ze niet iemand bijna onthoofden met een nylon koord.'

Sedlacek stak zijn handen op. 'Ik kan je niet verder helpen. Hoor eens, heb je al iets gegeten? We kunnen een broodje gaan eten voordat we naar Jud gaan. Hij is er pas om een uur of een.'

Ze bestelden een hamburger met friet en een milkshake in een studentenbar. Virgil droeg een Breeders-T-shirt onder zijn jasje en een slanke, blonde vrouw die naast hem stond, boog zich naar hem toe en vroeg: 'Ben jij muzikant?'

Hij grijnsde naar haar. 'Nee.'

'Ik ben fan van de Breeders,' zei ze. 'Kim Deal is geweldig.'

'Ik zou je het shirt met alle plezier geven,' zei Virgil. Hij knikte naar het tafeltje met Sedlacek en vervolgde: 'Maar zie je die hulpsheriff daar? Die smijt me dan onmiddellijk de bak in wegens aanstootgevend gedrag.'

'Ik zou je mijn telefoonnummer kunnen geven, dan kun je het langsbrengen,' zei ze. Maar ze hield hem voor de gek, maakte een toedeloe-beweging met haar vingers en draaide zich om.

'Ik werk al tien jaar in deze stad, maar ik ben nog nooit aangesproken door een studente,' zei Sedlacek, en hij keek haar na. 'Wat heb jij wat ik niet heb?'

'Mijn uiterlijk, mijn persoonlijkheid, cowboylaarzen...'
'Shit,' zei Sedlacek. 'Ik heb het altijd met mijn intellect geprobeerd.'
'Nou, dan heb je je antwoord,' zei Virgil.

Het zakencentrum van Coralville, dat tegen Iowa City aan lag, was een grauwe verzameling motels, servicebedrijfjes, verzekeringskantoren, een paar bars, en de Spodee-Odee, een fors gebouw met buitenwanden van boomstammen, een parkeerterrein van een halve hectare, een oude balustrade met waterbak om je paard aan vast te binden, en op de zijkant een levensgrote schildering van een John Deere-tractor met een Sioux-indiaan op een gevlekt paard ernaast. Aan weerszijden van de ingang, op de veranda, stonden twee cactussen in potten, en achter de ene hing een bordje met de mededeling: WIE IN DEZE POTTEN PLAST, WORDT DOODGESCHO-TEN.

Virgil was achter Sedlacek aan gereden. Ze stapten uit in een grote wolk van stof, hesen hun broek op en keken om zich heen. Een ander bordje, achter het getraliede raam, meldde dat de zaak gesloten was, maar de voordeur stond open en binnen, in het gedempte licht, zat de barkeeper zijn administratie te doen. Hij keek op en zei: 'We gaan pas om vier uur open', waarop Sedlacek antwoordde: 'Sheriffdienst Johnson County. We hebben een afspraak met Jud.'
'Hij is in zijn kantoor,' zei de barkeeper, en hij wees met zijn pen. 'Loop maar door. Achteraan in de hoek.'
Ze volgden de richting waarin de pen wees, staken de dansvloer over en liepen langs het halfronde podium, dat zeker zes meter breed was. Virgil was onder de indruk; hij was in heel wat countryclubs geweest, maar de Spodee-Odee was waarschijnlijk de grootste. Achterin, aan het eind van de gang, was een volwaardig kantoor met een receptioniste achter een grote houten balie en achter haar twee vrouwen die op een computer aan het werk waren. De receptioniste vroeg: 'Hulpsheriff Sedlacek?'

Jud Windrow kwam zijn privékantoor uit. Hij was een lange, magere man met een ingevallen gezicht, gekleed in een zwart Johnny Cash-shirt met parelmoeren knoopjes, een spijkerbroek en cowboylaarzen. Hij had een borstelsnorretje en twee gele vingers van het roken. 'Kom binnen,' zei hij. 'Willen jullie koffie, een biertje?'
'We hebben net gegeten,' zei Sedlacek, en Windrow vroeg: 'Hoe gaat het, Will? We zien je niet vaak meer.'
'Ach, je weet hoe dat gaat... tegen de tijd dat de kinderen in bed liggen

ben ik zo verdomde moe dat ik zelf ook het liefst naar bed zou gaan.'

'Je kunt zo niet doorgaan,' zei Windrow. 'Neem een oppas. Ga uit en kom dansen. Dat vindt moeder de vrouw ook leuk... Jij bent zeker Virgil?'

Er werden handen geschud, ze gingen zitten en Windrow zei: 'Trouwens, ik heb Prudence Bauer gevraagd ook te komen en met ons mee te praten.'

Een vrouw kwam het kantoor binnen, een jaar of vijftig, schatte Virgil, met wat nuffige gelaatstrekken en grijs, opgestoken haar in een ouderwets knotje op het hoofd. Prudence... juist. Ze moest kort na hen het parkeerterrein op gereden zijn.

'En daar is ze al,' zei Windrow. Hij liep naar Bauer toe, ze gaven elkaar een luchtkusje en Windrow zei tegen Virgil: 'Dit is Connies zus. Zij heeft Honey's, het restaurant, overgenomen nadat Constance was heengegaan.'

'Was vermoord,' zei Bauer. Ze had een lage, raspende stem, die Virgil deed denken aan zijn lerares in de derde klas, over wie hij nog weleens nachtmerries had.

'Natuurlijk,' zei Windrow.

Ze gingen zitten en Virgil vroeg aan Windrow: 'Wat was jouw relatie met Constance?'

Hij knikte. 'Boezemvrienden, zou ik zeggen. Denk je ook niet, Prudie?'

Bauer zei: 'Ja, dat denk ik wel.'

Windrow vervolgde: 'We waren een soort tweeling. Amper een week na elkaar geboren, we woonden naast elkaar in Swanson, groeiden samen op, gingen samen naar school en zagen elkaar bijna elke dag. Mijn hart brak gewoon toen ik hoorde dat ze was vermoord.'

Virgil herkende dat, want hij had ook oude vrienden, in Marshall, Minnesota, die hij misschien maar eens per jaar zag maar met wie hij zich nog steeds vertrouwd voelde en die hem na aan het hart lagen, en dat zou altijd zo blijven. 'Oké. Wat hebben jullie, als dat al zo is, te maken gehad met een band van een zangeres die Wendy Ashbach heet, uit het noorden van Minnesota? Of met een resort dat de Eagle Nest heet?'

'Niks,' zei Bauer. 'Ik wist dat Connie in de Eagle Nest kwam en ze heeft me weleens over Wendy verteld, dat ze een geweldige zangeres was, maar ik ben daar zelf nooit geweest en heb Wendy nooit ontmoet.'

'Ik hoorde van Connie over Wendy,' zei Windrow terwijl hij Virgil aankeek over de driehoek die hij met zijn handen vormde, met de vingertoppen tegen elkaar. 'Ze zei dat ze in Grand Rapids een geweldige countryband had gezien en dacht dat ik ze misschien hier wilde laten spelen. Ik was van plan ernaartoe te gaan om naar ze te luisteren, maar toen werd

Connie vermoord en werd het contact verbroken. Ik ben er nooit op doorgegaan.'

Zijn joviale country-and-westernhouding had plaatsgemaakt voor die van de zakenman, constateerde Virgil... niet dat hij eraan twijfelde dat de zakenman ook maar een seconde weg was geweest. Een succesvolle countryclub runnen was geen werk voor idioten.

'Was er al een contract getekend, of een aanbod gedaan?'

'Niet officieel,' zei Windrow. 'Maar Connie had een goed oor voor muziek, voor alle soorten muziek, en als zij beweerde dat deze zangeres goed was, zou ik zeker naar haar gaan luisteren. Ook omdat de vrouw en haar band me niet te veel zouden kosten. Wat ik doe is het volgende: ik heb een huisband die een maandlang vier avonden per week speelt, de rustige avonden. De topbands spelen op vrijdag en zaterdag, en dan laat ik de huisband als voorprogramma optreden. Op zondag zijn we gesloten, natuurlijk. Ik was van plan om Wendy en haar band een maandlang als huisband te laten spelen. Tenminste, als ze goed genoeg waren.'

'Maar alleen als ze niet te veel kostten,' zei Virgil.

Windrow stak zijn wijsvinger op en zwaaide ermee. 'Het geld zou genoeg zijn voor hun verblijf hier, en dan nog een extraatje. Wat telt is dat ze gehoord zouden worden door de grote muziekjongens. Als een nieuwe band het in de Spodee-Odee goed doet, wordt erover gepraat. Door de mensen die ertoe doen in de countrymuziek, bedoel ik. Dat is meer waard dan het geld dat ik ze eventueel zou kunnen betalen.'

'Maar je hebt nooit... het is niet doorgegaan,' zei Virgil.

'Nee,' zei Windrow. 'Het is nu bijna twee jaar geleden. Connie is al bijna twee jaar dood.'

Bauer zei: 'Toen ik hoorde waarom je hiernaartoe kwam, heb ik op internet gezocht en ik vond een krantenartikel waarin stond dat er nog een moord is gepleegd. Wist je dat mijn zus lesbisch was?'

Virgil knikte. 'Ja.'

'Er gaan nogal wat geruchten over die miss McDill,' zei ze.

'Ze was lesbisch, of biseksueel, een zakenvrouw die in de Eagle Nest verbleef, net als je zus,' zei Virgil.

Bauer leunde achterover in haar stoel. 'Dan moet dat het verband zijn. Twee jaar lang heb ik God gebeden om een aanwijzing. Hoe gering ook. Connies moord kon geen toevallige daad zijn. Dat zou de Heer niet toestaan.'

'Ik betwijfel of dat argument voor de rechter standhoudt,' zei Sedlacek.

Ze wuifde de opmerking weg. 'Dat kan me niet schelen. Ik wil weten waarom een of ander beest een eind aan Connies leven heeft gemaakt. Als ik dat te weten kan komen, vind ik misschien gemoedsrust. Zoals het nu is, moet ik er constant aan denken. Ik heb geen rust in mijn hoofd.'

Virgil wendde zich weer tot Windrow en probeerde hem verder uit te horen over Wendy, maar Windrow hield vol dat hij niets over haar wist. 'Maar vertel me eens,' zei hij, 'ik zie aan je shirt dat je een muziekliefhebber bent, en jij hebt haar gehoord. Wat vond jij van haar?'

Virgil dacht er even over na en zei toen: 'Heb je de film *Shine a Light* van de Rolling Stones gezien?'

'Een keer of twintig,' zei Windrow.

Virgil zei: 'Denk aan Christina Aguilera, maar dan country.'

Windrow leunde achterover in zijn stoel, trok zijn wenkbrauwen op en zei: 'Je meent het.'

'Helemaal,' zei Virgil.

'Dat klinkt verdomd interessant,' zei Windrow. 'Ik ben op zoek naar een band voor september. De jongen die zou komen is geblesseerd en heeft moeten afzeggen.'

'Ze is goed,' zei Virgil. 'Maar haar band heeft een paar zwakke plekken.'

'Dat valt te verhelpen,' zei Windrow. Hij boog zich naar voren, maakte een aantekening in zijn agenda en zei: 'Sessiemuzikanten zijn net lampen... je stopt de stekker in het stopcontact en ze branden. Een goeie muzikant speelt alles.'

Bauer zei: 'Volgens mij heeft het motief eerder te maken met seks dan met muziek.'

Virgil knikte naar haar en zei: 'Nou, miss Bauer, Wendy Ashbach is een beetje lesbisch. Ze woont samen met een lesbische drummer en heeft de nacht doorgebracht met miss McDill, die een dag daarna werd doodgeschoten... dus daar zou je best eens gelijk in kunnen hebben.'

Hij vertelde ze hoe het onderzoek tot dusver was verlopen en over de vechtpartij van Wendy en Berni in de Goose. Toen Windrow dat laatste hoorde, maakte hij nog een aantekening in zijn agenda en zei: 'Ik ga er zo snel mogelijk heen om naar haar te kijken.'

'Het idee dat ze vecht staat je wel aan?' vroeg Virgil.

'Ja, dat klopt,' zei hij. 'Mensen als zij hebben een echtheid die je niet kunt faken. Het publiek voelt dat en valt ervoor als een baksteen.'

'Doe een beetje voorzichtig als je daar bent,' zei Virgil. 'We hebben al genoeg lijken.'

Na afloop zei Bauer tegen Virgil: 'We hebben alle papieren van mijn zus bewaard. Misschien zit er iets tussen waar een rechercheur iets mee kan, hoewel we zelf niets hebben kunnen vinden. Als je wilt kan ik je alles meegeven.'

Virgil keek op zijn horloge. 'We willen graag voor het donker opstijgen. Hoe ver bevinden die papieren zich van het vliegveld van Cedar Rapids?'

'Vijf à zes minuten rijden,' zei ze. 'Swanson ligt een stukje ten zuiden ervan.'

'In dat geval graag,' zei Virgil. 'Ik rijd wel achter je aan.'

'En ik zie jou waarschijnlijk in Grand Rapids,' zei Windrow. 'Hoe ver is dat hiervandaan?'

'Negen uur met de auto, schat ik. Je kunt met het vliegtuig gaan, een lijnvlucht, maar die gaan niet vaak. De bar heet de Wild Goose.'

'Ik heb zelf een kleine Cessna,' zei Windrow. 'En ik vind vliegen heerlijk, ook al doe ik het zelden. Als het weer goed is, vlieg ik er morgen misschien heen.'

Buiten, op het parkeerterrein, schudden Sedlacek en Virgil elkaar de hand en Sedlacek zei: 'Prudence is oké. Ze is een beetje een stijve tante, maar heel intelligent, net als haar zus.'

'Ze leek me oké,' zei Virgil.

'Ik was even bang dat je zou denken dat ze een beetje gek was, met dat God dit en de Heer dat, en dat Hij niet zou toestaan dat Constance een toevallig slachtoffer van een moord was.'

'Ach, wie kan daarover oordelen?' zei Virgil, en hij keek de vrouw na toen ze in haar Ford Taurus stapte. 'Misschien heeft ze wel gelijk.'

11

Janelle Washington was in een chocolaterie gaan werken om wat extra geld te verdienen omdat haar man, een terreinknecht op een golfbaan, van zijn tractor was gesprongen en zijn voorste kruisband had gescheurd. Hij had wekenlang niet kunnen werken en ze hadden moeten leven van zijn ziekte-uitkering, dus daar moest iets aan worden gedaan.

De chocolaterie betaalde nauwelijks meer dan het minimumloon, maar dat gaf niet. Het werk was niet moeilijk en ze hoefden alleen maar het tekort tot zijn normale loon aan te vullen, dus veel meer hoefde het niet te zijn. Later, toen haar man weer op zijn tractor over de golfbaan reed, had ze besloten dat ze het menselijke contact overdag best leuk vond en was ze in de winkel blijven werken.

Er was echter één probleem. Janelle kon niet van de bonbons afblijven. Ze was altijd trots geweest op haar figuur, dat niet perfect was, maar haar man, James, was er dol op, dus toen ze na haar eerste week in de winkel een kilo was aangekomen en de week daarna nog een, en nog een... moest ook daar iets aan worden gedaan.

Om te beginnen nam ze zich voor niet meer dan twee bonbons per dag te eten, vijfhonderd calorieën. Bovendien ging ze in elk geval de hele zomer op de fiets naar haar werk. Ze reed van huis helemaal naar het stadje en weer terug, twee keer dertien kilometer, waarmee ze volgens de teller op internet vijfhonderd calorieën verbrandde. Ze kwam ook te weten dat ze op deze manier meer spierweefsel opbouwde, en met meer spierweefsel kon ze meer calorieën verbranden.

De grote vraag was nu of ze al die verbrande calorieën moest compenseren met één extra bonbon. Of wilde ze echt zo'n gespierde sportieveling worden? Een rantsoen van twee per dag viel haar al zo moeilijk, zeker wanneer haar baas ze in de bakkerij achter de winkel aan het maken was.

Aan het eind van de dag sloot ze de kassa af, maakte de toonbanken schoon, zei haar baas Dan gedag en ging naar huis. Het eerste stuk op de fiets bestond uit rijden, stilstaan en opletten op het verkeer, maar toen ze eenmaal de rivier was overgestoken, zag ze nog nauwelijks verkeer en begonnen haar benen harder in het rond te malen en begon ze te transpireren.

Ze was nooit bijzonder sportief geweest, maar het fietsen had iets in haar losgemaakt, iets waaraan ze verslaafd begon te raken...

McDills moordenaar had zich verscholen tussen de bomen op een heuveltje langs de secundaire weg, bij een bospad dat naar een kanosteiger aan de oever van de Mississippi liep. Vanaf zijn standplaats kon hij zowel de kanosteiger als de weg zien. Er waren in het afgelopen uur geen kano's langsgekomen en op de rivier, waarvan hij een kleine driekwart kilometer kon zien, zag hij er evenmin een.

Washington kon nu elk moment de hoek om komen. Haar doodschieten had twee functies. Ten eerste zou hij verwarring zaaien. De moordenaar zou erop letten dat hij een patroonhuls achterliet, zodat ze zouden weten dat McDills moordenaar ook Washington had doodgeschoten. Maar aangezien Washington geen enkele connectie met de lesbiennes of Wendy's band of de Eagle Nest had, zouden ze misschien denken dat de moorden willekeurig waren. En zo niet, dan maakte het de zaak in elk geval een stuk gecompliceerder.

De tweede functie van de moord was dat Washington daarmee uit beeld verdween. Niemand zou het zich na haar dood herinneren, dacht de moordenaar, maar Washington wist iets te veel over Slibe Ashbach junior en zijn vader.

Anderhalve kilometer verderop kwam Washington de hoek om. Ze fietste niet echt hard, maar had toch een behoorlijk tempo. De weg was geasfalteerd, ze had vrij baan en trapte de vierde versnelling soepel rond. Ze had een sjaal om haar hoofd geknoopt, als een Russische plattelandsvrouw, om haar haar in model te houden. Haar gezicht was duidelijk zichtbaar in de telescoop... vierhonderd meter, driehonderdvijftig, driehonderd, steeds dichterbij...

Achter haar kwam een pick-up de hoek om. Hij reed niet hard, een kilometer of dertig, en de moordenaar liet het geweer zakken. Zweetdruppeltjes parelden ineens op zijn voorhoofd en hij hapte naar adem door de overdosis adrenaline die door zijn aderen schoot. Dit was niet goed. Helemaal niet goed.

Tom Morris zag Janelle fietsen en dacht aan wat er gebeurd zou zijn als hij er na de middelbare school wat eerder bij was geweest. Misschien waren ze dan nu wel getrouwd. Hij had zijn kans gekregen, gedurende langere tijd zelfs. Hij wist het en zij wist het, waardoor ze elkaar altijd aardig waren blijven vinden, ook al was er nooit iets gebeurd en waren ze allebei gelukkig getrouwd, al was het met een ander.

Hij minderde vaart, draaide zijn raampje open, grijnsde naar haar en riep: 'Pas op dat je je benen niet uit je lijf fietst.'

'Hou je mond, jij,' riep ze terug.

'Nee, ik vind het juist goed van je,' zei hij. 'Ik kwam James gisteren in de stad tegen. Hij zei dat jullie vrijdag in Moitrie's gingen eten. Wij waren dat ook van plan, om een uur of zeven.'

Ze stopte, zette haar voeten op de grond, liep met de fiets tussen haar benen naar de pick-up en zei: 'Ik zal Patsy bellen. Misschien kunnen we met z'n vieren een tafel nemen.'

Ze babbelden nog even door, over een sneeuwscooterclub die stukken ongebruikt land wilde gebruiken voor hun wedstrijden, de sporen die dat zou achterlaten en alle extra sneeuwscooters die van hun wegen gebruik zouden maken, over de zwerm kraaien in de buurt, die alsmaar groter leek te worden, en Morris vertelde dat hij een verdelgingsbedrijf had moeten inschakelen vanwege de eekhoorns op zijn vliering. Het waren de gewone buurpraatjes en uiteindelijk namen ze afscheid. 'Bel Patsy. We zien jullie vrijdag.'

De pick-up kwam langzaam in beweging, bleef honderd meter naast de fiets rijden en gaf toen gas. Inmiddels bevond Washington zich op dezelfde hoogte als de moordenaar en ze reed hem voorbij, maar de pick-up was er ook nog en die schoof langzaam als een witte vlek over het zwarte asfalt van de weg terwijl Washington de afstand begon te vergroten. Het achterhoofd tussen de kruisdraden van de telescoop werd kleiner, en een hoofdschot werd nu te riskant, dus richtte hij op haar rug, op haar witte blouse. De pick-up reed een flauwe helling in de weg af en verdween uit het zicht. De moordenaar keek achterom: geen verkeer vanaf de andere kant. Maar hij liep meer risico dan bij de vorige moorden, want er kon iemand aankomen.

'Ja.'

Hij had de witte blouse in het vizier, vergrootte de druk op de trekker...

Het schot kwam bijna als een verrassing.

Washington had het gevoel alsof ze door een meteoor was getroffen. Ze lag op de grond, in de greppel, bloedend, met haar fiets boven op zich. Ze keek omlaag, zag het bloed uit haar borst gutsen en probeerde de greppel uit te kruipen, zonder na te denken, zonder te weten wat er was gebeurd, en ze vroeg zich af of ze misschien door een auto was aangereden. Ze begon al meteen te verzwakken en ze wist dat ze zou sterven als er niet gauw iets gebeurde.

Nog een laatste krachtsinspanning en ze was eruit. Ze probeerde haar hoofd erbij te houden en na te denken, maar ze begreep er nog steeds niets van. Ze rolde zich op, zag bloed op haar handen, bloed op haar blouse, en nergens een auto te zien... wat was er gebeurd? Ze hoorde zichzelf een zacht, grommend geluid maken, voelde de steentjes op haar wang en onder haar handen, plakkerig van het bloed...

Er ging enige tijd voorbij en ze lag naar de blauwe lucht te staren toen ze opeens een wiel van een auto naast zich zag en het geknars van grind hoorde. Meteen daarna zag ze een gezicht en hoorde ze een mannenstem.

'Jezus! Janelle. Wat is er in godsnaam gebeurd?' Ze concentreerde zich op Tom Morris' gezicht en hoorde hem in zijn mobiele telefoon schreeuwen. 'Ik heb hier een zwaargewonde vrouw die heel erg bloedt. Stuur zo gauw mogelijk hulp. Een ambulance. We hebben een ambulance nodig!'

12

Prudence Bauer had het leven van haar zus verpakt in vijftien tot twintig verhuisdozen, die opgestapeld in de achterkamer stonden, en toen Virgil de eerste doos opende, werd zijn neus getroffen door een muffe, zoete parfumlucht die meer naar de dood stonk dan de dood zelf. Er waren twee dozen met de papieren die een paar dagen na haar dood uit haar bureau waren gehaald, waaronder een dagboek en een agenda met een afbeelding van het Louvre erop.

'Was ze een liefhebber van kunst?' vroeg Virgil aan Bauer, denkend aan alle museumpasjes die hij in McDills portefeuille had gevonden.

'Nee, niet echt. Ze kocht haar kantoorartikelen bij een winkel van Barnes & Noble in Cedar Rapids. In een van de andere dozen zit er nog een. Die had een kattenthema, geloof ik.'

Ze liet hem alleen in de kamer, in een schommelstoel die op een geknoopt wollen vloerkleed stond, waar hij de papieren doorkeek en geen steek verder kwam. Na een kwartier kwam ze terug met een blikje Cola Light. 'Al iets gevonden?'

Hij pakte het blikje aan. 'Tot nu toe niet. Maar dat geeft niet; als ik nu niks vind, kom ik misschien iets tegen waar ik later iets aan heb. Het is altijd aan te bevelen zo veel mogelijk informatie in je hoofd te krijgen.'

'Weet je, misschien moet je de telefoonlijsten nakijken, zien wie ze toentertijd belde. Ze moeten hier ergens zijn...'

Ze begon in een van de dozen te zoeken terwijl Virgil het dagboek doorbladerde. Dat was nogal saai en beschreef alleen wie wat met wie deed in Swanson, en geen van die dingen was al te dramatisch, met uitzondering van ene Don die zijn vrouw Marilyn had verlaten en was verhuisd naar Marion, waar dat dan ook mocht zijn, en bij ene Doris was ingetrokken.

'Hoe is het met Don en Doris afgelopen?' vroeg Virgil aan Bauer.

Ze keek op, bleef hem enige tijd aanstaren en zei: 'Ik geloof dat ze naar Oklahoma zijn verhuisd. Lake Eufaula.'

'Dus Don is nooit meer naar Marilyn teruggegaan?'

'Nee,' zei ze. 'Marilyn is nog steeds alleen. Ik zie haar soms bij het raam, dan staat ze naar buiten te turen. Ze woont vlakbij, om de hoek.'

'Misschien wacht ze tot Don terugkomt,' probeerde Virgil.

Bauer keek hem aan en glimlachte. 'Dan kan ze lang wachten. Don en Doris zijn verliefd.'

Hij had nog helemaal niets gevonden toen Bauer hem een stapeltje telefoonafrekeningen gaf. 'Kort voor haar dood heeft ze vier keer naar het noorden van Minnesota gebeld. Drie keer naar hetzelfde nummer en één keer naar een ander nummer.'

Hij keek de papieren door, schreef de telefoonnummers op in zijn notitieboekje, hield de rekeningen omhoog en zei: 'Ik zou deze graag willen meenemen. Ik zal je een ontvangstbewijs geven.'

'Dat is niet nodig.'

'We doen het graag netjes,' zei Virgil.

Hij was nieuwsgierig naar de telefoonnummers, dus belde hij het kantoor in St. Paul, las ze voor aan Davenports secretaresse en zei: 'Laat iemand deze voor me nagaan. Ze zijn van twee jaar geleden.'

'Hoe snel heb je ze nodig?'

'Ik ben vanavond terug. Kun je ze op je bureau neerleggen, als je de namen hebt?'

Toen hij klaar was met de papieren belde hij Doug Wayne, de piloot, en sprak met hem af op het vliegveld. Bauer liep met hem mee naar zijn huurauto, pakte hem even bij zijn elleboog en zei: 'Ik weet zeker dat je de dader zult vinden, wie het ook is. Toen je naar Don en Doris informeerde, wist ik opeens dat je interesse echt is.'

Virgil knikte. 'Ik ben zeker van plan hem te vinden. En dan jaag ik hem op totdat ik hem te pakken heb.'

'En als je die klootzak vermoordt, zal ik er geen traan om laten.'

'Tjonge, Prudence,' begon Virgil, en hij wilde haar net met een brede glimlach belonen toen zijn telefoon overging. Hij haalde hem uit zijn zak en keek op het schermpje. Hij herkende het nummer niet, maar het was de regio Noord-Minnesota, wat een lichte rilling onder zijn T-shirt teweegbracht. Hij drukte op het groene knopje en zei: 'Ja?'

'Hoi, Mapes hier...'

'Ik was van plan je te bellen, man, maar ik ben in Iowa. Hoe is het met die huls afgelopen?'

'Die is van een .223 bolt action, maar Virgil, hou even je mond en luister. Er is een vrouw neergeschoten, anderhalf uur geleden. Ze heet Jan Washington. Maakt ze deel uit van jouw onderzoek?'

'Nee, nooit van gehoord,' zei Virgil. 'Waar?'

'In de rug, en de kogel is er aan de voorkant...'

'Nee, nee, waar in Minnesota?'

'O... hier, net buiten de stad. Grand Rapids. En aangezien wij nog in de buurt waren, heeft de sheriff ons gevraagd er te gaan kijken. We hebben een huls gevonden, van een .223, op een heuveltje waar hij haar heeft opgewacht. En ik kan je dit zeggen, Virgil, ik stuur de huls naar het lab, voor de zekerheid, maar als die niet uit hetzelfde moordwapen als dat van McDill afkomstig is, lik ik je reet in de etalage van Macy's.'

Virgil reageerde niet meteen en liet de informatie druppelsgewijs doordringen tot zijn voorste hersenkwabben. Uiteindelijk zei hij: 'Shit.'

'Ja.'

'Is die vrouw dood?' vroeg Virgil.

'Nee, ze leeft nog,' zei Mapes. 'Ze is buiten bewustzijn, maar ze houdt vol en ze zeggen dat er een goede kans is dat ze het redt, hoewel ze het grootste deel van een nier en haar milt kwijt is.'

'Ik moet ernaartoe.'

'Ik spreek je later,' zei Mapes.

Hij vertelde Bauer het nieuws en ze vroeg: 'Wat betekent dit?'

'Dat weet ik niet,' zei Virgil. 'Maar ik zal je bellen als ik het te weten kom.'

Hij was eerder op het vliegveld dan Wayne en belde Sanders, de sheriff, die naar Grand Rapids onderweg was vanuit Bigfork, waar hij naar Little Linda had gezocht. Hij vroeg: 'Wat is de connectie tussen Jan Washington en de Eagle Nest?'

'Voor zover ik weet bestaat die niet,' zei Sanders. 'Haar man zei dat ze er nooit zijn geweest, geen van beiden.'

'Haar man... dus ze is niet lesbisch?' vroeg Virgil.

'Niet lesbisch, niet bi, geen van beide,' zei Sanders. 'En ik geloof dat, want ik ken haar al haar hele leven.'

'Kent ze Wendy?'

'Waarschijnlijk wel. De meeste mensen kennen Wendy. Ik heb het James gevraagd, James is haar man, en hij zei dat ze Wendy alleen van gezicht kennen. Ze zien haar weleens op straat lopen, dat is alles. In de Goose komen ze nooit.'

'Er moet een of ander verband zijn,' zei Virgil. 'Deze aanslag verschilt zo van de vorige dat we weten wie de dader is als we het verband kunnen vinden.'

'We zullen het haar vragen zodra ze bij kennis is,' zei Sanders. 'Maar wat ik bedacht is het volgende: als ze is neergeschoten omdat ze iets van deze toestand weet en ze overleeft het, zal de dader het misschien opnieuw proberen. Dus ik heb drie man bij haar neergezet. Die blijven daar zolang het nodig is.'

'Goed idee, man,' zei Virgil. 'Hoor eens, ik kom die kant op. Ik spreek je morgenochtend.'

Toen Wayne en hij in de lucht waren belde hij Davenport om het laatste nieuws door te geven, en daarna werd hij gebeld door Zoe. 'Heb je het gehoord?' vroeg ze.

'Ja. Van wie heb jij het gehoord?'

'Iedereen in de stad weet het,' zei Zoe. 'Er lopen hier minstens tien hulpsheriffs rond en die praten met iedereen. Ze zeiden dat jullie technische recherche beweert dat ze is neergeschoten door degene die Erica heeft vermoord.'

'Dat zou heel goed kunnen. Verdomme. Weet jij iets over die vrouw?'

'Ze werkt in een chocolaterie. Ze is meer van Sigs leeftijd dan die van mij, maar het lijkt me een leuke vrouw. Haar man werkt op de golfbaan en ze hebben voor elkaar gekregen dat er rondom de golfbaan een crosscountry skiparcours wordt aangelegd, voor in de wintermaanden, en Jan heeft er het geld voor ingezameld. Ze lijkt gewoon een aardig mens.'

'Maakt ze deel uit van de lesbische gemeenschap daar?'

'Mijn god, nee,' zei Zoe. 'Dan zou ik het zeker weten. Nee, dat deed ze niet... doet ze niet.'

'Misschien ga ik even bij Sig langs als ik terug ben,' zei Virgil. 'Weet zij meer over haar?'

'Nee, dat denk ik niet, maar ze zit vast te popelen om je alles te vertellen wat ze weet.'

Haar stem had een scherp randje toen ze het zei. O jee, dacht Virgil, en hij besloot er niet op door te gaan. 'Goed, nou, ik zie je als ik terug ben. Maar het zal laat worden.'

Voor zonsondergang waren ze terug in St. Paul en de traag draaiende propeller stak donker af tegen het trillende oranje van de ondergaande zon toen de wielen de landingsbaan raakten. Virgil bedankte Wayne, gooide zijn tas achter in de pick-up en reed naar het hoofdkantoor van BM op Maryland Avenue. Daar beklom hij de trap naar de eerste verdieping, liep door naar Davenports kantoor en keek op het bureau van

Davenports secretaresse. Keurig in het midden van het werkblad lag een dossiermap waarop ze met een fineliner VIRGIL had geschreven.

Hij sloeg de map open en vond een enkel blaadje papier, met een naam, Barbara Carson, en een adres in Grand Rapids, bij het nummer dat één keer was gebeld. Het andere nummer, dat Constance drie keer had gebeld, was van de Eagle Nest.

Op weg naar de uitgang stuitte hij op de schrik van BM, het duo Jenkins en Shrake, die net binnenkwamen. Allebei waren het grote kerels, keurig in het pak, schoenen met dikke rubberzolen en een gezicht dat in de loop der jaren een paar keer was beschadigd. Jenkins zei: 'Als dat die verdomde Flowers niet is.'

Shrake zei: 'Heeft hij weer zo'n maf muziekshirt aan?'

Jenkins keek en zei: 'Moeilijk te zeggen. "Breeders", staat erop.'

Shrake: 'Christus, als hij zich gaat voortplanten, moeten we daar zo snel mogelijk een stokje voor steken.'

Jenkins: 'Ik heb in *The New York Times* die stukken over jou gelezen en nu vraag ik me af: mag ik je handtekening?'

'Afgunst maakt me verdrietig,' zei Virgil. 'Ik had gehoopt dat mijn aanwezigheid een beetje vreugde zou brengen in jullie kleurloze bestaan.'

'Vreugde?' zei Jenkins. 'Dan kun je beter die vriendin van je naar ons toe sturen. Die Joy van twee jaar geleden. Die met die strandballen.'

'Ze was beachvolleybalprof en heel bedreven,' zei Virgil. 'Bovendien heette ze June, niet Joy.'

'Dat ze bedreven was geloof ik onmiddellijk,' zei Jenkins. 'Volgens mij op meer dan een gebied.'

'Een virtuoos op de fluit van huid,' zei Shrake.

'Op de roze piccolo,' zei Jenkins.

Shrake vroeg: 'Wat is er in het noorden gaande? Ben je er al uit?'

'Het is een idiote zaak,' zei Virgil. Hij gaf ze een samenvatting van de situatie terwijl ze met zijn drieën naar de snackautomaat achter in het atrium liepen. Ze wierpen er een paar muntjes in en haalden er ieder een zakje maïschips uit. Virgil bedacht dat hij sinds de lunch niets meer had gegeten en voelde opeens dat hij uitgehongerd was.

Toen hij zijn verhaal over de twee aanslagen had verteld, zei Shrake: 'Je hebt gelijk, het is inderdaad een idiote zaak. Je hebt met een gestoorde te maken. Het probleem is dat al die andere dingen, de lesbo's, het resort, de band, Wendy, er misschien niks mee te maken hebben. Zelfs die moord in Iowa niet. Misschien is het wel zo'n gestoorde leerling van een middelbare school met een geweer, die stoom moet afblazen.'

Jenkins zei: 'De eerste vrouw die werd doodgeschoten, in die kajak... weet je, die aanpak was heel onprofessioneel. Op een afstand van tachtig tot honderd meter mis je een bewegend doelwit gemakkelijk op een centimeter of tien, en dan duikt ze overboord en verdwijnt onder water. Hij had haar ook in de borst kunnen schieten, wat een veel groter doelwit is. Dus of hij wilde laten zien hoe goed hij was, of... Nou, een tweede of is er niet. Hij vindt zichzelf heel wat. Hij is er trots op dat hij zo goed kan schieten.'

'Maar waarom schiet hij de andere vrouw dan in de rug?' vroeg Virgil. Er knaagde iets in zijn achterhoofd, maar hij kon er nog niet bijkomen.

'Dat weten we niet, maar ik durf te wedden dat er een reden voor is,' zei Jenkins. 'En dat het een schot van grotere afstand was. Je zei dat ze op een fiets reed. Als ze hard fietste en de afstand was groot, zou het een superschot moeten zijn. Een roerloos doelwit tussen de ogen vanaf tachtig meter is een stuk gemakkelijker dan een doelwit dat beweegt en misschien wel op en neer gaat, vanaf tweehonderd meter. We moeten weten hoe ver hij van haar vandaan stond.'

'Dus jij denkt dat het een ervaren schutter is. Een scherpschutter.'

'Dat denkt híj,' zei Jenkins. 'Of het is een soort Lee Harvey Oswald... iemand die iets wil bewijzen.'

Virgil had tegen de muur geleund en ging weer rechtop staan en zei: 'Ik moet maken dat ik met mijn reet in het noorden kom.'

'Ligt die in je auto?' vroeg Shrake.

'Wat?'

'Je reet,' zei Shrake, waarna hij en Jenkins overdreven in de lach schoten en hun knokkels tegen elkaar stootten.

'Hoor eens, jongens, als het zo ver komt dat we de antwoorden uit iemand moeten slaan, zal ik jullie een seintje geven.'

'We zijn altijd bereid ons steentje bij te dragen,' zei Jenkins.

Virgil vertrok en concentreerde zich weer op het idee dat de twee beulen bij hem hadden losgemaakt. Hij kon het nog steeds niet te pakken krijgen, maar het was er nog wel, hetzelfde gevoel dat hij had wanneer hij naar de supermarkt was geweest en de radijsjes was vergeten.

Een idee dat aan hem knaagde.

Virgil reed naar het noorden over de I-35 en stopte halverwege bij een diner die Tobie's heette. Hij had honger, maar geen zin in het vlees dat ze daar hadden, dus nam hij een stuk bosbessentaart en een kop koffie.

Daarna reed hij weer door, verder naar het noorden en toen naar het westen, en om tien over tien was hij bij zijn motel. Hij bracht zijn tas naar zijn kamer en zag dat het lampje van de telefoon knipperde. Een bericht van Signy: 'Ik sprak Zoe zonet en ze zei dat je me iets wilde vragen over Jan Washington. Ik ben altijd tot middernacht op dus kom maar hiernaartoe als je wilt.'

Hij dacht er even over na – hij was moe, maar niet doodmoe – en liep weer naar buiten. Hij stopte bij een supermarkt, kocht een hele gegrilde kip en een sixpack bier en reed naar Signy. Hij zag haar schaduw achter het raam toen hij uitstapte en ze deed open, met een droge glimlach om haar mond. Ze zag de tas van de supermarkt en zei: 'Ach, je hebt rozen voor me meegenomen. Dat had je niet hoeven doen.'

'Ik heb iets veel beters dan rozen... een gegrilde kip,' zei Virgil.

Hij ging naar binnen en ze zei: 'Je denkt zeker dat ik hier zit te verhongeren.'

'Nee, maar ik had de indruk dat je niet zo van koken hield,' zei hij. 'Misschien is Joe daarom vertrokken; hij miste zijn karbonaadje.'

'Misschien heb je wel gelijk,' gaf Signy toe. Ze opende de tas en de geur verspreidde zich onmiddellijk door de kamer. Ze zei: 'Als jij de kip verdeelt, trek ik de biertjes open.'

Ze aten tegenover elkaar aan de kleine tafel, en Virgil vroeg hoe haar dag was geweest. Ze vertelde over de cursus quilts maken die ze gaf, en dat haar cursisten het maar over één ding konden hebben, over de moord op McDill. En toen Zoe haar halverwege de avond belde en vertelde over Jan Washington, was de groep helemaal in alle staten geweest.

'Daar begrepen ze dus echt niets van. We kwamen tot de conclusie dat er hier een gestoorde moet rondlopen. Ik neem aan dat je de druk op een aantal mensen gaat opvoeren. De mensen willen dat je deze gek zo gauw mogelijk pakt. Ze willen niet horen hoe moeilijk dat is. En als je dat niet kunt, moet je meer mensen laten komen, net zo lang totdat iedereen zijn eigen smeris heeft om zich te laten beschermen.'

Virgil vertelde wat hij die dag zelf had gedaan en vroeg haar naar Barbara Carson, de vrouw die Constance Lifry had gebeld kort voordat ze was vermoord. 'Barbara,' zei ze. 'Ik ken haar wel... ze werkte voor de *county*, iets met liefdadigheid, volgens mij. Maar Barbara is een oudere dame, en als ik zou moeten zweren dat ze niet lesbisch is, zou ik dat niet durven. Ook niet dat ze het wel is. Misschien weet Zoe dat.'

'En Jan Washington?' vroeg Virgil. 'Wij denken dat de dader dezelfde vrouw is die McDill heeft doodgeschoten, of dezelfde persoon in elk geval. Hetzelfde wapen. Wat is het verband?'

'Al sla je me dood,' zei ze. 'We wonen allemaal in dezelfde stad, maar Barbara... Kijk, alle betrokkenen, Margery en McDill en die Constance en Wendy en zelfs Zoe, zijn allemaal harde werkers en ze zijn lesbisch. Jan is een huisvrouw die nooit heeft wíllen werken maar dat wel moest toen haar man een ongeluk kreeg. Ik kan niks bedenken wat ze gemeen heeft met de anderen. Zij gaat zondags naar de kerk, van de Eerste Baptisten, ze helpt mee met voedselinzamelingsacties voor de armen en ik weet vrijwel zeker dat geen van de anderen naar de kerk gaat, naar welke kerk dan ook. Niemand.'

'Hm.' Hij keek haar aan en ze streek een haarlok uit haar ogen.

'Wat is er?' vroeg ze.

'Heb jij een vuurwapen?'

'Denk je dat ík ze heb neergeschoten?' Ze klonk verontwaardigd.

'Nee, nee, natuurlijk niet,' zei Virgil. 'Maar ik zat te denken: je woont hier alleen, je zus wordt diverse keren gezien in het gezelschap van een smeris en vervolgens wordt er bij haar ingebroken. Nu word jij gezien in het gezelschap van degene die de moorden onderzoekt, en ik wil niet dat jij een nieuw doelwit wordt. En als je dat misschien al bent, hoop ik dat je in staat bent jezelf te verdedigen.'

'Hoe zou ik mezelf moeten verdedigen? Hij schiet je in je rug als je op je fiets zit, of in je hoofd als je in een kano naar de vogels ligt te kijken. Het is een achterbakse gluiperd.'

Virgil stond op, waste zijn handen en zijn gezicht bij het aanrecht, droogde zich af met een stuk keukenpapier en zei: 'De poging tot moord op Jan Washington kan een keerpunt zijn, want die werpt een heel ander licht op de zaak. Tenzij de dader echt gestoord is.'

Hij liep de keuken uit en plofte neer op de bank. Signy kwam hem achterna met haar biertje in de hand en plofte naast hem neer. Hij sloeg zijn arm om haar heen en zij zei: 'Het is best beangstigend, als je erover nadenkt.'

'Het is beangstigend dat er iemand in Zoe's huis heeft ingebroken.'

'Ik heb een geweer, een karabijn, een .20 die Joe ooit voor me heeft gekocht,' zei ze. 'Hij ligt onder mijn bed. Alle ramen sluiten goed en ik dacht erover om bierblikjes achter de deuren te zetten en als die omvallen...'

'Dan sluit je je met je mobieltje op in de slaapkamer en bel je om hulp,' zei Virgil.

'Mmm,' zei ze.

Virgil streelde haar haren. Ze kroop dichter tegen hem aan en hij kuste haar. Daarna ontwikkelde het samenzijn zich zoals dat meestal gaat, en Virgil vond de sluiting van haar beha, maakte die los en liet zijn handen om haar borsten glijden. Die waren, in het wereldrijk der borsten, wat aan de kleine kant, maar dat vond Virgil geen probleem. Hij had diverse vriendinnen van zijn moeder van 38C naar 38-lang zien gaan, en dat probleem had je niet met de bescheidener maten.

'Mmm.'

Inmiddels hijgden ze allebei en Virgil kneep met uiterste precisie met zijn duim en wijsvinger in haar tepel, alsof hij een besje plukte, en haar hand lag op de gesp van zijn broekriem, toen zijn telefoon ging.

Ze schrok op en zei: 'Virgil, jezus, heb je je telefoon aan laten staan?'

Het was de vloek die op je rustte als je smeris was, en het was niet voor het eerst dat het hem was overkomen. Hij kreunde en overwoog het gepiep te negeren, maar was toch nieuwsgierig en haalde het toestel uit zijn zak. De sheriff. Hij kreunde nog een keer.

'Wie is het?'

'De sheriff,' zei hij.

'Nou, neem dan aan,' zei Sig. 'Beter dat dan dat je je de hele tijd zit af te vragen wat hij wilde.'

Virgil drukte op het groene knopje en Sanders vroeg: 'Waar ben je?'

'Ik heb net getankt,' loog Virgil. 'Ik ben bijna in de stad.'

'Rijd door naar het ziekenhuis,' zei Sanders. 'Een van mijn mannen belde net om te zeggen dat Jan Washington bij kennis is. Je moet met haar gaan praten, voor het geval ze...'

'Ze wat?'

'Ze alsnog overlijdt,' zei Sanders.

'Natuurlijk,' zei Virgil.

Hij verbrak de verbinding, bleef Signy enige tijd aankijken en zei toen: 'Ik kan er niks aan doen.'

Toen hij haar vertelde wat er aan de hand was stond ze op en zei: 'Dan moet je gaan. Schiet op. Opstaan.'

Ze liepen naar de deur. Signy worstelde met haar shirt en beha, en Virgil bleef staan en gaf haar een afscheidskus. 'God, wat zie ik eruit,' zei ze, waarna ze een eind aan de worsteling met haar kleding maakte door alles uit te trekken en Virgil vroeg: 'O, jezus, moest je dat nou doen?' Hij drong haar in de hoek naast de deur, waar ze een minuut of zo bleven staan, totdat ze hem lachend achteruit duwde en zei: 'Kijk maar goed, vriend, en smeer hem.'

Virgil liep naar buiten, met de grootste erectie sinds de middelbare school.

13

Het ziekenhuis was een plat, breed gebouw van rode baksteen aan de zuidelijke kant van de stad. Virgil vond een parkeerplek bij Spoedeisende Hulp, dribbelde het terrein over en ging naar binnen. Een verpleegkundige zag hem binnenkomen en hij riep: 'Virgil Flowers, Bureau Misdaadbestrijding. Ik kom voor mevrouw Washington.'

'Dan kunt u maar beter opschieten,' zei de verpleegster. 'Ze is soms heel even bij kennis.'

Jan Washingtons echtgenoot was een kalende man met overgewicht, een bril van de WalMart en een meelijwekkend, van angst vertrokken gezicht, zwaar aangeslagen door het geweld dat zijn vrouw was aangedaan. Hij zat in de gang, naast de ingang van de intensive care, op een plastic stoeltje met stalen poten. Sanders zat naast hem gehurkt en had zijn hand op Washingtons schouder gelegd. Toen Virgil kwam aanlopen stond Sanders op en zei: 'Virgil, James Washington, Jans man.'

Virgil schudde Washington de hand en zei: 'We vinden het heel erg van uw vrouw, meneer Washington. Hoe gaat het met haar?'

'Slecht,' zei Washington. 'Ze is ernstig gewond.'

Sanders zei: 'Een van onze rechercheurs is bij haar en probeert met haar te praten, maar ze zakt steeds weg.'

Virgil zei: 'Dan ga ik naar binnen om mee te luisteren.' Hij liep naar de deur, bleef toen staan en zei: 'Mapes vertelde me over die .223-huls. Wat was de afstand tussen de schutter en mevrouw Washington?'

'Tweehonderdvierenveertig meter,' zei Sanders.

'En ze reed op dat moment op haar fiets?'

'Ja.'

Jenkins en Shrake hadden gelijk gehad, dacht Virgil. De schutter had willen laten zien hoe goed hij was of hij wilde iets bewijzen... of hij kon gewoon heel goed met een geweer overweg.

Op de intensive care zag Jan Washington eruit zoals iedereen die daar ligt. Ze lag op haar rug, met het hoofd iets omhoog en de ogen dicht, in een ziekenhuishemd en met diverse snoeren en slangetjes, van de monitors en infusen, en een katheter voor de urine, waarvan de zak half onder het laken van haar bed uit stak.

De hulpsheriff naast het hoofdeinde van het bed keek op en Virgil zei: 'BM, Virgil Flowers,' waarop de man knikte en zei: 'Het is komen en gaan met haar.'

'Heeft ze enig idee van de dader?'

De hulpsheriff schudde zijn hoofd. 'Nee, geen enkel idee.'

Zonder haar ogen te openen en met schorre stem zei Washington: 'Ik hoor jullie.'

De hulpsheriff zei tegen Virgil: 'Ik weet verder niet veel te vragen, dus als jij het wilt proberen...'

Virgil zei: 'Mevrouw Washington, ik ben van de staatspolitie van Minnesota. Heeft de hulpsheriff hier u verteld dat wij denken dat u bent beschoten door dezelfde man die in de Eagle Nest Erica McDill heeft vermoord?'

Het duurde even voordat er een reactie kwam, maar uiteindelijk een licht hoofdknikje en de moeizaam uitgesproken woorden: 'Ja... Maar ik begrijp niet waarom.'

Voor zover ze wist kende ze Erica McDill niet, niet eens van naam, zei ze, en over de Eagle Nest wist ze ook niet veel. Alleen Margery Stanhope kende ze min of meer, via de tuiniersclub. Ze kende Wendy en de andere bandleden van gezicht maar had ze nooit gesproken, en Slibe Ashbach en zijn vrouw kende ze van twintig jaar geleden.

'Was u met ze bevriend... kwam u er over de vloer?'

'Nee, nee, dat niet. Ik heb een tijdje voor de county gewerkt, afdeling Vergunningen, en Maria Ashbach kwam er weleens eentje aanvragen. We waren niet bevriend, we maakten alleen een praatje als we elkaar zagen. Maar toen ging ze weg bij haar man en heb ik haar nooit meer gezien.'

'Mevrouw Washington, toen u werd neergeschoten, op uw fiets, reed u toen hard of langzaam?'

'Ik geloof... ik kan me niet precies herinneren op welk moment ik werd neergeschoten, maar ik denk dat ik mijn gewone snelheid aanhield... ongeveer twintig kilometer per uur.'

'Twintig per uur. Hoe weet u dat zo precies?'

'Dat is mijn gemiddelde. Ik heb een kilometerteller op mijn stuur.'

Twintig kilometer per uur en een afstand van tweehonderdvierenveertig meter: een indrukwekkend schot. De schutter, dacht Virgil, wist wat hij kon, koos voor het grotere doelwit vanwege de afstand en raakte het. Dat hád iets te betekenen, wist Virgil. Het was iets wat hij al wist maar hij kon het nog niet vastgrijpen.

'Mevrouw Washington, ik heb nog één vraag en gezien uw toestand vind ik het vreselijk om het te vragen, maar ik moet wel...'

'Ik heb geen verhouding,' zei ze. 'James ook niet.'

De hulpsheriff grijnsde naar Virgil en zei: 'Dat onderwerp hebben we al besproken.'

'Oké. Ik moest het vragen. Luister, ik heb in mijn leven al heel wat gewonde mensen gezien, maar het komt weer goed met u, mevrouw Washington. U zult een tijdje pijn hebben, maar ze lappen u weer helemaal op, daar ben ik van overtuigd.'

Ze knikte en na een paar seconden raakte ze weer buiten kennis.

Op de gang sprak Virgil met haar man, en hij verontschuldigde zich opnieuw dat hij het moest vragen. James Washington zei: 'Shit, nee, ik rotzooi niet met andere vrouwen. Waarom vraagt iedereen dat?'

'Wanneer een getrouwde vrouw in verdachte omstandigheden wordt neergeschoten, nemen wij altijd als eerste de echtgenoot onder de loep, omdat die het in de meeste gevallen heeft gedaan,' zei Virgil. 'In dit geval geloven we niet dat u het hebt gedaan – dat hebben we ook nooit geloofd – maar we moeten toch een beetje aandringen en u laten weten dat áls u een verhouding hebt, u het ons maar beter meteen kunt vertellen, want we komen er vroeg of laat toch wel achter.'

'Ik heb mijn wilde jaren gehad vóór ik met Jan trouwde,' zei Washington. 'Sindsdien heb ik me gedragen.'

Hij kon verder niets zeggen over het hoe en waarom van het schot. Ze hadden het er nog over toen een andere man, die op Washington leek, ook kalend en te zwaar, de gang in kwam lopen en vroeg: 'James, hoe gaat het met haar?'

De sheriff zei tegen Virgil: 'Dit is Tom Morris. Hij heeft haar gevonden en de ambulance gebeld. Hij had haar gesproken net voordat ze werd neergeschoten.'

Morris deed zijn verhaal:

'Ik reed achter haar op dat rechte stuk langs de rivier, net buiten de stad, ben even gestopt om een praatje met haar te maken en ben toen weer doorgereden. Ik reed een heuveltje over en daarna kon ik haar niet meer zien. Maar kort daarna komt er een heuvel die wat hoger is en toen ik op de top was en in mijn achteruitkijkspiegel keek, meende ik dat ik haar op de weg zag liggen. Ze had een witte blouse aan en zo te zien lag ze op de weg, dus ben ik gestopt en heb door de achterruit gekeken, maar ik kon het niet goed zien, alleen dat ze stil lag, dus heb ik de pick-up gedraaid en ben teruggereden.'

Virgil ging daarop door en nu ze wisten vanaf welke plek er was geschoten, werkten ze met zijn vieren de volgorde van de gebeurtenissen uit. De schutter had gewacht tot Washington hem op haar fiets dicht genoeg was genaderd, dus of toen ze de plek van zijn hinderlaag naderde, of meteen nadat ze die voorbij was gereden. Maar toen kwam Morris ineens naast haar rijden, en hij kon pas schieten toen Morris uit het zicht was verdwenen. Dus hij wachtte tot Morris het heuveltje over was, schoot Washington neer, rende vermoedelijk terug naar zijn auto en reed in de andere richting weg, terug naar de stad.

Morris zei: 'Als je erover nadenkt, heeft die gast een reusachtig risico genomen. Hij moest zijn auto bij de kanosteiger parkeren en dan de heuvel op lopen. In westelijke richting kon hij heel ver zien, maar in oostelijke richting niet meer dan zeven- à achthonderd meter. Als hij zijn schot loste en er kwam daar een auto de hoek om, dan was hij de lul. Dan had hij de bestuurder ook moeten doodschieten. Als ik daar een minuut later de hoek om was gekomen, was ik dat geweest.'

'Er is daar niet veel verkeer,' zei Sanders.

'Misschien niet, maar er rijdt heus weleens een auto langs,' zei Morris.

'Kan hij met een boot zijn gekomen?' vroeg Virgil.

De andere drie keken elkaar aan en de sheriff zei: 'Die vraag hebben wij onszelf ook gesteld, maar we hebben daar geen antwoord op. Het is namelijk zo, als hij per kano is gekomen... kijk, de rivier buigt daar af van de weg, naar het westen. En het is daar meer een brede kreek dan een rivier, waar je je moeilijk kunt oriënteren, en de enige plek waar je je auto kunt neerzetten is meer dan anderhalve kilometer stroomopwaarts. Er zijn daar stukken waar de weg geheel aan het zicht wordt onttrokken door bomen... maar het zou kunnen.'

'Het zou wel een hoop moeite kosten,' zei Morris. 'Het probleem is dat hij zich per kano maar langzaam kan verplaatsen. Als iemand hem zag, kon hij geen kant op. Dan moest hij zich een kwartier lang uit de naad peddelen om terug te komen bij zijn auto.'

'Of haar auto,' zei Virgil.

'Ik geloof niet langer dat de dader een vrouw is,' zei Sanders. 'In het geval van McDill misschien wel, maar dit niet.'

'De mensen in Iowa denken dat hun dader een man is,' zei Virgil. Hij vertelde Morris en Washington over de wurgmoord in Iowa, maar zei erbij dat die misschien niets met McDill en Jan Washington te maken had.

Voordat Virgil vertrok nam hij Sanders apart in de gang en vroeg: 'Ken jij ene Barbara Carson? Ze schijnt hier in Grand Rapids te wonen.'
'Ja, die ken ik. Een oudere dame, woont hier vlakbij, zes straten hiervandaan. Ze heeft vroeger voor de county gewerkt.'
'De vrouw die in Iowa is vermoord heeft haar gebeld kort voordat ze hiernaartoe kwam. Het lijkt me zinnig om even met haar te gaan praten. Morgen.'
'Ik zal het adres voor je opzoeken.'
'En ken je een jongen die Jared Boehm heet? Hij werkt in de Eagle Nest.'
Sanders deed een stapje achteruit. 'Jared? Natuurlijk ken ik die. Zijn vader is bedrijfsleider in de papierfabriek. Hoezo?'
'Met hem moet ik ook gaan praten,' zei Virgil.
'In verband met de zaak?'
'Er zijn mensen die denken dat Erica McDill een oogje op hem had,' zei Virgil.
Sanders bleef hem even aanstaren en zei toen: 'O, shit.'
'Hé, ik weet niet of het waar is,' zei Virgil. 'Het is maar een gerucht dat ik heb opgevangen, en hij is sinds de moord niet meer op zijn werk geweest.'
'Ik zoek vanavond nog uit waar hij uithangt,' zei Sanders. 'Bel me morgenochtend vroeg.'
'Een goeie jongen?' vroeg Virgil.
'Ja. Hij draagt dit soort shirts.' Sanders tikte met zijn vinger op het Breeders-logo op zijn T-shirt. 'En hij heeft een nogal vreemd kapsel.'
'Vinden de meisjes hem leuk?'
Sanders zei: 'Geen idee, daar heb ik nooit over nagedacht, maar ik neem aan van wel. Hij ziet er goed uit.'
'Dat bedoel ik,' zei Virgil. 'Ik bel je morgenochtend.'

Virgil ging terug naar zijn eenzame motelkamer en dacht aan Signy die onvoldaan in haar eenzame bed in haar houten hutje lag, en aan zichzelf die net zo onvoldaan in zijn eenzame motelkamer van kale cementblokken lag, en aan God, die zich waarschijnlijk op de knieën sloeg van het lachen. Uiteindelijk moest Virgil er zelf ook om lachen, waarna hij het licht uitdeed en ging slapen.

Toen hij de volgende ochtend zijn ogen opende, schoot het door hem heen dat het kussen vreemd rook en hij overwoog net op te staan toen Sanders belde. 'Jared Boehm is thuis, met zijn moeder, die advocaat is. Susan weet nog niet of ze met je willen praten, maar je kunt ernaartoe gaan en het proberen.'

'Als ze zegt dat ze misschien niet willen praten, is dat dan omdat ze bang is dat Jared misschien iets heeft gedaan, of is dat haar standaard advocatenreactie?'

'Ik denk dat laatste. Ze denkt van zichzelf dat ze slimmer is dan wie ook in Grand Rapids, ook slimmer dan haar man en iedereen van de politie, en ze schakelde meteen naar de "mooi-niet-advocatenstand" toen ik zei dat je haar zoon wilde spreken.'

'Heb je haar verteld waarom?' vroeg Virgil.

'Nee, alleen dat je met iedereen sprak die McDill heeft gekend.'

'Hebben jullie Little Linda al gevonden?'

Het bleef even stil en uiteindelijk zei Sanders: 'Nee.'

Virgil schoot in de lach, hoewel hij wist dat het ongepast was.

Virgil kreeg het adres van de familie Boehm en aanwijzingen hoe hij er moest komen, en ook het adres van Barbara Carson. Hij friste zich op, zocht zijn T-shirt van de Stones in Parijs in 1975 op – zijn meest formele T-shirt, geschikt voor een afspraak met een advocaat – en trok het aan. Hij wreef zijn laarzen op met een handdoek en ging op pad. Het was weer een mooie dag: prima visweer, met net genoeg wind om koel te blijven. Officieel had hij vakantie. Hij had zijn boot bij zich, die stond bij Zoe op de oprit...

De familie Boehm woonde buiten de stad aan Lake Pokegama, in een boomrijke buurt met huizen in ranch-stijl, met lange opritten en boten in de tuin. Virgil parkeerde op de oprit, stapte uit, wierp een blik op een veelgebruikte Pontiac uit de jaren zestig op een boottrailer – hij was niet bijzonder geïnteresseerd in spullen – en klopte op de voordeur.

Sue Boehm zag eruit als een advocaat: donkerbruin haar, donkerbruin mantelpakje, beige blouse, praktische schoenen en een panty. Een vastgoedadvocaat, vermoedde Virgil. Ze vroeg: 'Kunt u zich legitimeren?'

Hij liet haar zijn legitimatie zien, ze zei kortaf 'Oké', alsof ze het nog steeds niet vertrouwde, en vervolgens: 'Kom binnen.'

In de hal geen spoor van Jared. Boehm deed een paar stappen achteruit en vroeg: 'Waar gaat het over?'

'Ik wil Jared graag spreken over Erica McDill.'

'Is dit een informatief gesprek of ziet u hem als een verdachte?' vroeg ze. 'Ik voer gesprekken met een grote, zeer gevarieerde groep mensen,' zei Virgil. 'Is er een reden dat ik hem als verdachte zou moeten zien?' 'Natuurlijk niet,' zei ze. 'Jared is een tiener en een goeie jongen. Hij zat bij de besten van zijn klas toen hij van de middelbare school kwam.' Virgil hield zijn handen op in een gebaar van verzoening. 'Dan zou het geen probleem moeten zijn. Maar mag ik u iets vragen? Bent u strafrechtadvocaat?'

'Nee, ik houd me voornamelijk bezig met bezitsrecht,' zei ze. Virgil knikte. 'Wat een probleem zou kunnen zijn als u niet bekend bent met de procedures van het strafrecht is, dat u onnodig het onderzoek zou belemmeren, terwijl een strafrechtadvocaat de vragen gewoon als routine zou zien. En dan moet ik Jared als een potentiële verdachte behandelen, hem zijn rechten voorlezen enzovoort. Ik denk... als u denkt dat de aanwezigheid van een advocaat noodzakelijk is, dat u er beter een strafrechtadvocaat bij kunt halen. Ik kan later terugkomen als u dat wilt.' 'Hij hoeft niet verdedigd te worden, tegen welke misdaad ook,' zei ze. 'Hij moet alleen maar verdedigd worden tegen iemand die hem zomaar een misdaad probeert aan te wrijven.'

Virgil schudde zijn hoofd. 'Dat proberen wij heus niet, mevrouw Boehm. Een strafrechtadvocaat zou dat weten. Misschien kunt u toch beter iemand bellen.'

Ze bleef hem even aankijken en zei: 'In de woonkamer.'

Jared Boehm was een lange, magere jongen – jongeman – met een modieus kapsel en haar dat met behulp van gel rechtop was geboetseerd, waardoor zijn gezicht een permanent verbaasde en ironische uitdrukking had. Hij zat op de bank, in een spijkerbroek en een T-shirt met de tekst: MAKE TENDER AND AWKWARD SEXUAL ADVANCES, NOT WAR. Hij was nerveus. Achter hem in de tuin was een catamaran op het gazon getrokken en er lag een kleine motorboot aangemeerd aan de houten aanlegsteiger.

Zijn moeder zei: 'Dit is inspecteur Flowers.'

Virgil schudde hem de hand, ging zitten en zei: 'Leuk shirt', waarop Boehm knikte en vroeg: 'Ruilen?' en Virgil zei: 'Nee, ik hou het liever bij de Stones.' Hij sloeg zijn notitieboekje open, legde de procedure uit en las de jongen zijn rechten voor. Boehm knikte om aan te geven dat hij het begreep, Virgil maakte een aantekening van de tijd, de plaats en de aanwezigen, en vroeg: 'Kun je me vertellen waar je was toen miss McDill werd vermoord?'

'Hij was in Duluth,' zei Susan Boehm.

Virgil stak zijn hand naar haar op. 'Ik wil het van Jared horen, oké? Aan uw antwoorden heb ik niks.'

Jared zei: 'Ik was in Duluth. Ik had tot drie uur gewerkt en Erica, miss McDill, was in haar huisje toen ik vertrok. Ik heb haar gedag gezegd, ben naar huis gegaan, heb mijn tas ingepakt en ben naar Duluth vertrokken. Met de auto. Ik kwam om een uur of vijf op de campus aan en heb inge-checkt in het studentenhuis, waar een korte oriëntatie werd gehouden, en daarna zijn we iets gaan eten in de kantine. De jongen die ons rondleidde heette Rusty Jones.'

'Uit hoeveel mensen bestond jullie groep?' vroeg Virgil.

'Een stuk of tien... elf. Zoiets.'

'Oké. Dus als ik met Rusty Jones ga praten, kan hij bevestigen dat je daar om vijf uur was?'

'Dat zou hij moeten kunnen,' zei Jared. 'Want ik was daar.'

Virgil deed alsof hij iets in zijn boekje schreef en vroeg: 'Heb je be-paalde mensen vaker in het gezelschap van miss McDill gezien, of iets wat op een meningsverschil of ruzie leek?'

Hij zei: 'Nee, niet echt.'

'Was ze populair in het resort?'

'Volgens mij wel. Ze had vriendinnen en ik heb nooit gezien dat ze pro-blemen met iemand had. Ik heb nagedacht over wie er iets tegen haar zou kunnen hebben, maar het enige wat ik kan bedenken is dat ze het weleens oneens waren over iets, je weet wel, de een wil dit en de ander wil dat... maar niet iets om een ander dood te schieten. Er was weleens iemand die de pest over iets in had, maar nooit zo erg dat het echt tot een ruzie kwam.'

'Oké.' Virgil sloeg zijn notitieboekje dicht, wendde zich tot Susan Boehm en zei: 'Ik zal die Rusty Jones bellen om te laten bevestigen dat Jared daar was, hoewel ik geen seconde geloof dat Jared zo dom zou zijn om daarover te liegen...'

'Nee, dat is hij niet,' zei ze koeltjes, maar toch al wat meer ontspannen.

'... en aangezien we geloven dat de moord het werk van één persoon is, kunnen we Jared van de lijst schrappen. Voorlopig.'

'Dus we zijn klaar?' vroeg Jared.

'Niet helemaal,' zei Virgil. 'Ik wil je graag even onder vier ogen spre-ken.'

Susan Boehm snauwde: 'Absoluut niet.'

Virgil zei tegen Jared: 'Je bent achttien jaar, dus je kunt je moeder vra-gen even de kamer uit te gaan.'

'Oké,' zei Susan Boehm, en ze stond op. 'Nu is het genoeg geweest. Mijn huis uit.'

Virgil schudde zijn hoofd. 'Kijk, daarom had u beter een strafrecht-advocaat kunnen bellen,' zei hij tegen haar. 'Ik moet mijn verhoor met Jared afmaken. Volgens de wet mag ik dat. U hebt me in uw huis binnengelaten. De tijd dringt. Ik wil Jared graag onder vier ogen spreken. Als jullie dat allebei weigeren, doe ik het met u erbij. De keus is aan jullie.'

'Waarover?' vroeg Jared.

'Ik denk dat je dat wel weet,' zei Virgil.

Jared bleef hem een paar seconden aankijken, wendde zich toen tot zijn moeder en zei: 'Ik denk dat je beter even kunt weggaan.'

'Mooi niet,' zei ze.

Moeder en zoon ruzieden nog wat na en uiteindelijk zei Jared: 'Ik kan ook niks zonder dat jij boven op me zit.'

Ze zei: 'Dat doe ik voor je eigen bestwil.'

'Nee, niet waar,' zei hij. 'Dat doe je omdat je een controlefreak bent, verdomme.'

Ze deinsde achteruit. 'Hoe durf je zo tegen me te praten?'

Jared haalde zijn handen door zijn haar, zei: 'Ach, shit', en tegen Virgil: 'Ga je gang.'

'Had je een seksuele relatie met miss McDill?'

Susan Boehm keek op alsof ze een klap in haar gezicht had gekregen. Ze staarde haar zoon aan. 'Wat?'

Jared, mogelijk met een sprankje tevredenheid in zijn ogen, zei: 'Ja.'

'Hebben jullie... zag je haar vaker?'

'Twee keer. Ze kwam op zaterdag in het resort aan en ik ben op woens-dag- en donderdagavond bij haar in haar huisje geweest.'

'Was er nog iemand anders bij toen je daar was?' vroeg Virgil.

'Nee, alleen wij.'

Susan Boehms hoofd ging van links naar rechts alsof ze naar een ten-niswedstrijd zat te kijken.

'Weet je ook of ze anderen in haar huisje heeft ontvangen?' vroeg Virgil.

'Ik heb gehoord dat Wendy Ashbach op dinsdag bij haar is geweest. 's Nachts.'

'Van wie heb je dat gehoord?'

'Dat kan ik me niet herinneren,' zei Jared. 'Ik was op de steiger aan het werk toen ik twee van de vrouwen grapjes over Wendy en Erica hoorde maken. Ik weet niet eens of ze iets met Wendy had, of dat ze alleen maar samen waren gezien, maar ik kreeg de indruk dat Wendy bij haar was geweest. Maar echt zeker weet ik het niet.'

'Wat is daar in hemelsnaam gaande?' vroeg Susan Boehm aan haar zoon. 'Had je iets met die vrouw? Die was toch een stuk ouder dan jij?'

Virgil: 'Mevrouw Boehm...'

'Niks mevrouw Boehm,' zei ze tegen Virgil, en tegen haar zoon: 'Waarom vroeg hij je zonet of er nog iemand anders bij was toen jij bij haar was? Waren jullie...?'

Virgil zei: 'Hoor eens, het lijkt me niet nodig om...'

Jared zei: 'Omdat ze, mama, me elke keer driehonderd dollar betaalde als ik met haar naar bed ging.'

Deze keer ging Susan Boehm bijna knock-out en stond ze als een goudvis naar adem te happen. Jared vroeg aan Virgil: 'Dat wist je, hè?'

'Yep,' zei Virgil. 'Moest je een deel daarvan afstaan aan Margery Stanhope?'

'Nee... Jezus, ze zou ons vermoorden als ze het wist.'

'Oké. Betaalde miss McDill nog meer mensen voor hun diensten?'

'Dat denk ik niet,' zei Jared. 'Ze had al meteen een oogje op me, maar ze flirtte wel met een paar andere vrouwen.'

Susan Boehm, nog steeds zwaar aangeslagen: 'Andere vrouwen?'

'Ja, ze was bi,' zei Jared, en tegen Virgil: 'Het is echt waar. Ik wéét niet wat er is gebeurd. Ik heb echt geen idee. Ik heb er lang over nagedacht, maar ik kan niks bedenken. Als ik iets had geweten, was ik wel naar je toe gekomen, of naar iemand anders van de politie. Maar aangezien ik niks wist, leek het me beter mijn mond te houden en te wachten tot alles was overgewaaid.'

'Dat zou je niet lukken,' zei Virgil. 'Ze maken daar grapjes over "de jongens". Je zou sowieso voor de bijl gaan.'

'Dat wist ik niet,' zei Jared.

Virgil vroeg: 'Waren er nog andere vrouwen die interesse voor je toonden, die misschien jaloers waren omdat miss McDill jou had uitgekozen?'

'Nee,' zei Jared. 'Er was een week daarvoor een vrouw, Karen dinges, maar die was al vertrokken.'

'Oké. Heb je iets gezien of gehoord wat te maken had met Wendy Ashbach of haar band toen je bij miss McDill was?'

Jared richtte zijn wijsvinger op Virgil. 'Ja. Daar heeft ze het over gehad. Ze hadden een deal gesloten. Ze vroeg me wat ik van Wendy's band vond en toen heb ik tegen haar gezegd dat ik niet van country hield, maar dat

Wendy wel een goede stem had en dacht dat ze ver zou kunnen komen. Toen zei ze dat zíj daarvoor ging zorgen, en ze klopte op een stapeltje papieren. Die lagen op tafel en ik dacht dat het contracten of zoiets waren, maar ik heb er niet naar gevraagd. Ze was helemaal enthousiast over Wendy.'

'Heb jij ooit een soort relatie met Wendy gehad?'

'Nee, nooit,' zei Jared. 'En als ik de kans kreeg, zou ik me wel drie keer bedenken. Heb je die broer van haar gezien? De Deuce? Die gast is gevaarlijk. Hij is niet goed bij zijn hoofd en sterk genoeg om je arm van je lijf te rukken. En volgens mij geilt hij op Wendy. Ik zou weleens willen weten hoe dát in elkaar zit...'

'Op Wendy?' vroeg Virgil. 'Is dat een gerucht of weet je daar iets van?'

'Dat zeiden ze op school. Hij ging van school zodra hij de kans kreeg, en ze zagen hem maar al te graag vertrekken. Niet dat het veel uitmaakte, want hij zou zijn diploma toch niet halen. Hij zat een paar jaar onder me, dus hij zal nu een jaar of zestien zijn. Op school zeiden ze altijd: "Blijf met je vingers van Wendy af, want de Deuce vermoordt je." En ze meenden het; hij zou je echt vermoorden.'

'Geef me de naam van één persoon die dat heeft gezegd.'

Hij dacht even na, grijnsde en zei: 'Tommy Parker. Hij woont hier nog en werkt in de zomermaanden bij Parker Brothers motoren, voor zijn vader. Hij zit op de universiteit. Ik heb hem gisteren nog gezien. Zoek hem op en vraag hem wat er is gebeurd toen hij Wendy vroeg of ze met hem naar het schoolfeest wilde gaan.'

Virgil schreef de naam op. 'Verder nog iets?'

Jared schudde zijn hoofd. 'Nee. Aan wie ga je dit allemaal vertellen?'

Virgil stond op en zei: 'Voorlopig aan niemand. Ik ga je alibi voor het tijdstip van de moord controleren, Jared, maar tot nu toe geloof ik je. Dus als ik jou was zou ik mijn mond stijf dicht houden over je zomerbaantje. Tenminste, als je niet wilt dat het in de kranten komt.'

'Dus je gaat er niks tegen doen?' vroeg Jared.

'Nee, voorlopig niet,' zei Virgil. 'Waar ik me vooral zorgen om maakte was dat er misschien sprake was van een of ander seksueel conflict waarbij de jongens betrokken waren, dat tot de moord had geleid. Maar jij schijnt dat niet te denken.'

'Nee, voor zover ik weet niet,' zei hij. 'Ze kwam aan in het resort, liet me merken dat ze geïnteresseerd was, en ik geloof niet dat een van de andere jongens werd afgewezen, of zoiets. Ze leek niet uit te zijn op een triootje... en dat was het zo ongeveer.'

'Oké. Luister, wees voorzichtig,' zei Virgil. 'We weten niet wat er precies aan de hand is, maar hou je een beetje gedeisd. Blijf thuis, kijk tv... ga naar Duluth. Maar ga niet in je eentje op stap totdat we deze gast te pakken hebben.'

Toen Virgil wegging hoorde hij Susan Boehm zeggen: 'Een triootje?' en hij dacht bij zichzelf: ik zei zonet 'deze gast'. En dat klopt. De dader is een hij. Maar wie heeft die voetafdrukken met de Mephisto's dan gemaakt?

Hij stapte in zijn pick-up toen Susan Boehm de voordeur openwierp en riep: 'Wacht! Wacht even.'

Hij stapte weer uit, ze kwam naar hem toe rennen en zei: 'We moeten hier iets aan doen.'

Virgil haalde zijn schouders op. 'Ik zou niet weten wat.'

'Maar dit is... seksuele uitbuiting. Of misschien wel verkrachting.'

'Het is prostitutie, dat is het,' zei Virgil. 'Ik zit met het probleem dat ik maar één jongen ken die het doet: uw zoon, en die zal zeker niet tegen zichzelf getuigen. En er is één cliënt, Erica McDill, en die is vermoord. Dus wie zou ik moeten arresteren?'

'Bedoel je...?'

'Ik heb even gedacht dat ik Margery Stanhope ervoor kon pakken, maar die ontkent dat ze ervan wist, en uw zoon heeft dat bevestigd. Het is niet zo dat ik Margery voor honderd procent geloof, dat ze er echt niks van wist, maar als iedereen zegt dat ze er niet bij betrokken was, wat moet ik dan doen? Geen van de vrouwen zal tegen zichzelf getuigen, en de jongens evenmin. Het enige wat we kunnen doen is een vrouwelijke agent naar de Eagle Nest sturen, haar laten aanpappen met een van de jongens, totdat hij haar zijn diensten aanbiedt en een prijs noemt, en hem dan oppakken voor prostitutie, maar zelfs dan blijft de afloop onzeker en is het maar de vraag of hij veroordeeld zal worden.'

'Dus er is niks aan te doen,' zei ze.

'Als de ouders van de jongens zich verenigen en eens met Margery gaan praten, komt er misschien een eind aan. Of misschien ook niet. We hebben het over een stel hitsige studentjes die geld nodig hebben, en u hebt gehoord wat Jared zei: driehonderd dollar voor een avondje seks. Dat is niet mis. Hij kan dertigduizend per jaar belastingvrij verdienen als hij een beetje zijn best doet. Natuurlijk is hij dan wel een prostitué.'

Ze begon te snikken en Virgil klopte haar op de schouder. 'Luister, bespreek het met uw man en probeer een oplossing te bedenken. Als jullie weten wat je eraan wilt doen, voor zover dat mogelijk is, bel me en dan zal ik proberen te helpen. Maar ik betwijfel of de wet het juiste instrument is om dit probleem op te lossen.'

Snikkend draaide ze zich om en liep terug naar het huis.

Virgil reed achteruit de oprit af en dacht: de dader is een man. En hoe zat het met de Deuce?

Hij dacht aan de Deuce, daarna weer aan Susan Boehm en had even heel, heel erg met haar te doen, en met haar zoon; het waren waarschijnlijk geen slechte mensen en hij had zich nu niet bepaald diplomatiek gedragen met de uitspraak: natuurlijk is hij dan wel een prostitué...

Hij ging op weg naar Barbara Carson in de pijnlijke wetenschap dat hij zich als een hufter had gedragen. Of misschien, dacht hij, zoekend naar een excuus, was de erkenning van het feit dat hij een hufter was wel het begin van wijsheid.

Maar waarschijnlijk niet.

14

Barbara Carson was tijdverspilling. Een oudere weduwe met een rollator, in een klein houten huisje met een tuin vol gevaarlijk ogende rozenstruiken.

'Ik kende haar redelijk goed,' zei Carson. Ze zag eruit als de vrouw van de Kerstman, met krullend wit haar en roze wangen. 'We hadden regelmatig contact over onze wilde rozen.'

Wilde rozen, was Virgil te weten gekomen, waren de oude rassen die met uitsterven werden bedreigd maar die nog wel in de omgeving van verlaten boerennederzettingen werden gezien. Er waren in de Verenigde Staten een paar duizend mensen die probeerden ze van de ondergang te redden. Lifry was een van deze mensen geweest, net als Carson.

'Iedereen was diep geschokt toen we hoorden dat ze was vermoord,' zei Carson. 'Ze was zo'n aardige vrouw. We hebben wekenlang over niks anders gepraat.'

'Wie zijn we?' vroeg Virgil, al met één voet buiten de deur.

'Nou, wij, de rozenmensen op internet. Zo kwam ik het te weten, door een bericht op onze website. Een van onze mensen in Grand Rapids had de informatie op het net gezet.'

Ze wist dat Lifry in Grand Rapids kwam om in dat resort bij haar lesbische vriendinnen te zijn, dacht Virgil.

'Dus ze maakte geen geheim van haar geaardheid?'

'Nee, waarom zou ze?' zei het oude dametje. 'Afgezien van een paar afgeleefde oude mannen kon het niemand iets schelen.'

Virgil reed terug naar het kantoor van de sheriff, vond Sanders, lichtte hem in over zijn gesprekken met Boehm, zonder iets over de prostitutie te zeggen, en met Carson en vroeg: 'Ken jij Slibe Ashbach junior? Hij wordt de Deuce genoemd. Een jaar of zestien, en er wordt van hem gezegd dat hij een beetje eigenaardig is.'

Sanders schudde zijn hoofd. 'Die naam zegt me niks. Er wonen vijfenveertigduizend mensen in de county, van wie ik er maar achtendertigduizend ken.'

'Dus hij staat niet op je lijst van probleemgevallen?'
'Niet dat ik weet,' zei Sanders. 'Woont hij daar bij Slibe?'
'Daar lijkt het op. Ik zou je dossiers graag inzien.'
'Kunnen we doen. Wacht, ik roep de hulpsheriff van die streek erbij. Misschien kent hij hem.'

Itasca County, of eigenlijk de politie van Grand Rapids, had twee keer met Slibe II te maken gehad, na vechtpartijen in de laagste klassen van de middelbare school. Geen van beide keren had iemand aangifte gedaan en niemand was ernstig gewond geraakt. De politie was alleen gebeld omdat de vechtpartijen op het terrein van de school hadden plaatsgevonden en Slibe II stond in het politierapport vermeld als een van de deelnemers.
Sanders zei dat hij per jaar een stuk of tien van dit soort meldingen kreeg, of van de sheriffdienst of van de politie van Grand Rapids. 'Iedereen loopt tegen ons te schreeuwen dat we de scholen goed in de gaten moeten houden. Sinds de schietpartij op die school in Red Lake moeten we alles serieus nemen.'
Toen Virgil de rapporten had gelezen, was de hulpsheriff die Slibe II misschien kende nog niet komen opdagen, dus wandelde hij naar de koffieshop, bestelde een kop koffie en ging aan een tafeltje zitten. Hij zat naar een instrumentale muzakversie van *Hells Bells* te luisteren toen de hulpsheriff binnenkwam. Hij schudde Virgil de hand en stelde zich voor: 'Roy Service.'
Service ging een kop koffie halen en de serveerster achter de counter zei: 'Goeie service, hè, Service?' waarna ze grinnikend wegliep met de koffiepot.
'Ik zweer het je, dat heeft ze al driehonderd keer tegen me gezegd,' mompelde Service tegen Virgil. 'Er komt ooit een moment dat ik mijn pistool trek en haar voor haar raap schiet. Of mezelf.'
'Ik zou het niet zo lang hebben volgehouden, denk ik,' zei Virgil. 'Zeg maar niet tegen haar dat ik Flowers heet. Dus jij kent Slibe Ashbach junior? Die ze de Deuce noemen?'
Service knikte. 'Ik heb hem ontmoet. Denk je dat hij iets met de moord te maken heeft?'
'Dat weet ik niet,' zei Virgil. 'Ik heb hem pas één keer gezien. Hij leek me een beetje... eigenaardig.'
Service grinnikte. 'Nou, dat heb je goed gezien. Dat is hij zeker, een beetje eigenaardig.' Hij strooide een zakje magere melkpoeder in zijn koffie, roerde en vroeg: 'Hou je van films?'

'Ja.'

'Ken je *Jeremiah Johnson*? Met Robert Redford als de bergbewoner?'

'Nou en of. Een van mijn favoriete films, na *The Big Lebowski*.'

'Nou, de Deuce is een soort Jeremiah Johnson. Een geestelijk beperkte Jeremiah Johnson. Hij zwerft door de bossen en langs de meren, is nu weer hier, dan weer daar... Geen idee waarmee hij zich voedt als hij onderweg is. Vis, vermoed ik, of eekhoorns, en soms eet hij thuis, neem ik aan. Maar verder is hij altijd op pad. Lopend, en ik heb hem weleens veertig tot vijftig kilometer van zijn huis gezien. Altijd met zijn geweer. En hij slaapt daar ook, in het bos.'

'Wat voor geweer heeft hij?'

'Hangt ervan af. Soms een enkelschots karabijn, als hij op korhoenders jaagt. Soms een oude .22 bolt action. Iemand van Bosbeheer heeft me weleens verteld dat hij herten schiet met zijn .22. Dan besluipt hij ze en legt ze vanaf drie meter om met een enkel schot in de kop.'

'En een .223?'

Service schudde zijn hoofd. 'Daar heb ik hem nooit mee gezien. Het kan zijn dat hij er een heeft. En hij kan er wel aan komen als hij dat wil. Maar hij heeft geen .223 nodig. Het is voor hem de sport zijn prooi zo dicht mogelijk te naderen.'

Virgil nam een slok koffie en dacht erover na, over een schutter die zo goed de weg wist in het bos en rond het meer en Stone Lake. 'Wat voor auto heeft hij? Werkt hij?'

Service zei: 'Hij heeft gewerkt. Hij rijdt in een Chevy pick-up en hij werkte op een autosloperij, waar hij de bruikbare onderdelen van auto's haalde. Daarna is hij een paar maanden tuinman geweest en is daar weer mee opgehouden. Ik weet niet waarom. Ik ga ervan uit dat hij nu voor zijn ouweheer werkt, in de kennel. En die ouwe plaatst ondergrondse septic tanks, daar helpt hij hem ook mee.'

'Geloof je dat hij in staat is iemand kwaad te doen?' vroeg Virgil.

Service zei: 'Laten we de films maar weer als voorbeeld nemen. Heb je *Of Mice and Men* ooit gezien?'

'Ja.'

'Herinner je je Lennie, die de vrouw van die gast vermoordt?' vroeg Service. 'Nou, de Deuce is net zo. Hij kan doorslaan en per ongeluk iemand vermoorden, maar ik zie het hem niet met voorbedachten rade doen.'

'En een paar mensen om zeep helpen in een vlaag van waanzin, zie je hem dat doen?'

'Misschien,' zei Service. 'Hij heeft in zijn leven genoeg stront naar zijn hoofd geslingerd gekregen. Er zou een hoop woede in hem kunnen zitten. Op school werd hij altijd gepest, thuis zit zijn ouweheer hem voortdurend op zijn nek en hij heeft niet de hersens om daarmee om te gaan. Dan vlucht hij het bos maar weer in.'

Interessant, dacht Virgil toen hij afscheid nam van Service. Een goede verdachte, hoewel hij geen echte reden had om hem te verdenken.

Vanuit zijn auto belde hij Mapes en vroeg naar de AR-15 van Slibe senior. Mapes zei dat ze er testschoten mee hadden gelost, en wat Slibe er verder ook mee mocht hebben gedaan, het was niet het wapen dat de hulzen bij Stone Lake of van de aanslag op Jan Washington had uitgeworpen.

'Kan ik hem terugkrijgen, vanmiddag nog? Is dat op de een of andere manier te regelen?'

'Ik zal even informeren. We bedenken wel iets.'

Het geweer, dacht Virgil, was een uitstekende reden om nog eens bij Slibe langs te gaan.

Hij was op weg naar het ziekenhuis om bij Washington te gaan kijken. Hij wilde zien of ze bij kennis was, of ze misschien nog iets te zeggen had, en om te vragen of zij of haar man iets over Jared Boehm of de Deuce wist. Op dat moment belde Sanders hem. 'Ik ben gebeld door een vrouw die jou wil spreken. Ze zei dat ze mogelijk informatie voor je heeft.'

'O ja? Wie?'

'Iris Garner, de dochter van Margery Stanhope.'

Iris Garner was een grote vrouw met rood haar, ongeveer vijfendertig jaar, die niet ver van de familie Boehm woonde, ook in een vrijstaand ranch-huis, aan de uiterste rand van de stad, niet aan het water. Het was geen echte ranch, maar er was een grote kraal achter het huis om paarden te trainen, een paardenstal, en een weiland dat zich uitstrekte tot aan de bomen die de stadsgrens markeerden.

Ze had een vermoeide glimlach om haar mond toen ze opendeed. Ze zei: 'Kom binnen', ging hem voor naar de woonkamer en vervolgde: 'Ik wist niet of ik je wel of niet moest bellen. Ik wilde er eerst over nadenken. Maar na wat er met Jan Washington is gebeurd... Ik weet niet eens of je er wel iets aan hebt.'

'Ik kan alle informatie gebruiken,' verzekerde Virgil haar.

'Moeder weet niet dat je hier bent,' zei ze. 'Vertel het haar alsjeblieft niet, tenzij het niet anders kan. Ze zal er niet blij mee zijn.'

Ze nam plaats in een fauteuil met rode bekleding bij de stenen open haard, en Virgil ging op de bank zitten. 'Geen probleem. De specifieke feiten over het onderzoek komen pas ter sprake als de zaak voor de rechter komt. Vanaf dat moment wordt het echt serieus.'

Dat begreep ze. 'Wat ik ook nog wil zeggen – ik vind dat je dat moet weten – is dat moeder me heeft verteld dat je op redelijk vriendschappelijke voet met Zoe Tull staat. Is dat waar?'

'Ja, min of meer,' zei Virgil. 'Ze heeft me een lift gegeven van de Eagle Nest naar het vliegveld, om een huurauto op te halen, en ze heeft me meegenomen naar de Wild Goose, zodat ik daar met een paar mensen kon praten.'

'Wendy en haar band. Ik heb het gehoord.' Garner zuchtte en vroeg: 'Wist je dat Zoe de Eagle Nest van moeder wil kopen? Dat ze daar al een paar jaar mee bezig is? En dat Erica McDill een tweede potentiële koper is... was?'

Er viel een stilte en toen zei Virgil: 'Daar heeft niemand iets over gezegd.'

'Het zit zo,' zei Garner. 'Moeder wil ophouden met werken. Earl en ik, Earl is mijn man, vinden dat ze beter nog een paar jaar kan wachten. De vastgoedmarkt stort in en over een jaar of vijf kan ze er waarschijnlijk een veel betere prijs voor krijgen. Tenzij er een nieuwe recessie of zoiets komt. Maar goed, Zoe probeert haar zover te krijgen dat ze het resort nu verkoopt. Zij wil het uitsluitend voor lesbiennes in de markt zetten. Zij denkt dat lesbiennes een doelgroep met geld zijn. Moeder heeft daar nooit echt haar best voor gedaan. Er kwamen wel lesbiennes, maar net zo goed heterovrouwen. Shit, toen ik jong was kwamen er alleen gezinnen. Mijn ouders hebben er pas een vrouwenresort van gemaakt toen al die projectontwikkelaars uit de Cities overal visresorts begonnen.'

'Over McDill...'

'Moeder had Erica McDill verteld dat ze overwoog het resort te verkopen en toen heeft Erica gezegd dat ze misschien wel interesse had,' zei Garner. 'Ik hoorde het vorige week zondag, toen moeder bij ons at. Ik weet natuurlijk niet of Erica's aanbod serieus was, en of er ook echt iets van gekomen zou zijn.'

'Dus je zegt dat Zoe mogelijk een mededinger had voor de overname van het resort,' zei Virgil.

'Dat niet alleen... trouwens, ik mag Zoe graag, ook al is ze lesbisch. Want ze werkt keihard, spaart al haar geld en heeft echt haar hart aan het resort verpand. Maar dan verschijnt Erica ineens op het toneel. Als ze tegen elkaar op gaan bieden, drijft dat de prijs natuurlijk op, en dat kan Zoe zich niet veroorloven. Dat zou voor haar het einde betekenen. Want als ik het goed heb begrepen heeft Erica een hoop geld. Hád ze een hoop geld.'

'Wanneer zou die verkoop plaatsvinden?' vroeg Virgil.

'Nou, als het doorgaat, de komende winter. Dat soort dingen wordt altijd buiten het seizoen gedaan. Het zou eigenlijk de afgelopen winter al gebeuren, maar toen kon Zoe de financiën niet rond krijgen en heeft ze moeder om een jaar uitstel gevraagd.'

'Waarom heeft je moeder hier niks over gezegd? Of Zoe?'

'Ik vermoed omdat ze niet wilde dat je haar of Zoe zou verdenken,' zei ze. 'Ik vertel het je alleen omdat... nou, stel dát Zoe de dader is. Dat ze een beetje gek is geworden. En dat moeder als volgende op haar lijstje staat.'

'O... juist... interessant,' zei Virgil. 'Je hebt er goed aan gedaan het me te vertellen. Ik zal stilhouden dat ik het van jou heb, maar ik ga het wel uitzoeken.'

In het ziekenhuis kreeg hij te horen dat Jan Washington naar Duluth was overgebracht.

'Wanneer is dat gebeurd?' vroeg hij de verpleegster.

'Een uur geleden. Ze vermoeden een nieuwe inwendige bloeding, maar we hebben niet de apparatuur om die zichtbaar te maken. Waarschijnlijk gaan ze haar opnieuw opereren.'

'Is ze... hoe ernstig is het?'

'Ernstig, maar niemand gelooft dat ze eraan onderdoor zal gaan. Ik bedoel, dat kan natuurlijk altijd, maar ze moeten eerst weten wat er binnen in haar aan de hand is. En ze heeft een sterk gestel.'

Virgil maakte een tussenstop bij Zoe's huis en klopte op de deur, maar er was niemand thuis. Hij belde de sheriffdienst, vertelde wie hij was en vroeg het adres van Zoe's kantoor en hoe hij er moest komen. Hij vond het aan het eind van een korte winkelstraat: ZOE TULL – ACCOUNTANCY.

Binnen kwam hij terecht in een wachtkamer met zes comfortabele stoelen, een salontafel vol zakelijke tijdschriften, twee wachtende mensen en een secretaresse die zei dat Zoe met een cliënt in gesprek was achter een van de gesloten deuren in de korte gang. Het kantoor was groter dan Virgil had verwacht.

Virgil vertelde wie hij was en vroeg: 'Kunt u haar even onderbreken en vragen of ze een minuutje voor me heeft? Ik moet haar iets vragen en het is nogal dringend.'

Met tegenzin klopte de secretaresse op de laatste deur, ging naar binnen, kwam even daarna weer naar buiten en zei: 'Ze komt er zo aan.'

Na een minuut kwam Zoe de spreekkamer uit, Virgil knikte naar de deur en ze liepen naar buiten.

'Wat is er gebeurd?' vroeg Zoe.

'Waarom heb je me niet verteld dat McDill en jij met elkaar in de race waren voor de koop van de Eagle Nest?'

Zoe deed een stapje achteruit en keek hem aan, twijfelde even. Toen zei ze: 'Omdat het niks te maken had met de moord. En omdat het de dingen alleen maar ingewikkelder zou maken. Trouwens, het was geen echte strijd. Toen Margery tegen Erica zei dat ze overwoog het resort te verkopen, zei ze zoiets als: "Misschien heb ik er wel interesse in." Maar ze is er niet meer op teruggekomen. Ze heeft er niet serieus meer naar gevraagd.'

'Ik had het moeten weten, Zoe.'

'Waarom?' vroeg ze. 'Het zou je alleen maar afleiden. Het had niks met de moorden te maken.'

'Omdat we het hier over een paar miljoen dollar hebben en dat is meer dan genoeg om er iemand voor te vermoorden,' zei Virgil. 'Haar dochter en schoonzoon wilden dat Margery nog een paar jaar doorging omdat ze dachten dat het resort dan een betere prijs zou opbrengen vanwege de recessie die er nu heerst. En dat willen ze omdat zij uiteindelijk haar geld zullen erven, neem ik aan. Dus het gaat niet alleen om jou.'

'Je denkt toch niet dat Iris en Earl iemand zouden vermoorden om de verkoop te verhinderen?'

'Hoe moet ik dat weten?' zei Virgil. 'Ik ken Earl niet. En Iris evenmin. Het enige wat ik weet is dat McDill is doodgeschoten en dat er iemand in jouw huis heeft ingebroken. Ik moet deze mensen bij mijn onderzoek betrekken, en ik had de informatie over hun doen en laten moeten hebben voordat ik dat deed.'

Ze knikte. 'Oké, oké. Dat was dus dom van me. Maar ik dacht dat het er los van stond. Erica's belangstelling was niet serieus. Het spijt me.'

'Zijn er nog meer dingen waarvan jij denkt dat ze niet belangrijk zijn die ik heel misschien zou moeten weten?'

'Nee, nee, er is verder niks. Jeetje, ik dacht even dat ik weer op je verdachtenlijst stond.'

'Daar ben je nooit af geweest,' zei Virgil, en hij keek haar hoofdschuddend aan.

Mapes belde: een agent van de verkeerspolitie was met het geweer onderweg naar Grand Rapids. 'Hij is tien minuten geleden vertrokken, dus het duurt nog wel een uur voordat hij daar is. Hij geeft het af bij het kantoor van de sheriff.'

'Bedankt, man. Ik ga het gebruiken als uitnodiging om iemand op te zoeken.'

'Een waardeloos geweer, trouwens,' zei Mapes. 'Is veel mee geschoten. Onze wapenexpert heeft het op de schietbaan in de klem gezet, maar de afwijking op een afstand van honderd meter is bijna tien centimeter. Alleen geschikt voor zelfverdediging op de korte afstand, als je het mij vraagt.'

Een uur wachten.

Hij zou iets gaan eten, nam hij zich voor, en dan het geweer ophalen en Slibe uit zijn tent lokken. Er zat iets in deze puinhoop wat hem steeds in de richting van Wendy en haar band, en ook haar vader en broer, leek te willen sturen. Een waanzin die zich onder de oppervlakte bevond.

Hij reed de snelweg op, stopte bij een McDonald's en werd gebeld door Johnson Johnson, die weer thuis was. 'Ik heb nog een dag op de V gevist, maar ik heb geen vis gezien. Heb je die moord al opgelost?'

'Nog niet.'

'Ik zat te denken, nu ze je vakantie om zeep hebben geholpen... heb je zin om in het najaar mee te gaan naar de Bahama's? Dan hijsen we je in een *slingshot* en gaan we gratenvissen vangen.'

'Johnson, de kans dat je mij in een slingshot krijgt is ongeveer net zo groot als de kans dat jij een mooie vrouw in je bed krijgt.'

'Ach man, ik heb massa's mooie vrouwen in mijn bed gehad,' zei Johnson.

'Noem me één naam.'

Na een lange stilte zei Johnson: 'Eh... moet ze echt mooi zijn?'

Virgil lachte en zei: 'Johnson, ik bel je zodra ik terug ben. Maar noteer me maar voor de Bahama's. Als ze niet weten waar ik ben, kunnen ze me een truc als deze geen tweede keer flikken.'

Hij zat een Big Mac met friet en een aardbeienmilkshake naar binnen te werken toen hij weer werd gebeld, deze keer door Jud Windrow, de eigenaar van de countryclub in Iowa.

'Ben je in Grand Rapids?' vroeg Windrow.

'Ja,' zei Virgil met zijn mond vol. 'Waar ben jij?'

'Een kilometer boven je. Ik ga zo landen. Wendy speelt vanavond in de Wild Goose. Ik ga langs om een kijkje te nemen. Kom je ook?'

'Misschien,' zei Virgil. 'Heb je nieuwe informatie voor me?'

'Hè? O, nee,' zei Windrow. 'Maar je zei dat ik voorzichtig moest zijn, dus ik dacht: als jij erbij bent, met je pistool en je Breeders-T-shirt, kan me niks gebeuren.'

'Oké. Hoe laat ga je?'

'De eerste set begint om zeven uur,' zei Windrow. 'Als ze er wat van bakt, blijf ik tot het eind. Zo niet...'

'Goed dan,' zei Virgil. 'Ik zie je om zeven uur.'

Virgil draaide achteruit het parkeerterrein af, reed door tot de eerste zijweg, stopte op de vluchtstrook en haalde zijn telefoon tevoorschijn. Davenports secretaresse nam op en Virgil vroeg: 'Is Lucas er?'

Hij hoorde haar naar Davenports kantoor roepen: 'Het is die verdomde Flowers.'

Davenport nam op: 'Virgil', en Virgil zei: 'Ik begin een beetje moe te worden van dat verdomde-Flowers-gedoe.'

'Ik zal het doorgeven,' zei Davenport. 'Maar het draagt bij aan de Flowers-legende, of de mythe, of hoe je het noemen wilt. Wat heb je?'

'Ik wilde je even bijpraten,' zei Virgil.

'Ga je gang.'

Virgil had vijf minuten nodig om hem het hele verhaal te vertellen en toen hij klaar was zei Davenport: 'Je weet wat ik ga zeggen.'

'Zeg het dan.'

'Ga vanavond naar die band kijken met die gast uit Iowa, maak het flink laat, neem een paar biertjes en morgenochtend...'

'Zeg het.'

'Ga je vissen.'

'Ik wilde het horen,' zei Virgil. 'Nu is het officieel en kan ik zeggen dat jij het me hebt opgedragen.'

De agent van de verkeerspolitie was nog niet bij de sheriff gearriveerd, dus Virgil ging naar de wc en liep daarna naar buiten. Hij had geen zin meer in eten of koffie en bleef wachten voor de deur, met zijn vingers in de zakken van zijn spijkerbroek, tot hij een leverkleurige patrouillewagen de hoek om zag komen. Hij liep de auto tegemoet.

De verkeersagent heette Sebriski en wilde alles horen over de schietpartij in International Falls. Virgil vertelde hem een deel van het verhaal en Sebriski zei: 'Jij liever dan ik, broeder.'

Hij overhandigde het geweer, Virgil tekende het ontvangstbewijs en ze praatten nog een paar minuten over het beleid van het departement van Openbare Veiligheid en hun kans op opslag. Uiteindelijk gaf Sebriski hem een klap op zijn schouder en vervolgde zijn weg, en gooide Virgil het geweer op de achterbank van zijn pick-up.

Sebriski was een beetje te joviaal geweest, vond Virgil.

In de directe nasleep van de schietpartij in International Falls, waarbij drie Vietnamese burgers waren gedood en een vierde gewond was geraakt, was Virgil door *The New York Times Magazine* gevraagd om twee artikelen over het gebeuren te schrijven.

Er was wat politiek geharrewar ontstaan, maar de opperwezel van de gouverneur, die het gebeuren gebruikte om hun republikeinse vijanden een hak te zetten, had het rekenwerk gedaan en had de gouverneur zover gekregen dat hij groen licht gaf, waarna *The Times* de twee artikelen had gepubliceerd, het laatste op de zondag twee weken eerder.

Het effect was groter geweest dan Virgil had ingeschat, want de andere kranten van Minneapolis hadden de artikelen van *The Times* overgenomen en ook geplaatst, zodat ze in elke stad van de hele staat te lezen waren. Virgil was, had Davenport gezegd, de beroemdste smeris van heel Minnesota.

Wat hem enigszins zorgen baarde.

Hij was altijd een geniale waarnemer geweest, dat was zijn werkwijze nu eenmaal, en dat andere mensen nu naar hem keken, hem vragen stelden en zijn doen en laten volgden, vond hij verontrustend.

Hij had het aan Davenport gemeld en toen had Davenports vrouw gezegd: 'Ach, iemand moet toch met zijn kop boven het maaiveld uitsteken?'

Hij had niet meteen begrepen wat ze daarmee bedoelde en het opgezocht op Wikipedia. Daardoor was zijn bezorgdheid alleen maar toegenomen... en dat collega-smerissen hem nu op de schouder sloegen, maakte alles nog veel erger.

Hij moest gewoon een zaak verprutsen, dacht hij, dan zou alles weer normaal worden. Zo moeilijk kon dat niet zijn.

Slibe was niet thuis toen Virgil voor zijn deur stond.

De pick-up was weg en toen hij op de deur klopte, hoorde hij de holle echo van een huis dat leeg was. Virgil had het foedraal met het geweer in zijn hand, deed een stap achteruit en draaide zich om naar zijn pick-up toen hij Slibe II in de deuropening van de kennel zag staan met een half-volle zak Purina-hondenbrokken in zijn hand. Hij stond in het strijklicht van de zon, waardoor hij er tegen de donkere achtergrond van het interieur van de schuur uitzag als een van de heiligen van Caravaggio.

Virgil liep naar hem toe en riep: 'Hallo! Hoe gaat het?'

De Deuce zei niets, stond daar met zijn hand in de zak van zijn camouflagebroek en zag hoe Virgil naderde. Virgil dacht even aan het pistool dat onder de bestuurdersstoel van de pick-up lag, maar liep door, glimlachte en vroeg: 'Is je pa in de buurt?'

De Deuce zei: 'Verboden toegang voor onbevoegden.'

'Ik kom het geweer van je vader terugbrengen,' zei Virgil.

De Deuce was een paar centimeter groter dan Virgil, had melancholieke, diepliggende donkere ogen, zware wenkbrauwen en warrig zwart haar dat eruitzag alsof het met een mes was afgesneden. Hij was mager, ondervoed, met knokige, verweerde handen en een beginnend baardje. Op zijn hoofd had hij een canvas jagershoedje in dezelfde kleur als de berg hondenpoep die hij even eerder uit een van de hokken had geruimd. Hij dacht enige tijd na over wat Virgil had gezegd en gromde: 'Zet het maar ergens neer.'

'Kan ik niet doen,' zei Virgil. 'Je pa moet ervoor tekenen.' Hij draaide zich achteloos om naar de hondenhokken en vroeg: 'Hoeveel honden hebben jullie hier?'

'Een stel,' zei de Deuce. Hij glimlachte en voegde eraan toe: 'Als we ze op elkaar zetten, krijgen we er meer.'

'En dat is goed voor de zaken,' beaamde Virgil.

'Die teven lusten er wel pap van als ze loops zijn,' zei de Deuce. Hij spuugde op de grond, niet als belediging maar alsof hij het gewend was.

'Weet je hoe laat je vader terugkomt?' vroeg Virgil.

'Nee.'

'Ik ben van de politie. We doen onderzoek naar die moord op Stone Lake.'

'Wendy...' – De Deuce raakte het spoor van zijn gedachten even kwijt, alsof ze doolden door de gangen achter de deur met 'Wendy' erop, en vond het toen weer terug – '... heeft het me verteld.'

'O ja? Ken je dat gebied? Bij Stone Lake?'

'De Deuce kent de hele streek als zijn broekzak.' Hij liet de zak hondenbrokken naast zijn voet op de grond vallen, liep de oprit op, draaide zich langzaam om zijn as terwijl hij de lucht opsnoof. Toen keek hij naar het noorden, daarna naar het noordoosten, gebaarde met zijn kin en zei: 'Daar. Die kant op. Ongeveer... Ik kan er na het ontbijt naartoe lopen en tegen lunchtijd weer terug zijn, als ik me een beetje haast.'

'Doe je dat weleens?'

'O, ik ben er een paar keer geweest, maar het is geen goed gebied,' zei de Deuce, en hij richtte zijn donkere, starende blik weer op Virgil. 'De sporen houden daar op.'

'Sporen?'

'Indianensporen. Ik volg indianensporen. Maar je hebt daar het meer en dat kapt de sporen af.' Hij tuurde weer naar het noorden en wees. 'Want zie je, de sporen lopen eerst zo en dan zo, maar daarna niet meer recht, want dan komen ze bij het meer en buigen ze af.'

'Maar als ik iemand nodig had om me naar het meer te brengen, zou jij het kunnen,' zei Virgil.

'Ja, maar ik zou het waarschijnlijk niet doen,' zei de Deuce.

'O nee? Hou je niet van smerissen?'

'Nee, niet echt,' zei hij.

Nu Virgil met hem praatte, begreep hij wat de mensen bedoelden wanneer ze zeiden dat Slibe II niet helemaal in orde was. Hij dacht te lang na over wat hij zei en hoewel zijn antwoorden, als hij ze eenmaal gaf, redelijk zinnig klonken, waren ze wel erg kort. En hij wendde zijn blik steeds af, naar opzij, niet uit verlegenheid maar ontwijkend, alsof hij iets probeerde te verbergen: overmatige nieuwsgierigheid, passie, of angst.

Virgil had mensen als hij eerder ontmoet en was ervan overtuigd dat als hij Slibe II betrapte op het stelen van een brood, een goede openbaar aanklager hem voor de rest van zijn leven achter de tralies kon krijgen. Want de Deuce ademde schuldgevoel uit.

Virgil stond op het punt hem nog een paar vragen over Stone Lake te stellen toen Slibe Ashbachs pick-up de oprit opdraaide, hobbelend langs de groentetuin reed en vijf meter van de kennel tot stilstand kwam. Slibe stapte uit en Virgil zei tegen de Deuce: 'Leuk om even met je te praten.'

Hij liep naar de vader en zei: 'Ik kom je geweer terugbrengen.'

Slibe pakte het foedraal aan, bleef Virgil iets te lang aankijken en zei: 'Niks mee aan de hand, hè?'

'Het is niet het geweer waarmee op McDill en Jan Washington is gescho-

174

ten,' zei Virgil.

Slibe draaide zijn hoofd iets opzij, in de richting van zijn zoon, en vroeg: 'Is op allebei met hetzelfde geweer geschoten?'

'Dat denken we,' zei Virgil. 'Tenminste, dat zeggen de mensen van het lab.'

'Ik heb je toch gezegd dat ik het niet was,' zei Slibe. Hij keek weer vluchtig naar zijn zoon en vroeg: 'En? Wat had junior je te vertellen?'

De Deuce liep de schuur in en verdween uit het zicht.

'We hebben het over indianensporen gehad,' zei Virgil.

'Hm, nou, die kent hij als de beste,' zei Slibe. Hij hield het geweer op en vroeg: 'Ben je klaar met ons?'

'Nog niet helemaal,' zei Virgil met een glimlach. 'Mijn maat en ik gaan vanavond naar Wendy kijken. Hij is een belangrijke jongen in de countrymuziek en hij wil haar horen.'

'Nou,' zei Slibe, en hij liep naar de open deur van de schuur, keek om en zei: 'Je weet hoe ik over die onzin denk.'

Hij ging de schuur binnen, zijn zoon achterna. Virgil bleef wachten, dacht dat ze wel weer naar buiten zouden komen, maar toen hoorde hij ze binnen stommelen, en gingen de deuren aan de zijkant open, waarna de jonge honden met hun pluizige gele vacht onrustig in de buitenkooien begonnen te bewegen.

Virgil draaide zich om en liep naar de pick-up. Ze kunnen mijn rug op, dacht hij. Als ik ze nodig heb, weet ik ze te vinden.

Hij had verder niks te doen, niemand om mee te praten... Sig was aan het werk, Zoe was boos. Maar hij had wel dingen om over na te denken, dus reed hij terug naar het motel en ging een dutje doen.

Hij werd duf wakker en keek op de klok: tijd om te gaan. Maar eerst tandenpoetsen, dacht hij terwijl hij met zijn lippen smakte.

Om tien voor zeven liepen Virgil en Jud Windrow de Wild Goose binnen. Ze vonden een lege box, praatten een paar minuten met Chuck de barkeeper die ze een biertje aanbood, en haalden er nog twee toen Wendy ging beginnen.

Virgil had Windrow al ingelicht over de geaardheid van de band, de bar en het publiek, en toen Wendy en de anderen het podium op kwamen zei hij: 'Ze zien er goed uit. Die lesbolook werkt. Heeft ze dat blauwe oog van die knokpartij?'

'Ja. En op Berni's wang zit een flinke schram.'

Wendy mompelde in de microfoon: 'Het is voor iedereen een zware week geweest, dus in plaats van jullie nog eens door elkaar te schudden, beginnen we vanavond langzaam. Pak je liefje vast en luister naar *The Artists' Waltz*.'

De muziek begon en Virgil zag dat Windrow met een kritische blik achterover leunde tegen de kussens, en hoe de scepsis van zijn gezicht verdween toen Wendy zich zingend tot hem richtte. Toen het nummer afgelopen was volgde er een of andere halfzachte rockballad die Virgil niet kende, en Windrow boog zich over de tafel en zei: 'Ze kan het wel.'

'Vind je?'

'Absoluut,' zei Windrow. 'We moeten alleen wat aan die drummer doen. Die is niet strak. Ze slaat om de tel heen in plaats van erop.'

Virgil knikte. 'Dat zegt iedereen, maar zij en Wendy zijn... je weet wel.'

'Heeft zij haar dat blauwe oog geslagen?'

'Ja, hier, in deze box,' zei Virgil.

Windrow lachte, zacht en grommend als een beer. Hij keek naar Berni achter het drumstel en zei: 'Ik krijg gewoon een stijve als ik eraan denk. Ik wou dat ik erbij was geweest.'

'Nee, dat wou je niet,' zei Virgil. 'Het was geen worstelpartij, meer een stel wilde katten die elkaar aanvlogen.'

Windrow richtte zijn aandacht weer op de band, luisterde een tijdje en vroeg: 'Dat eerste nummer... waar hebben ze dat vandaan? Is dat iets uit deze streek?'

'Dat heeft ze zelf geschreven,' zei Virgil.

'Het wordt alsmaar beter,' zei Windrow. 'Alleen die drummer... daar moeten we echt iets aan doen.'

'Iemand vertelde me dat ze oké is als tweede stem, en dat haar borsten goed genoeg zijn om haar voor op het podium te zetten, zingend, met een tamboerijn of zoiets,' zei Virgil.

'Kunnen we doen, als ze haar per se willen houden,' zei Windrow.

Wendy eindigde de halfzachte rockballad, keek over het publiek heen naar Virgil en Windrow en zei: 'Het volgende nummer is ook van ons. Het is een nieuw nummer... we hebben het pas vandaag afgemaakt. Het heet *Doggin' Me Around*.'

Toen ze eenmaal begonnen was kon Windrow niet meer stil blijven zitten en hij zei tegen Virgil: 'Godverdomme. Ik geloofde je verhaal eerst niet helemaal, maar als ik haar kan boeken, ga ik dat zeker doen.'

De eerste set duurde veertig minuten en werd afgesloten met een zachte, romantische ballad. Daarna verlieten ze het podium en Virgil zag dat Wendy hun kant op kwam. Toen ze bij hun box was stonden ze allebei op en Wendy vroeg aan Virgil: 'Is dit 'm?'

'Hoe wist je het?'

'Papa zei dat je iemand zou meebrengen.' Toen ze naast Virgil in de box schoof, zei ze: 'En jij bent Jud Windrow. Ik heb je gecheckt op je website.'

'Je doet het goed op het podium,' zei Windrow. 'Wil je iets drinken?'

Chuck kwam drie biertjes brengen en Windrow hoorde haar uit over de band: wie iedereen was, hoe lang ze al bij elkaar waren, hoeveel covers ze speelden en wat ze nog meer op hun repertoire hadden.

Wendy vertelde hem dat haar moeder haar vroeger van het ene polkafeest naar het andere sleepte en dat ze dan met de band meezong. Windrow knikte en zei: 'Dat is goed, heel goed. Hoe vaker je optreedt hoe beter, zeker als je jong bent.'

'Dat deed ik,' zei Wendy. 'Toen mijn moeder er nog was zong ik twee jaar lang twee keer per week. Zij zou ervoor zorgen dat ik het in Hollywood zou maken.'

'Wat is er misgegaan?' vroeg Virgil.

'Een kerel die Hector Avila heette, dat is er misgegaan. Ze kregen een verhouding, alles liep in het honderd en ze zijn er samen vandoor gegaan. Ik had twee ouders toen ik 's avonds naar bed ging en toen ik 's morgens wakker werd, had ik alleen nog een pa en een afscheidsbriefje. We waren er kapot van. Ze zijn naar Arizona gegaan. Ze heeft me niet eens even gebeld om afscheid te nemen.'

'Hoe oud was je?' vroeg Windrow.

'Negen,' zei ze. 'Het was verdomme alsof mijn hele wereld instortte. De Deuce heeft drie dagen gehuild en papa wilde met niemand praten. Hij is naar buiten gegaan, heeft die groentetuin aangelegd en heeft daar twee maanden lang dag en nacht gewerkt, zonder een woord tegen iemand te zeggen. Ik had verwacht dat hij ons naar een weeshuis of zoiets zou brengen. Maar uiteindelijk hebben we ons hersteld. Het duurde een tijd, maar toen begon het beter te gaan.'

'Moeilijke tijden maken goeie muzikanten,' zei Windrow, en daarna: 'Je hebt een probleem met je drummer.'

Wendy kromp even in elkaar. 'Ik weet het. Dat kan geregeld worden, als we iemand kunnen vinden die beter is.'

'Ik heb drummers,' zei Windrow. 'Ik ken een drummer uit Normal, Illinois, die je oren van je hoofd drumt en naar een nieuwe band op zoek is. Haar huidige band gaat het niet halen; die zit aan zijn plafond.'

Virgil had Zoe niet binnen zien komen, maar opeens stond ze naast Wendy en zei ze over Wendy's hoofd tegen hem: 'Wat ben jij gemeen. Ik heb de hele middag gehuild.'

'Sorry dat ik zo deed, maar ik had zwaar de pest in,' zei Virgil.

Zoe zei tegen Wendy: 'Hij zei dat ik een van de verdachten ben omdat ik nog steeds gek op je ben, en omdat ik de Eagle Nest wil kopen, en omdat jij met McDill naar bed ging en zij de Eagle Nest misschien voor mijn neus zou wegkapen.'

Ze begon te snikken en Wendy klopte haar zachtjes op haar bil. 'Klootzak,' zei ze tegen Virgil.

'Hé...'

'Je kunt die moord ook wel oplossen zonder een klootzak te zijn,' zei Wendy.

'Precies,' snotterde Zoe.

Berni kwam aanlopen en zei tegen Wendy: 'Haal je hand van haar kont.'

'Hou je mond,' zei Wendy. 'We hebben een probleem.'

Zoe zei tegen Berni: 'Als zij haar hand op mijn kont wil leggen, vind ik dat prima.'

Berni deed een stapje achteruit en Virgil zei: 'O, jezus...'

Wendy riep: 'Niet doen!'

Berni wilde naar Zoe uithalen en Zoe had haar tanden ontbloot. Die was klaar voor de strijd, zag Virgil toen hij probeerde zich langs Wendy de box uit te wringen. Maar Wendy dook eruit en ging tussen Zoe en Berni in staan. Virgil volgde haar, ging achter Zoe staan en sloeg zijn arm om haar middel. Chuck de barkeeper kwam aanrennen en Windrow barstte in lachen uit en riep: 'Yeah! Rock-'n-roll!'

Virgil loodste Zoe naar de uitgang, kuste haar op het voorhoofd en vroeg: 'Is het nu weer goed tussen ons?'

'Nee.'

'Ik zal je geen verdachte meer noemen totdat ik bewijs tegen je heb,' zei Virgil, wat hem een redelijk compromis leek.

'Je wordt bedankt, hufter,' zei ze.

'Hoor eens, ga naar huis, neem een Xanax en kruip in bed. Dan voel je je morgenochtend een stuk beter.'

'Ja, ja, prop jezelf vol met pillen,' zei Zoe. 'De oplossing voor alles. Geen verantwoordelijkheid nemen voor je eigen gevoelens.'

Ze bleef nog een tijdje mopperen maar Virgil hoorde het niet meer, want zijn aandacht werd afgeleid door een mot zo groot als een hand, die om een van de buitenlantaarns fladderde, en hij had altijd belangstelling voor motten gehad. Hij bleef knikken, tuurde ondertussen van opzij naar het silhouet van de mot, die om de lichtbron cirkelde. Toen Zoe weer iets zei antwoordde hij: 'Ik hoop het. Luister, ga naar huis en ga slapen.' Wat ze ook had gezegd, zijn reactie was blijkbaar oké, want ze zei: 'Bedankt.'

Een groene glans, in een flits. Het was verdomme een *Actias luna*, en hij had al in geen jaren een levende gezien. Het was laat in het jaar voor een Actias luna. Legden ze in Minnesota twee keer per jaar eitjes? Hij had een vriend op de universiteit van Minnesota, die dat zou weten.

'... vanavond?'

'Ja,' zei Virgil. 'Bel me wanneer je wilt, dan gaan we een cheeseburger of zo eten.'

Ze keek hem met een bevreemde blik aan en hij vroeg zich af wat ze had gezegd. Er had heel even een belletje in zijn hoofd gerinkeld toen ze het zei, wat het ook was, maar ze liep al naar haar auto, draaide zich om en zwaaide naar hem.

De nachtvlinder bleef maar om de lantaarn fladderen en botste tegen het glas. Virgil probeerde ernaartoe te sluipen, maar de maanvlinder zag hem blijkbaar, want hij vloog opeens de nacht in, de driekwart volle-maan tegemoet.

Hij liep weer naar binnen en zei tegen Windrow dat hij weg moest. Windrow knikte en op dat moment begon de band weer te spelen, dus hij verhief zijn stem en zei: 'Bedankt voor de tip. Je hebt wat te goed van me.'

Virgil vertrok. Zijn plan stond vast: hij zou de volgende ochtend gaan vissen en terwijl hij in zijn boot op het water was, zou hij de moord oplossen. Althans, in zijn hoofd.

Het kon misschien wat later worden, want vanavond ging hij bij Sig langs. Er bestond, dacht hij, een grote kans dat hij niet in staat zou zijn om de volgende ochtend om vijf uur op te staan.

Een heel grote kans.

Om halfnegen kwam hij bij Sigs huis aan. Zoe's Pilot stond voor de deur geparkeerd, en nog meer auto's, en hij zag het licht in het prieel branden. Virgil kreunde en hoorde het belletje in zijn hoofd weer, het belletje dat hij had gehoord toen Zoe iets tegen hem zei.

Quiltcursus, had ze gezegd. Sig gaf haar quiltcursus.

15

Robert Plant en Alison Krauss werkten zich door *Please Read the Letter* toen Virgil zijn boot achteruit van de schuine waterkant van Stone Lake reed. De muziek paste bij de ochtend en bij zijn humeur, en hij bleef zitten tot het nummer afgelopen was voordat hij de motor uitzette.

Weer een dag met een spiegelglad wateroppervlak, maar de lucht zag er anders uit: een egale laag grijze bewolking die weleens op regen zou kunnen uitdraaien voordat de dag om was. Hij stapte uit de pick-up en rook de geur van visschubben en stilstaand water. Toen ging hij op de boom van de trailer staan, schoof naar de boeg van de boot, klikte de klemmen los, greep de aanleglijn vast en duwde. Toen de boot van de trailer was gegleden trok Virgil hem naar de kant en sloeg de lijn om een bosje.

Nadat hij de pick-up met de aanhanger had geparkeerd, deed hij de auto op slot, en daarna weer open om zijn regenjack te pakken. Hij deed een plas achter een bosje en stapte in de boot. Hij startte de buitenboordmotor, maakte een draai van honderdtachtig graden en zette koers naar de zuidelijke oever.

Er zat hier musky, maar daar was het hem deze keer niet om te doen. In plaats daarvan ging hij op zoek naar een stil plekje, liefst met waterlelies en de beschutting van bomen. Hij vond wat hij zocht, koos voor kunstmatig aas en wierp in om te proberen een snoek of een baars te vangen. Hij was niet van plan de gevangen vis te houden, dus het maakte niet uit wat hij ving en of hij überhaupt wel iets ving.

Vissen ontspande hem en bracht zijn geest tot rust: de ogenschijnlijk stompzinnige, repeterende handelingen – inwerpen en binnenhalen, inwerpen en binnenhalen – werkten als een kalmerend middel, terwijl de kans dat hij beet zou krijgen hem alert hield. De combinatie van zowel alert als ontspannen zijn was ideaal om na te denken. Want soms, als hij tot zijn kruin in de feiten stond, zag hij door de bomen het bos niet meer. Maar gelukkig wist hij hoe hij deze geestestoestand moest oproepen. In plaats van zich direct op de feiten te storten liet hij ze zijn bewustzijn binnendrijven terwijl hij zijn aas tussen de groen met paarse waterlelies door stuurde. Verderop, langs de oever, stond een witte reiger die hem met zijn geel omrande slangenoog gadesloeg. Toen hij ervan overtuigd was dat Virgil geen bedreiging vormde ging hij op zoek naar een kikker voor zijn ontbijt.

Een wijze man, een smeris die Capslock heette, had ooit tegen hem gezegd dat hij nog nooit een moordzaak had meegemaakt waar geld mee gemoeid was en waarin dat geld géén beslissende rol speelde. Aan de andere kant had Virgil nooit een moordzaak meegemaakt waarbij seks een factor was en waarin die seks geen beslissende rol speelde.

Hetzelfde gold niet voor de mentaal gestoorden, want hij had genoeg zaken meegemaakt waarbij duidelijk gestoorde mensen altijd als eersten werden verdacht, en uiteindelijk niets met de misdaad te maken bleken te hebben. Maar dat bood geen garantie, want soms hadden de gestoorden het wel degelijk gedaan.

Dus hij had hier een moordzaak waarin het op twee los van elkaar staande manieren om een flinke hoeveelheid geld draaide:

1. McDills partner, Ruth Davies, stond op het punt door McDill onterfd en gedumpt te worden. Door McDill te vermoorden erfde ze honderdduizend dollar, plus wat ze verder kon meepikken uit het huis, waar volgens Virgil diverse waardevolle kunstwerken hingen. Als McDill was blijven leven, had ze geen cent gekregen.

2. Zoe Tull was al geruime tijd bezig om genoeg geld bij elkaar te schrapen om een bod op de Eagle Nest te kunnen doen, en het was mogelijk dat McDill van plan was roet in het eten te gooien. Hoewel Virgil Zoe graag mocht, kon hij haar niet als verdachte uitsluiten. Ze had zich beklaagd over de deur van haar huis, die geforceerd zou zijn, maar er was geen aanwijsbare reden waarom iemand bij haar zou willen inbreken. Had ze de inbraak in scène gezet in een poging hem te misleiden, om de indruk te wekken dat er mogelijk een andere partij bij de moord betrokken was? Dat zou kunnen. Maar hij moest toegeven dat hij niet geloofde dat zij iemand had vermoord. Daarvoor mocht hij haar gewoon te graag.

Daar kwam bij: overal speelde seks een rol.
Zoe en Wendy. Wendy en Berni. Wendy en McDill. McDill en Davies. McDill en Jared Boehm. De Deuce en de honden? Nee, waarschijnlijk

niet. Maar misschien een van de Slibes en Wendy? Er gebeurden wel vreemdere dingen op afgelegen boerderijen op lange, donkere winteravonden...

Berni liep de kans zowel door haar werkgever als door haar liefje te worden gedumpt. En ze moest hebben vermoed dat als de band het echt ging maken, zij daar niet meer bij zou zijn... en ook niet bij Wendy. Ze had geen alibi voor het tijdstip van de moord op McDill, en Constance Lifry was ook van plan geweest de band naar een ander niveau te tillen.

Virgil had ook een slecht gevoel bij de Deuce gehad toen die vreemde jongen over de honden had gesproken. Wat had hij ook alweer precies gezegd? 'Die teven lusten er wel pap van als ze loops zijn.'

Het zou een tekstregel van een rapnummer kunnen zijn. En hij had er net iets te verlekkerd bij gekeken toen hij het zei.

Hij had natuurlijk de honden bedoeld. Het was Virgil al vaker opgevallen dat plattelandsmensen dierentermen gebruikten om de verschillende seksen aan te duiden: rammen en ooien, beren en zeugen, reuen en teven... woorden die stadse mensen ouderwets en vreemd in de oren klonken.

Of misschien was 'teef' hier nog een gangbaar woord?

Ten slotte: er was één of misschien waren er twee mensen met een nogal wankele geestesgesteldheid, om het politiek correct uit te drukken. De Deuce en Wendy, broer en zus. De Deuce droeg zijn probleem als een cape om zijn schouders. Bij Wendy had Virgil het maar even gezien, in een flits, maar het was er wel, geloofde hij.

Dat hield in dat Slibe I ook op de lijst zou moeten staan, aangezien hij degene was die Slibe II en Wendy had gevormd.

Slibe.

Slibe had iets gezegd wat al een paar keer aan Virgils geest had geknaagd. Hij dacht er opnieuw over na, over wat hij aan het doen was toen hij het hoorde – wat was het ook alweer – maar hij wist het nog steeds niet, en toen liet hij het los.

Hij liet alles sudderen in zijn hersenpan, verliet de inham, stuurde de hoek om, die langs de zes vakantiehuisjes op de oever voer en liet zijn gedachten de vrije loop.

Een of andere vis hapte naar het kunstaas, maar Virgil was te laat, dus hij ging terug naar dezelfde plek, wierp opnieuw in en deze keer sloeg hij hem aan de haak. Een kleine baars, ongeveer dertig centimeter. Hij haalde voorzichtig de haak uit de bek, liet de baars in het water glijden en boog zich over de rand van de boot om zijn handen af te spoelen in het koele water.

En hij dacht: Davies.

Als ik ophoud met lanterfanten, kan ik haar van de lijst schrappen.

Hij keek om zich heen en probeerde in te schatten hoe ver hij van de Eagle Nest vandaan was. Niet zo ver. Hij pakte zijn mobiele telefoon, keek op het schermpje, zag twee balkjes en keek hoe laat het was: 7.45 uur. Davenport zou nog niet op kantoor zijn. Hij belde Davenports huis, kreeg zijn dochter Letty aan de lijn en zei dat ze met het toestel naar Davenports slaapkamer moest lopen.

'Ik hoop voor jou dat het belangrijk is,' gromde Davenport in de telefoon. 'Weet je wel hoe laat het is?'

'Ja. Tijd om op te staan. Iedereen is al uren op, dus hou je mond en bel Jenkins of Shrake voor me. Ze moeten iemand voor me uitwringen.'

'O, man... oké, oké. Ik zal ze bellen en zeggen dat ze contact met je opnemen. Ben je op je mobiel bereikbaar?'

'Ja. Zo snel mogelijk.'

Hij verbrak de verbinding en op dat moment schoot hem te binnen wat Slibe tegen hem had gezegd en wat aan hem was blijven knagen.

Slibe had gezegd dat hij van plan was om naar Wyoming te gaan om prairiehonden te schieten. En hij had de indruk gewekt dat hij dat al vaker had gedaan. Maar je ging geen prairiehonden jagen met een aftandse halfautomatische .223 met een open vizier en een afwijking van tien centimeter op een afstand van honderd meter. De .30-06 met pompactie zou hij daar ook niet voor gebruiken, en de twaalf- of twintigschots karabijn, de .22 en het oude Ruger-pistool dat hij in de wapenkluis had gezien evenmin. Het zou met de .308 kunnen, vermoedde hij, maar dat was met prairiehonden tamelijk ongebruikelijk. Die was veel te zwaar en de munitie was duur.

Dus Slibe had een prairiehondengeweer. Waarschijnlijk een .223, maar met grendelactie en een grote telescoop erop. Een geweer dat hij niet in de wapenkluis had zien staan.

Slibe, dacht Virgil, had een extra geweer. En aangezien hij niet had kunnen weten wat voor geweer er was gebruikt om McDill om te brengen, had hij geen reden gehad om het te verstoppen.

En dat had hij wel gedaan.

Virgil floot zachtjes. Het eerste barstje in het ijs.
Wat nog meer?

Al vissende voer hij langzaam terug naar de Eagle Nest en toen hij bij de plek kwam waar McDill was doodgeschoten, begon zijn telefoon te piepen. Shrake. 'Wat moeten we voor je doen, ouwe jongen?'
'Ik zou graag willen dat jij en Jenkins een emotioneel instabiele lesbienne even onder druk zetten.'
'Dat kan geregeld worden,' zei Shrake. 'Wat wil je van die ellendige bitch weten?'
Virgil vertelde het en Shrake zei: 'Komt voor mekaar. Hoor eens, ik wil jou ook iets vragen, aangezien jij ons politiegenie bent. Ik denk erover om roestvrijstalen plaatjes op mijn tanden te laten zetten, van die losse, die je in en uit kunt doen, zodat ik er echt als een gestoorde uitzie. Ik zag gisteren een vent van mijn leeftijd, op het viaduct, met een mobiele telefoon, die ze had. Het zag er echt compleet gestoord uit. Als ik ze ook laat maken, en ik grijns naar mensen...'
'Twee dingen,' zei Virgil. 'Eén: iedereen denkt toch al dat je gestoord bent, dus het zou verspilde moeite zijn. Twee: als je zo'n ding in hebt en je krijgt een dreun op je mond, ben je al je tanden kwijt in plaats van één of hooguit twee.'
Het bleef even stil. Uiteindelijk zei Shrake: 'Misschien moet ik de update van mijn look nog eens heroverwegen.'
'Je doet maar,' zei Virgil. 'Nou, gaan jullie die vrouw voor me uitknijpen?'

Oké.
Stel dat Jenkins en Shrake erin slaagden Davies als verdachte van de moord te elimineren, door uit haar te persen waar ze was geweest toen Jan Washington van haar fiets werd geschoten. Het was nog steeds mogelijk dat de moordenaar in het reclamebureau moest worden gezocht, hoewel het uiterst onwaarschijnlijk leek dat de aanslag op Washington – waarvoor nog niemand enig verband met de andere betrokkenen had kunnen vinden – door iemand uit Minneapolis was gepleegd, tenzij ze het willekeurige slachtoffer van een afleidingsmanoeuvre was. Dus kon hij die mogelijkheid maar beter aan de kant schuiven, al was het alleen maar omdat hij niet wist hoe hij tot een antwoord daarop moest komen.
Hij krabde aan zijn kin en dacht: alhoewel...
Mark en Abby Sexton waren er ook nog. Mark zou misschien worden

ontslagen en Abby kon mogelijke seksuele grieven tegen haar voormalige liefje koesteren, en in die warrige psychologie kon het motief voor de moord huizen, met Washington als willekeurig slachtoffer van een afleidingsmanoeuvre. Als ze er allebei bij betrokken waren, elkaar een alibi verschaften en het slim speelden, zou hij ze nooit kunnen pakken. Dus... weg met die mogelijkheid.

Wat restte was de Grand Rapids/Eagle Nest-mogelijkheid. Wendy, Zoe, Berni, Slibe, de Deuce, misschien een van de andere bandleden, of een nog onbekende minnares in de Eagle Nest.

De onbekende minnares leek het minst waarschijnlijk, zeker vanwege het spoor dat van Constance Lifry in Iowa via McDill uit Minneapolis naar Jan Washington in Grand Rapids leidde.

En de politie van Iowa dacht dat Lifry's moordenaar een man was, en Virgil had de neiging het daarmee eens te zijn. Maar waar kwamen die Mephisto-damesschoenen dan vandaan?

Een willekeurige gedachte: was het heel misschien mogelijk dat McDill de kajak bij de beverburcht had aangelegd, over de drassige bodem naar de weg was gelopen en daarna weer terug? Voor een geheime ontmoeting? En dat die persoon haar achterna was gekomen en had doodgeschoten?

Daar had hij nog niet aan gedacht, en dat zou opnieuw mogelijk maken dat de dader in de Cities moest worden gezocht. Maar wie zou ze in het geniep, bij een moeras in het noorden van Minnesota, hebben willen ontmoeten?

De boot dreef verder, de lijn hing slap in het water en werd genegeerd... En hij dacht: wat een onzin. Ze had een mooie auto en ze had naar wel duizend plekken in de omgeving kunnen rijden voor een geheime ontmoeting. Ze hoefde niet door een moeras te strompelen.

Virgil sloot een weddenschap af met zichzelf: Slibe. Slibe en het onbekende geweer.

Op de een of andere manier was Slibe erbij betrokken. Hij durfde te wedden dat Jenkins en Shrake hem een alibi voor Davies zouden leveren en dat hij een streep door de mogelijke betrokkenheid vanuit de Cities kon zetten. De moordenaar bevond zich hier...

Hij begon een deuntje te fluiten, draaide zijn lijn binnen en wierp weer uit.

Virgil viste en werkte door.

16

Er was veel om over na te denken en Virgil bleef ermee bezig, de hele ochtend en het begin van de middag, en ontdekte toen aan de waterkant een huisje met de mededeling BROODJES achter het raam, een oude Pabst-reclame eronder, en een aanlegsteiger. Hij legde aan, bestelde een hamburger en een cola en bleef er ongeveer drie kwartier om aan de bar de *Herald Tribune* van twee dagen eerder te lezen en met de eigenaar te praten, die ervan overtuigd was dat de moorden het werk waren van een of andere gek uit de Twin Cities.

'Geloof mij nou maar... ik zit er zelden naast als het om dit soort dingen gaat,' zei de eigenaar.

Hij heette Bob en Bob had geen enkele reden om te denken wat hij dacht, maar volgens hem woonden in de Twin Cities alleen maar gekken. Daarnaast, merkte Virgil, had hij allerlei twijfelachtige opvattingen over sport, vrouwen, bier, vissen en Chrysler Sebring-convertibles.

'Waar het om gaat,' zei Bob, die zijn dikke onderarmen op de bar had gelegd, 'is dat het resort bekendstaat als trefpunt voor lesbo's. Ik durf te wedden dat alle sporen leiden naar de lesbische scene in de Twin Cities, naar... hoe noemen ze dat? Een satanskring?'

'Een bijeenkomst van dertien heksen?' vroeg Virgil.

'Zoiets,' zei Bob. Hij haalde de tandenstoker uit zijn mond en keek aandachtig naar wat zich om het uiteinde had verzameld. 'Misschien moest er iemand worden geofferd?'

Om iets voor tweeën was Virgil weer op het water en hij gooide uit bij de oever tegenover de Eagle Nest. Om drie uur werd hij gebeld door Shrake. 'We hebben haar uitgewrongen en ik kan je twee dingen vertellen. Ze heeft een alibi voor de aanslag op Washington... ze was bij een begrafenisonderneming om regelingen voor de begrafenis te treffen. En ze had drie schilderijen uit het huis ontvreemd, als appeltje voor de dorst, maar die zal ze terughalen. Ze beweert dat ze die van McDill cadeau heeft gekregen, maar ze kan het niet bewijzen.'

Virgil was niet langer geïnteresseerd, maar hij vroeg: 'Wat zijn ze waard?'

'Moeilijk te zeggen,' zei Shrake. 'McDill had ooit negentigduizend voor het ene en dertienduizend voor de twee andere betaald.'

'Dus ze waren het risico van de diefstal waard.'

'Ook dat is moeilijk te zeggen. Ik heb een vriend die een galerie heeft en die zegt dat ze waard zijn wat de gek ervoor geeft. Het grote schilderij, een stel gekleurde vlekken, is ooit gemaakt door een vrouw uit Washington D.C., die in de jaren vijftig optrok met een paar grote jongens van de abstracte kunst, maar zelf was ze geen grote. Misschien wordt ze dat alsnog en dan wordt het schilderij ineens veel meer waard. Maar als iedereen haar vergeet is het helemaal niks meer waard.'

'Wacht, wacht, wat zei je net?' zei Virgil. 'Heb jij een vriend met een galerie?'

'Sodemieter op,' zei Shrake. 'Maar dit is dus wat we te weten zijn gekomen. Als Davies erbij betrokken is, trekt ze misschien aan de touwtjes, maar ze is niet degene die heeft geschoten. Ze was hier toen Jan Washington werd neergeschoten.'

'Bedankt,' zei Virgil. 'Hier heb ik wat aan.'

En hij dacht: Slibe.

En hij dacht ook: ik heb niks om Slibe voor de rechter te brengen.

Hij had drie stukjes forensisch bewijs: twee patroonhulzen en de afdruk van een schoenzool. Die afdruk was vrijwel nutteloos aangezien die naar een vrouwelijke dader verwees. Alleen als de dader een medeplichtige had gehad, zouden ze er misschien iets aan hebben. De patroonhulzen waren beter. Als hij het geweer kon vinden, had hij echt iets. Dan konden ze er vingerafdrukken en DNA vanaf halen; bovendien had een geweer een verleden.

Maar als Slibe de schutter was geweest, had hij het geweer waarschijnlijk ergens in het meer gedumpt. Als hij dat inderdaad had gedaan en ook verder geen fouten had gemaakt en zijn mond had gehouden, kon Virgil hem niets maken.

Hij bleef nog een minuut of tien vissen en liet toen de boot uitdrijven in de richting van de aanlegsteiger. Hij liet zich in de kapiteinsstoel vallen en belde Sig. 'Zullen we ergens iets gaan eten?'

'Ik doe alles om niet te hoeven koken,' zei ze. 'Was jij dat die gisteravond op mijn oprit keerde en wegreed?'

'Ja,' zei Virgil. 'Quiltcursus. Ik was het vergeten.'

'Vanavond heb ik geen cursus,' zei ze. 'Met een steak en een fles wijn kun je een eind komen.'

'Zeven uur?'

'Oké. Zie je dan.'

En hij belde Sanders, die weer in Bigfork was. 'Kun je een van je hulpsheriffs opdracht geven de stad in te gaan en Berni Kelly op te pakken? Zij is de drummer van Wendy Ashbachs band. Ik wil met haar praten en ik wil dat ze als verdachte wordt behandeld. Geen handboeien, maar zet haar op de achterbank van de patrouillewagen. Doe alsof het er slecht voor haar uitziet. Zet haar op een stoel in de gang bij de deur van de verhoorkamer en laat haar daar een tijdje sudderen. Ze is waarschijnlijk in de Schoolhouse, die opnamestudio. En als ze daar niet is, probeer je Slibe Ashbachs huis.'

'Denk je dat zij het heeft gedaan?'

'Ik koester nog geen specifieke verdenking, maar ik kan wel zeggen dat het aantal mogelijke verdachten kleiner aan het worden is,' zei Virgil. 'Wie me echter dwars blijft zitten, is Jan Washington. Hebben jij en je jongens daar misschien ideeën over?'

'Nee. Ik heb een van mijn mensen naar Duluth gestuurd om nog eens met haar te praten, maar ze zegt dat ze geen idee heeft. Ze kan niks of niemand bedenken. Zij kan ons niet verder helpen.'

'Het gebeurde toen ik naar Iowa was. Ik heb tegen diverse mensen gezegd dat ik daar naartoe zou gaan, dus ik vraag me af of ze niet een willekeurig slachtoffer is, alleen bedoeld om de aandacht van Iowa en Lifry af te leiden. En van de band en de Eagle Nest.'

'Ik zou dat liever niet willen denken,' zei Sanders. 'Dat zou betekenen dat we hier een echte gestoorde hebben rondlopen. Maar ik neem aan dat we er rekening mee moeten houden.'

'Ik weet hoe je je voelt. Hoor eens, laat Berni Kelly oppakken en bel me zodra dat gebeurd is. Ik rijd straks terug naar de stad.'

'Wat ben je aan het doen?'

'Speurwerk,' zei Virgil.

Virgil takelde de boot op de aanhanger, reed naar Zoe's huis, ontkoppelde de aanhanger en liet de boom op de oprit vallen. Hij klopte op de deur, maar Zoe was blijkbaar nog aan het werk. Hij reed naar haar kantoor en kreeg te horen dat ze nog minstens een kwartier met een cliënt bezig zou zijn. Virgil liep de straat op, zag een ijssalon en ging naar binnen. Hij had eigenlijk een hoorntje met pistache-ijs in gedachten, keek even naar zijn buik boven zijn broekband en kneep erin om te zien of hij was aangekomen. Dat bleek erg mee te vallen, dus bestelde hij een grote coupe ijs met warme karamelsaus.

Achter hem kwam een echtpaar binnen, een oudere man en vrouw die eerst drie smaken wilden proeven voordat ze uiteindelijk een hoorntje bestelden. Toen ze waren vertrokken, vroeg het meisje achter de counter met grote ogen: 'Bent u die politieman van de staat Minnesota?'

'Ja, dat ben ik.'

'Denkt u dat u hem gaat pakken, degene die het heeft gedaan?' vroeg ze en ze veegde quasinonchalant met een vaatdoek over de counter.

'Reken maar,' zei Virgil. 'We hebben vandaag veel vooruitgang geboekt. Ik denk dat we hem binnen twee dagen achter slot en grendel hebben. Hooguit drie.'

'Echt?'

'Ja, echt.'

Ze keek hem aan, onzeker, dacht hij, en toen vroeg ze, net zoals Zoe had gedaan: 'Waarom vertelt u mij dit?'

Virgil haalde zijn schouders op. 'Waarom niet? Je bent belastingbetaler. Het is ook jouw geld dat voor dit onderzoek wordt gebruikt, dus het lijkt me eerlijk dat ik je op de hoogte houd.'

'Mag ik dit tegen mijn moeder zeggen? Ze is nogal bezorgd en als ze weet dat u de dader gaat pakken, wordt dat misschien iets minder.'

'Ja hoor, vertel het haar maar,' zei Virgil.

Ze keek naar zijn shirt. 'Waarom staat er "Gourds" op uw T-shirt? Wat betekent dat?'

Virgil, weer buiten, was verbijsterd over de onwetendheid van de jeugd van Grand Rapids. Kende ze de Gourds niet? 's Werelds beste en enige countrycover van Snoop Dogg's *Gin and Juice*? Wat leerden ze hier eigenlijk op school? Hij wandelde terug naar Zoe's kantoor en mocht doorlopen.

Zoe zei: 'Ik moet straks naar Wendy. Ze wil dat ik het contract van die man uit Iowa bekijk.'

'Ik ben in zijn club geweest, en die ziet er heel indrukwekkend uit,' zei Virgil. Hij pakte een stoel en ging aan de andere kant van het bureau zitten. 'In zijn kantoor hangen foto's van bands die bij hem hebben gespeeld. Allemaal grote namen.'

Ze vroeg, op licht bitse toon: 'En wat heb jij zoal gedaan? Onschuldige vrouwen lastiggevallen?'

Virgil dacht aan Davies en zei: 'Nou... ja.' Hij vertelde dat hij Davies van de verdachtenlijst had geschrapt en dat hij trouwens nooit had geloofd dat die grijze huismuis het had gedaan.

'Maar mij verdenk je nog steeds,' zei Zoe. 'Of in elk geval een beetje.'

'Nee,' zei Virgil. 'Ik heb besloten dat ik je te aardig vind om je als verdachte te beschouwen.'

Ze schudde haar hoofd. 'Weet je, als jij accountant zou zijn... ach, laat maar.'

'Nee, zeg het maar.'

'De mensen zouden over je heen walsen,' zei ze. 'Je kunt hun boeken niet doen en zeggen dat ze oké zijn omdat je ze wel aardig vindt. De cijfers moeten kloppen. Alles moet logisch zijn.'

'Misschien wel,' zei Virgil. 'Maar vertel me eens: wie heeft het volgens jou gedaan? En dan moet het iemand zijn die vrij dicht in de buurt van Wendy zit.'

Ze keek hem aan, keek toen naar de kalender aan de muur, naar een foto van een stel witte paarden die door een weiland renden, keek hem weer aan en zei: 'Slibe.'

'Maar ik heb helemaal niks wat in zijn richting wijst.' Dat was niet helemaal waar; hij had de opmerking over de prairiehonden.

'Ik zal je iets over Slibe vertellen,' zei Zoe. 'Hij en zijn vrouw, Maria Osterhus, kregen Wendy en de Deuce, en Slibe had zijn bedrijf, S&M Septic & Grading, dat goed liep... toen zij verliefd werd op een ander. En ze ging er met hem vandoor. Ze wilde het bedrijf niet, ze wilde de kinderen niet, ze wilde alleen nog die Hector. Hij zei zijn baan op en ze gingen ervandoor, midden in de nacht, naar Arizona, en niemand heeft ze ooit teruggezien. Ze heeft haar gezin laten barsten en Wendy en de Deuce zijn door Slibe grootgebracht. Maar Slibe hield echt van Maria, en dat bracht hij over op Wendy...'

'Hoe kan het dat je dit allemaal weet? Hoe oud was je toen het gebeurde? Een jaar of tien?'

'Ik weet het van Wendy. We zijn toch een tijdje samen geweest? Dit was voor haar de grote ommekeer in haar leven.'

'Slibe heeft haar toch niet...'

'Nee, nee, nee... dat is nooit gebeurd,' zei Zoe. 'Tenminste, dat verzekerde Wendy me. Ik heb het haar toen ook gevraagd. Maar... ik denk dat hij niet wil dat zij hem verlaat. Ik denk dat hij haar bij zich wil houden.

Ik denk dat Slibe denkt dat ze zijn bezit is. Net zoals Maria zijn bezit was. Ze is van hem.'

'Hij leek redelijk normaal te reageren op het feit dat ze lesbisch is,' zei Virgil.

'Nou, dat komt door het mannenaspect. Kijk, als zij iets met een man zou krijgen, dan zou ze het bezit van die man worden. Dan zou Slibe haar kwijtraken aan die man. En dat wil hij niet. Lesbiennes zijn in zijn ogen meisjes die meisjesdingen doen. Maar een man...'

'O,' zei Virgil.

'En wat mag dat dan wel betekenen?'

Zijn telefoon ging. Hij haalde het toestel uit zijn zak, keek op het schermpje – het was de sheriffdienst – zei: 'Virgil,' en Sanders zei: 'We hebben haar hier. Ze is nijdiger dan een nest horzels.'

'Je klinkt niet al te bezorgd.'

'Nee, want als er iets misgaat, ben ik van plan jou de schuld te geven,' zei Sanders.

'Goed idee,' zei Virgil. 'Ik kom er zo aan.'

Hij stond op en Zoe vroeg: 'Is er een kans dat je mijn zus vanavond ziet?'

Sig had zeker haar mond voorbijgepraat, dacht Virgil. 'Misschien dat ik even bij haar langsga voor een biertje.'

'Juist, een biertje,' zei Zoe. 'Toen ik haar belde was ze haar benen aan het scheren.'

'Hè, shit,' zei Virgil. 'Dat had ik willen doen.'

Zoe lachte en zei: 'Slibe.'

Berni was inderdaad zo nijdig als een nest horzels. Ze zat op een oranje plastic stoeltje en loerde naar de hulpsheriff die achter een bureau de krant zat te lezen. Toen Virgil haar van opzij naderde, dacht hij dat hij haar hoorde zoemen... een dreigend gezoem, dat hem aan zijn eerste ex-vrouw deed denken.

Hij plooide zijn mond in een brede glimlach en zei: 'Berni! Leuk dat je langskomt.'

Ze draaide zich om op het stoeltje en zei: 'Vuile klootzak.' Ze stond op en even dacht Virgil dat ze hem zou aanvliegen. Dat dacht de hulpsheriff achter het bureau blijkbaar ook, want ook hij kwam overeind, maar Virgil stak zijn handen op en zei: 'Ho, rustig aan. We gaan alleen maar even praten.'

Ze begon te huilen en hij zag dat ze dat ook al eerder had gedaan, want haar eyeliner was uitgelopen tot op haar wangen. 'Ik denk dat Wendy me uit de band gaat zetten.'

'Echt?'

'Ja. Die gast die jij had meegebracht, die Jud, heeft tegen haar gezegd dat ze een betere drummer nodig heeft.'

'Heb je Jud zelf gesproken?'

'Nee. Hij heeft het tegen haar gezegd en zij zei het tegen mij. Ze zei dat ze nog niks besloten hadden, maar dat hebben ze wel... en dan laat jij me verdomme door die hulpsheriff hiernaartoe slepen.'

'Je hebt nog praats genoeg,' zei de hulpsheriff.

Ze draaide zich om, zei: 'Hou je kop, Carl', en tegen Virgil: 'Carl wilde me al neuken toen hij in groep negen en ik in groep vijf zat. Waar of niet, Carl?'

Carl zei tegen Virgil: 'Kunnen jullie niet naar een verhoorkamer gaan? Ik heb meer dan genoeg gehoord.' En tegen Berni: 'Zij die het vonnis van God kennen en deze dingen doen, verdienen de dood.'

'O, ja, ik heb gehoord dat je herboren bent,' zei ze. 'Dat is maar goed ook, want de eerste keer hebben ze er niet veel van gebakken.'

Virgil dirigeerde haar in de richting van de verhoorkamer. 'Kom, we gaan even praten,' zei hij, en tegen Carl, die hem mateloos irriteerde: 'En Jonathan, die David liefhad als zijn eigen leven, sloot een innige vriendschap met hem.'

'Dat betekent nog niet dat het mietjes waren,' riep Carl hem na toen ze de verhoorkamer binnen gingen. Er klonk een lichte paniek door in zijn stem.

Berni vroeg: 'Wat moest dat voorstellen?'

'Ik ben de zoon van een dominee,' zei Virgil. 'Ik ken de Bijbel vanbinnen en vanbuiten.'

'Was David gay?'

Virgil zei: 'Wie zal het zeggen? Donatello scheen te denken van wel.'

'Don wie?'

Virgil liet haar plaatsnemen aan de andere kant van de tafel en zei: 'Berni, we hebben al het bewijs doorgenomen, de sheriff en ik, en we zijn tot de conclusie gekomen dat jij op de een of andere manier bij deze moorden betrokken moet zijn.'

Ze begon meteen te protesteren, maar hij stak zijn handen op. 'Luister eerst even naar me. Om te beginnen hebben we twee moorden die gerelateerd zijn aan jullie band, plus een poging tot moord met hetzelfde geweer waarmee McDill is vermoord. Jij hebt geen sluitende alibi's. Dus hebben we alle stukjes van de zaak in elkaar gepast, waaronder de voetsporen die op de drassige oever zijn gevonden, die daar zijn achtergelaten door een vrouw...'

'Ik heb het niet gedaan,' kreunde ze. 'Ik ben daar niet geweest.'

'Luister, we kunnen onze zaak hard maken, en waar we nu in geïnteresseerd zijn, is je gemoedstoestand. Als je op dat moment erg van streek was, kun je daar een goede verdediging mee voeren. Als je emotioneel in de war was vanwege McDills relatie met Wendy...'

'Daar wist ik niks van,' zei ze.

'We hebben de voetsporen,' zei Virgil.

'Die zíjn niet van mij.'

'Maar alle anderen hebben een alibi,' zei Virgil. 'En je zult moeten toegeven dat deze moorden gerelateerd zijn aan de band.'

'Maar McDills vrouw, die in de Cities woont...'

'Die heeft een waterdicht alibi,' zei Virgil. 'Hoor eens, ik weet niet in hoeverre je bekend bent met de rechtsgang, maar als je meewerkt kan dat in je voordeel werken, als de rechter daarvoor ontvankelijk is. En als je geen strafblad hebt...'

'Maar ik heb het niet gedaan!'

'Nou...' Virgil stak zijn handen op in een hulpeloos, verontschuldigend gebaar. En hij drukte door. 'Wij denken dat jij erbij betrokken bent. Ik bedoel, je zegt dat je het niet hebt gedaan, maar als jij het niet hebt gedaan, wie dan wel?'

Ze wendde haar blik af en zei: 'O, god, ik had zo gehoopt dat jullie hem zelf gepakt zouden hebben. Wendy vermoordt me.'

'Als jij het niet was... ik bedoel, als je iets weet, kun je het maar beter vertellen,' zei Virgil. 'Want hij is blijkbaar bezig om iedereen die iets weet het zwijgen op te leggen.'

Ze keek op. 'Denk je dat?'

'Ik geloof dat niemand veilig is,' zei Virgil. 'Deze persoon is onevenwichtig. Hij, of zij, heeft dringend hulp nodig. Als jij het was zouden we je helpen.'

'Ik was het niet...' Ze draaide haar hoofd om, begon weer te zoemen, dacht enige tijd na en zei: 'Ik weet het niet. Ik weet er verder niks van, maar als ik jullie was, zou ik de Deuce eens goed onder de loep nemen.'

'De Deuce? Niet Slibe?'

'Slibe... ik weet het niet. Wat ik wel weet is dat de Deuce seksueel geobsedeerd is door Wendy. Dat is altijd zo geweest, al sinds hun kindertijd.

Als je Wendy apart neemt en aan de praat krijgt, zal ze dat toegeven. En de Deuce zou niet willen dat Wendy wegging. Nooit.'

'Is de Deuce seksueel actief?'

'Ja, nou, dat kun je wel zeggen. De hele dag door. Met zichzelf. Hij en zijn hummeltje.'

'Ik bedoel of hij een vriendin heeft,' zei Virgil.

'Voor zover ik weet is hij nog maagd,' zei ze. 'Zo niet, dan heeft hij voor de seks betaald. Maar hij is echt... anders. Hij zit voortdurend naar je te kijken. Hij doet alsof het niet zo is, maar je voelt gewoon dat hij naar je zit te loeren.'

'Misschien is hij in jou geïnteresseerd, niet in Wendy,' probeerde Virgil.

'Volgens mij is hij alleen maar in seks geïnteresseerd,' zei ze. 'Ik bedoel, mijn god, hij is zeventien, dus iedereen weet waar hij op uit is... maar Wendy is het middelpunt van zijn universum.'

'O.'

'Wat bedoel je daarmee?' vroeg ze.

'Wendy schijnt het middelpunt van een heleboel universums te zijn,' zei Virgil.

'Ja, vooral van haar eigen universum,' zei Berni.

Virgil deed alsof hij hierover moest nadenken. Toen zei hij: 'Ik weet het niet, Berni. Ik moet toegeven dat we de Deuce nog niet echt onder de loep hebben genomen. Ik weet niet of hij een alibi heeft, maar je moet toegeven dat er voor ons genoeg redenen zijn om te denken dat jij erbij betrokken bent.'

Hij bleef haar maar uit haar tent lokken en zodra hij een opening zag stuurde hij het gesprek weer naar Wendy, Slibe en de Deuce. Totdat ze zou breken.

Totdat ze het zelf ging geloven.

Dan zou ze het aan Wendy vertellen en Wendy zou het doorvertellen aan iedereen die het maar wilde horen.

En de moordenaar zou het horen en zou dan misschien iets doen.

Om vijf uur liet hij haar gaan, nadat hij haar had opgedragen in de stad te blijven.

Hij ging terug naar het motel, deed een dutje, nam een douche, schoor zich opnieuw en trok een schoon T-shirt, een spijkerbroek en een jasje aan. Wat betreft het T-shirt moest hij kiezen tussen zijn twee nieuwste: Blood Red Shoes en Appleseed Cast, en hij koos ten slotte voor het laatste, in de veronderstelling dat Blood Red Shoes van slechte smaak zou getuigen.

Sig was al klaar toen hij bij haar huis stopte. Ze kwam in een katoenen jurk huppelend naar buiten en kuste hem op de oprit. Toen stak ze twee vingers achter zijn broekriem en zei: 'Steak! Zwart vanbuiten, rood vanbinnen.'

'Waar gaan we naartoe?'

'De Duck Inn. In de stad. Daar liggen kleine pakjes sesamcrackers op de tafeltjes. Is dat cool of niet?'

Virgil lachte. 'Dat kunnen we niet laten lopen.'

Sig bleek een onderhoudende gesprekspartner. Ze kende vrijwel iedereen in de stad, de mensen en hun eigenaardigheden, en vertelde hoe ze had ontdekt dat Zoe met een van haar vriendinnen experimenteerde. 'Ik was absoluut niet geschokt. Ik bedoel, als ze de aandrang niet voelen, slaat het nergens op. Maar toen ik ontdekte dat Zoe van vrouwen hield, leek het allemaal heel normaal.'

Sig en Virgil bleken tegelijkertijd aan de universiteit van Minnesota te hebben gestudeerd en meenden zelfs een gemeenschappelijke kennis te hebben gehad, een vrouw die zich systematisch had beziggehouden met ongeveer alle kunstvormen die de mens ooit had beoefend. Nadat ze weinig talent aan de dag had gelegd voor schilderen, beeldhouwen, keramiek, botanisch tekenen, muziek en dans – ze speelde klassiek gitaar, heel slecht, en haar dansleraar had gezegd dat haar ware talent meer in het paaldansen dan in ballet was gelegen – was ze begonnen met creatief schrijven, en in die periode had Virgil haar weleens ontmoet.

'Ik kan me alleen niet herinneren of ze ooit echt iets heeft geschreven,' zei hij.

'Ik herinner me één kunstwerk van haar,' zei Sig. 'Haar vriendje jaagde, en ze heeft ooit een ets van een gevild konijn gemaakt. Ze joeg er iedereen de stuipen mee op het lijf.'

'Was het zo goed? Dat het dat effect op mensen had?'

'Nee, dat niet,' zei Signy. 'Het leek niet eens op een gevild konijn. Je kon nog net zien dat het een dier was dat iets heel akeligs was overkomen... dat het met een hamer was bewerkt, of zoiets. Maar weet je, misschien heb je gelijk. Ik kan me geen ander kunstwerk van haar herinneren dat me zo lang is bijgebleven. Dus misschien was het wel goed. Hoe dan ook, uiteindelijk is ze ermee opgehouden, met alles.'

De Duck Inn was een nephouten blokhut met een neonreclame voor de deur, een eend met fladderende vleugels in de kleuren rood, blauw en

groen, en een parkeerterrein met grind dat werd omzoomd door pijnbomen die er ongezond uitzagen. Ze wilden net naar binnen gaan toen
Jud Windrow naar buiten kwam.

'Hé, Virgil,' zei Windrow, en zijn blik bleef op Signy rusten. 'Ga je vanavond nog naar de Wild Goose?'

'Ik ben bang dat ik een keer moet overslaan,' zei Virgil. 'Ik heb een bespreking over de forensische aspecten van de zaak.'

'O, nou, ik ga er nu naartoe. We hebben het aanbod besproken in hun
woonwagen en Wendy is van plan het contract te tekenen.'

'Is het drumprobleem al opgelost?' vroeg Virgil.

'Ik denk het wel. Berni zei dat ze je vanmiddag had gesproken. Ze was
nogal van streek.'

'Er zijn mensen dood,' zei Virgil.

'Begrepen, broeder, begrepen.' Windrow keek weer naar Sig en uiteindelijk zei hij tegen Virgil. 'Doe niks wat ik ook niet zou doen.'

'Ik zal het in gedachten houden, partner,' zei Virgil.

Windrow lachte. 'Doe dat, partner. Nou, ik kan maar beter als de sodemieter maken dat ik in de Goose kom.'

Sig reageerde licht beledigd op dit korte gesprekje en toen ze binnen
waren vroeg ze: 'Wat moest dat voorstellen?'

Virgil vertelde haar over Windrow en ze zei: 'Ik vond hem een beetje...
opdringerig.'

Virgil boog zich over de tafel en zei: 'Je weet niet half hoe goed je eruitziet. Alle mannen hier zitten met hun tong uit de mond naar je te loeren.
Dat bedoelde hij.'

Ze zei: 'O, nou...'

Ze konden het uitstekend met elkaar vinden. Sig at haar zwarte steak met
puree, dronk de fles Santa Barbara Pinot Grigio voor twee derde leeg,
vertelde hem de mop over de geestelijke die een kamer neemt in een
motel en Virgil vertelde haar over zijn tante Laurie, van zijn moeders
kant, die er met een geestelijke vandoor was gegaan, en dat zijn vader
haar een week lang had gedreigd het gebeuren in zijn preek te verwerken.

De daaropvolgende anderhalf uur vlogen voorbij en toen ze klaar waren
met eten, stond Sig erop dat ze een stukje door de stad zouden lopen,
zodat zij hem het een en ander kon laten zien. Ze liepen een paar bars
binnen, zeiden enkele mensen gedag en een halfuur later, toen ze terug
waren bij de pick-up, vroeg ze: 'Heb je je telefoon bij je?'

'Ja. Moet je iemand bellen?'
'Nee. Maar laat hem deze keer in de auto liggen, oké?'
'Yep!' Hij haalde het toestel uit zijn zak en zette het in de bekerhouder.
'Je bent een buitengewoon praktische vrouw.'
'Precies,' zei ze.

Bij haar thuis schoof ze een cd van Norah Jones in de radio/cd-speler en verdween ze naar de badkamer. Toen ze terugkwam legde Virgil zijn hand op haar heup en zei: 'Dans met me.' En ze dansten door de kamer, op *Come Away with Me*, *One Flight Down* en *The Nearness of You*, en ze zei: 'O, god, Virgil' en likte aan zijn oorlel toen hij haar zachtjes tegen de muur duwde...
Het licht van autolampen viel door de gordijnen naar binnen, de automatische tuinlantaarns gingen aan en Virgil kreunde: 'Nee!'
Sig maakte zich van hem los, liep naar het raam, schoof het gordijn een stukje opzij en zei: 'Het is Zoe. Ze wist dat je zou komen. We kunnen zeggen dat ze ongelegen komt, dan gaat ze wel weg.'
Virgil ging achter haar staan, sloeg zijn armen om haar heen en zei: 'Ik zweer het, Sig, en ik wil niet grof doen, maar als ik je vanavond niet in bed krijg, knakt er iets in me. En valt er misschien iets van me af.'
Sig reikte achteruit en kneep in zijn dij. 'We lozen haar wel.'
Zoe klopte op de deur.

17

In de dubbelbrede woonwagen rook het naar hachee, koffie, zweet en de doordringende kruidenlucht van marihuana. Jud Windrow leunde achterover op de zitzak, drukte de hakken van zijn laarzen in de bruine vloerbedekking, nam een slok Budweiser en probeerde bij de les te blijven terwijl Wendy, Berni en Slibe met elkaar in de clinch lagen.

Hij had dit al vaker meegemaakt. Je had artiesten die er duizenden uren voor overhadden om een instrument te leren bespelen, die je alles konden vertellen over hoe je een song moest schrijven, over refreinen, toonzetting en specifieke woorden die je beter niet kon gebruiken wanneer je een songtekst schreef. Kadaver? Had iemand ooit het woord 'kadaver' in een song gebruikt?

Dat wisten ze allemaal, ze werkten ermee, sleutelden eraan, perfectioneerden het, bleven de hele nacht op, soms nachten achter elkaar... maar van zakendoen wisten ze geen fluit. Ze deden wel zaken, maar dat beseften ze niet. Zij dachten dat zakendoen een of andere kunstvorm was.

Hij zuchtte en liet de anderen het uitvechten.

Hij had de knuppel in het hoenderhok gegooid toen hij zei dat het noodzakelijk was een andere drummer aan te trekken, en misschien ook een andere toetsenist. Berni was onmiddellijk over haar toeren geraakt en hij was even bang geweest dat ze zich lijfelijk op hem zou werpen, maar algauw begon ze Wendy te smeken er niet mee akkoord te gaan, probeerde ze haar baan te redden, en toen Wendy de andere kant op keek, begon Berni te huilen.

'Ik... ik... ik... eerst sleept die smeris me verdomme naar het politiebureau en word ik daar gemarteld, en nu schoppen jullie me ook nog de band uit. En nee, zeg maar niet dat het niet zo is.'

Windrow had toen voorgesteld dat ze de band in de frontlinie zou helpen, met backing vocals en een of ander percussie-instrument, en toen was ze weer enigszins gekalmeerd.

'Als ik maar mag blijven...'

Wendy sprong in de bres voor de toetsenist. 'We mogen niet te hard over

haar oordelen, vind ik. Tijdens de opnames doet ze het prima, alleen op het podium heeft ze weinig uitstraling. Ze staat daar maar een beetje te spelen en ziet eruit als een dooie. Maar daar kunnen we iets aan doen.'
'Ze kan wel spelen,' zei Windrow. 'Maar een band staat of valt bij de podiumpersoonlijkheid van de leden.'
'We kunnen haar een hoed opzetten,' zei Wendy. 'Ik ga wel met haar aan de slag. Het is namelijk zo... zij schrijft de melodieën voor onze songs. Zij heeft van *The Artists' Waltz* een wals gemaakt... daarvoor was het een gewone ballad.'
'Oké,' zei Windrow. 'Dus zij blijft. Zet haar een hoed op.'

Toen ze bij het zakelijke gedeelte van het contract kwamen zette Slibe meteen zijn hakken in het zand. Er stonden paragrafen in, moest Windrow toegeven, die vooral in zijn voordeel leken te zijn. Na de eerste maand als huisband te hebben gespeeld, gingen ze ermee akkoord de eerstkomende vijf jaar één week in de Spodee-Odee op te treden, op door Windrow te bepalen data. Deden ze dat niet, dan gaven ze Windrow toestemming vijftien procent van de royalty's te incasseren van de cd's die ze in die periode hadden uitgebracht. Maar als Windrow de band in een van die vijf jaar niet nodig had, kon hij dat jaar afzeggen zonder iets te hoeven betalen.
Slibe riep naar Wendy: 'Zie je wat er gebeurt? Die gast pakt een deel van alles wat je doet. Hij neemt verdomme bezit van je.'
'Bezit zou ik het niet willen noemen,' zei Windrow. 'Of maar voor vijftien procent.'
'Zo vullen die gasten hun zakken,' zei Slibe. 'Ze slaan je met allemaal juridische trucs om je oren en je komt er nooit meer vanaf.'
Toch wilde Wendy het contract tekenen, om redenen die Windrow haar gaf en die haar wel aanstonden.
'Luister,' zei hij, 'je kunt hier blijven en als flutband in de Wild Goose blijven spelen, of misschien een paar gigs in de Twin Cities of waar dan ook doen, maar doorbreken zul je zo nooit. Vergeet het maar.'
'Er komen hier ook genoeg mensen om naar ze te luisteren...' begon Slibe, maar Wendy zei: 'Hou je mond, pa, laat hem uitpraten.'
Windrow vervolgde zijn verhaal. 'Als je wilt doorbreken, moet je investeren. Dat houdt in dat ik jullie een maand laat spelen en dat ik jullie in die tijd in contact breng met de beste acts en de beste managers en agenten van het genre. Bovendien betaal ik jullie daarvoor. En wat hou ik eraan over? Ik introduceer een nieuwe band die nog niemand kent, maar

jullie zijn best goed, dus als jullie aanslaan, verdien ik er ook aan. Je maakt een paar cd's en die verkopen goed. Dan kom je eens per jaar in de Spodee-Odee optreden, niet voor heel veel geld, maar shit, het zal je reputatie bepaald geen kwaad doen. Mijn club is een van de allerbeste in het circuit. Ik zorg een week lang voor een volgepakt huis en jullie krijgen het geld van alle cd's die je extra verkoopt.'

Ze hoorden een auto voor de woonwagen stoppen en Slibe stond op om naar buiten te kijken. 'Het is die Zoe,' zei hij.

'Ik heb haar gebeld,' zei Wendy.

'Waarom in godsnaam?' vroeg Berni.

'Omdat ze slimmer is dan wij en ze alles weet van contracten en belastingen en zo,' zei Wendy. 'Bovendien is ze verliefd op me, dus hoeven we haar niet te betalen.'

'Een lastpak, dat is ze,' zei Slibe. 'En ze heeft een bloedhekel aan me.'

Zoe klopte op de deur en Slibe liet haar binnen. 'Slibe,' zei ze, en Slibe zei: 'Zoe.'

Zoe pakte het contract aan en zei: 'Ik ben geen jurist.'

'Lees het nou maar,' zei Wendy.

Zoe trok zich terug in de keuken om het contract door te nemen.

Slibe zei tegen Windrow: 'Maar als je genoeg van ze hebt, zelfs als ze een cd hebben gemaakt maar die verkoopt niet goed, kun je ze dumpen wanneer je wilt.'

Windrow knikte. 'Absoluut. Het contract is opgesteld in mijn voordeel, omdat ik degene ben die de risico's neemt. Laat mij maar eens een hypotheekovereenkomst zien waarin staat dat de klant niet hoeft te betalen als hij daar geen zin in heeft. Gelul, geen enkele bank zal zo'n contract opstellen. Contracten zijn altijd in het voordeel van de bank. Nou, in deze deal ben ík de bank.'

Ze zaten allemaal in het woongedeelte van de woonwagen, Windrow in het midden, het dichtst bij de deur, en Wendy en Berni op de brede bank tegen de achterwand. Windrow zat naar Berni te kijken toen hij opeens dacht dat hij achter de jaloezieën, waarvan de onderste lamellen waren omgebogen, iets zag bewegen. Het leek wel een oog, maar toen was het weer weg en zag hij alleen nog duisternis.

Zoe kwam terug, gaf het contract aan Wendy en vroeg: 'Wat wil je weten?'

'Nou, in principe of ik het moet tekenen of niet,' zei Wendy.

'Dat kan ik je niet vertellen. Het hangt ervan af wat je wilt. Ik ken de Spodee-Odee niet. Is die tent hot?'

'Ja, dat kun je wel zeggen,' zei Wendy.

'Volgens deze jongen hier,' zei Slibe, en hij knikte naar Windrow.

'Nou, ik heb ooit een paar contracten van schrijvers doorgenomen en die zagen er ongeveer uit zoals dit. Meneer Windrow treedt feitelijk op als agent. Dat is het deel van die vijftien procent. Kijk, als je een andere agent neemt, zal die ook vijftien procent vragen... maar je hoeft meneer Windrow niet te betalen als je optreedt. Afhankelijk van hoeveel geld daarmee gemoeid is, kun je beslissen of je het wilt doen of niet. Tenzij...'

Wendy: 'Tenzij wat?'

'Tenzij de band uit elkaar valt en je ophoudt met zingen,' zei Zoe. 'Ik zie nergens staan wat er dan gebeurt.'

'Een van de volgende twee dingen,' zei Windrow. 'Als ze honderd miljoen in de loterij wint en niet meer wil zingen, sleep ik haar voor de rechter om te proberen een deel van die honderd miljoen in handen te krijgen. En twee: als ze de loterij niet wint, de band valt uiteen, ze houdt op met zingen en wordt serveerster in een diner, wat voor zin heeft het dan om haar voor de rechter te slepen? Voor de helft van haar eerstvolgende cheeseburger? Als dat gebeurt, laat ik het lopen. Er valt niks te verdienen aan iets wat niet bestaat.'

'Ik blijf het linke soep vinden,' zei Slibe.

Wendy bladerde het contract nog eens door. 'Hoe zit het met die griet, die O'Hara? Hier staat dat we haar erbij moeten nemen zolang jij onze agent bent. Maar Berni kan de eerste maand toch wel blijven?'

Windrow zei: 'Denk na, Wendy. O'Hara is de beste vrouwelijke drummer die er rondloopt, en ze is vrij. Ze past perfect bij jullie. Ze is gescheiden, heeft geen kinderen en ze is op zoek naar een nieuwe band. Ik maak een deal met haar, ze komt hiernaartoe en dan kunnen jullie aan de slag. In de tussentijd kan Berni aan haar act gaan werken, vóór op het podium, naast jou, waar ze backing vocals doet en heupwiegend met een tamboerijn en haar tieten zwaait.'

'Een stomme tamboerijn, verdomme,' zei Berni. Ze sloeg haar handen voor haar gezicht en weer zag Windrow iets achter de jaloezieën bewegen. Stond er iemand naar binnen te gluren?

Wendy legde haar hand op Berni's dij en zei: 'We kunnen het. We maken van jou het lekkerste ding op het hele podium. Ik bedoel... ik met mijn grote koeientieten, maar jij hebt wat alle cowboys echt willen. Ik weet zeker dat het werkt.'

Slibe zei: 'Nog iets anders over het contract...'

Zo ruzieden ze door tot vroeg in de avond, totdat Wendy op de klok keek en tegen Slibe zei: 'We moeten naar de Goose. Maar ik ga het doen. Ik moet eerst nog even met de anderen praten, maar ik doe het.'
En tegen Windrow: 'Blijf je vanavond in de stad?'
'Yep.'
'Laten we dan morgen in de studio afspreken, dan kunnen we het met z'n allen bespreken en teken ik het contract. Kom je straks naar de Goose?'
'Ik ga eerst iets eten, als jullie een goeie tent kunnen aanbevelen.'
Wendy keek naar Zoe en Zoe zei: 'Ik denk... de Duck Inn. In de stad.'
'Ik vind het maar niks,' zei Slibe. 'Ik stel voor dat we het hele contract morgen door een advocaat laten doornemen. Waarom zouden we het overhaasten?'
'Het steekt niet op een dag of twee,' zei Windrow. 'Maar ik moet wel snel iemand boeken. Ik heb een gat dat ik moet opvullen. Springen jullie erin, prima. Zo niet, nou, we gaan pas volgend jaar zomer of in het najaar weer mensen boeken. Dat zou jullie eerstvolgende kans zijn. En als Johnny Ray niet met zijn Mustang een greppel in was gereden, zou er helemaal geen gat zijn.'
'Ik ga het doen,' zei Wendy. 'Ik doe het.'

18

Zoe begon te praten.

Virgil greep naar zijn hoofd en vroeg: 'Hoe bedoel je, je kunt hem niet vinden. We hebben hem verdomme zelf gesproken. We zagen hem die tent uit komen...'

Sig zei: 'De Duck Inn.'

'... drie uur geleden. Hij is waarschijnlijk teruggegaan naar zijn motelkamer.'

'Daar is hij niet,' zei Zoe. 'Ik ben er geweest en ik heb op zijn deur geklopt. Ik ben zelfs naar het vliegveld geweest en heb Zack gesproken.'

'De beheerder,' zei Sig.

'En Juds vliegtuigje staat daar nog.'

'Hij zal wel in een of andere bar zitten.'

'Ik ben alle bars in de stad af geweest. Hij zou om zeven uur in de Goose zijn.'

Virgil keek op zijn horloge en wendde zich tot Sig. 'Omstreeks die tijd kwam ik jou afhalen.'

'Ik keek toevallig op de klok, net voordat je kwam aanrijden, en het was een paar minuten voor zeven.'

'Dan kwamen we bij de Duck aan om...'

'Ongeveer tien over zeven.'

'Dus hij was al aan de late kant,' zei Zoe. 'Hij kent niemand in Grand Rapids, dat heeft hij me zelf verteld. Ik heb hem nergens kunnen vinden. Wendy, Berni en Cat zijn ook naar hem op zoek... ik bedoel, misschien is hij wel dronken en ergens een greppel in gereden.'

'Hij was niet dronken toen wij hem zagen,' zei Sig, die werd aangestoken door de ongerustheid van haar zus.

Virgil zei: 'O, shit. Als die gast van de weg is geraakt... Weten we in wat voor auto hij reed?'

'Een rode Jeep Commander,' zei Zoe. 'Hij is vanmiddag met Wendy gaan praten en later hebben ze mij erbij gehaald. Ik ben tegelijk met hem weggegaan, dus ik heb zijn auto gezien.'

Virgil ging naar buiten, haalde zijn telefoon uit de pick-up en belde Sanders. 'Misschien is het vals alarm, maar misschien ook niet. Kun je je mannen laten uitkijken naar een rode Jeep Commander met ene Jud Windrow achter het stuur?'

Sig zei: 'Virgil... ga nou maar.'
Hij wilde niet. 'Dit hoort niet bij het onderzoek,' protesteerde hij. 'Ze kunnen hem alleen niet vinden. Het enige wat ik kan doen is in mijn pick-up stappen en door de stad rijden.'
'Ik weet dat het je bezighoudt, oké? We kunnen niet hier blijven terwijl jij zo gespannen als een veer bent en om de twee minuten op je horloge kijkt. Bovendien zul je voortdurend gebeld worden. Dus, ga die man nou maar zoeken. Ik wacht hier op je.' Ze glimlachte. 'Er breekt heus niks af, geloof me.'

Hij liep samen met Zoe de oprit op en zei: 'Je wordt bedankt.'
'Wat had ik anders moeten doen, Virgil?' vroeg ze.
'Ja, ja...'
Ze zei: 'Ik vind het echt heel vervelend. Siggy heeft behoefte aan een man, en nu Joe weg is... Maar Joe...'
'Wat is er met Joe?'
'Joe is een goeie vent,' zei Zoe. 'Hij is voortdurend zoek en dat kun je niet maken als je getrouwd bent, maar hij is een prima kerel en Sig mist een man om zich heen. Ik bedoel, als hij nou een of andere hufter was geweest, zou ze misschien blij zijn dat hij opgehoepeld was. Maar Joe was geen hufter... ís geen hufter. Hij heeft humor, ziet er goed uit, en hij is... ongrijpbaar, op de een of andere manier. En ik weet dat ze daar juist behoefte aan heeft. Jullie zouden een goed stel vormen.'
'Jezus, misschien had jíj met Joe moeten trouwen, als hij zo'n toffe peer is.'
'Virgil...'
'Oké, ik ga al,' zei Virgil. 'En zal ik je eens wat zeggen? Joe kan mijn rug op.'

Toen hij terug reed naar de stad moest hij opeens aan iets denken. Hij stopte op een oprit, haalde zijn notitieboekje tevoorschijn en belde Prudence Bauer in Iowa. Ze nam op nadat haar toestel twee keer was overgegaan en Virgil vertelde wie hij was. 'Sorry dat ik je lastigval, maar heeft Jud Windrow je vanavond toevallig gebeld?'
'Nee. Waarom zou hij?'

'Nou, ik kreeg de indruk dat jullie bevriend waren, dus ik dacht: misschien belt hij haar wel. Hij gaat Wendy contracteren.'

'Virgil, Jud en ik kunnen het goed met elkaar vinden, maar echt bevriend was hij met Connie,' zei Bauer. 'Maar vertel op, en spreek de waarheid, zijn jullie hem kwijt?'

'Ja, tijdelijk,' zei Virgil.

'O mijn god, nee,' zei ze, en hij kreeg spijt dat hij haar had gebeld.

'We weten niet of er iets is gebeurd,' zei hij.

'Maar dat vermoed je wel, anders had je me niet gebeld,' zei ze op scherpe toon. 'Lieg niet tegen me, jongeman.'

'We willen alleen weten waar hij is,' suste Virgil.

'Je kunt zijn ex-vrouw bellen,' zei ze. 'Ze heet Irma Windrow en ze doet nog steeds de boekhouding in de Spodee-Odee. Ze gaan nog heel goed met elkaar om.'

Virgil belde haar.

'We proberen hem te bereiken,' zei Virgil. 'Het gaat over eh... dat contract van Wendy Ashbach.'

'Ik heb niks van hem gehoord. Meestal belt hij om een uur of tien. Dat is het allang geweest, maar weet je, hij belt niet elke avond.'

Ze wist verder niets, maar Windrow had zich niet gemeld.

Virgils ergernis veranderde in oprechte bezorgdheid.

De sheriff belde terug. 'We hebben het kentekennummer opgevraagd bij het verhuurbedrijf en een eerste rondje door de stad gemaakt, maar hij is nergens te vinden. We gaan het zoekgebied vergroten. Wat ben jij aan het doen?'

'Ik ben op weg naar het huis van Ashbach. Daar was hij voordat hij zoekraakte. Dit hele verdomde gedoe heeft met de Ashbachs te maken. Ik weet nog niet of het senior of junior is, maar het is een van de twee.'

'Waar ben je nu?'

'Ik ben Arby's net gepasseerd.'

'Blijf daar wachten, bij Arby's. Als jij naar de Ashbachs gaat, stuur ik een paar van mijn mannen met je mee.'

Virgil stopte aan de kant van de weg, liet de motor lopen, en toen er na drie of vier minuten een patrouillewagen achter hem stopte, stapte hij uit om met Sanders' mannen te praten.

De twee hulpsheriffs heetten Ben en Dan, allebei grote, stevig gebouwde gasten met blauwe ogen en een kuiltje in de kin. Virgil zei: 'Ik heb het sterke vermoeden dat een van de Ashbachs bij deze zaak betrokken is. Ik wil dat iedereen rustig blijft als we daar aankomen, want we hebben het over een schutter die met een geweer kan omgaan en die gestoord is, oké? Hebben jullie kogelvrije vesten? Als we het huis naderen, wil ik dat jullie optreden alsof er schoten zijn gemeld. Blijf niet te dicht bij elkaar zodat hij jullie met één salvo kan neermaaien. Ik ga naar binnen en jullie houden je op de achtergrond. Hebben jullie geweren? Leg ze klaar op de achterbank en als jullie uitstappen, hou dan het portier open en blijf erachter, voor alle zekerheid.'

Nadat hij zijn instructies had gegeven en ervan overtuigd was dat Ben en Dan de situatie begrepen, gingen ze door het duister op weg naar Slibes huis, met Virgils pick-up voorop. Naarmate ze dichter bij het huis kwamen, leek de duisternis intenser te worden, alsof de hemel met Oost-Indische inkt was ingekleurd. De boomtakken hingen lager boven de weg en de grindweg die ze opdraaiden werd steeds smaller en het bereik van hun koplampen steeds minder, alsof het de beginscène van een horrorfilm was.

Ze passeerden de rode brievenbus die het laatste huis voor dat van Slibe markeerde. Ze zagen licht branden in een garage en ook in wat vermoedelijk de keuken was. Toen naderden ze het eind van de weg. In Slibes huis was alles donker en wierp alleen een buitenlamp een roze gloed over het erf. Virgil zag licht bij de hondenkennel, afkomstig van een enkele lamp bij de dakrand, en in Wendy's woonwagen brandden een paar lampen. Voor de woonwagen stonden twee auto's geparkeerd en Slibes pick-up stond voor de deur van het huis.

Virgil trapte drie of vier keer kort op het rempedaal om aan de hulpsheriffs aan te geven dat ze hun bestemming hadden bereikt, en even later reden ze langs het bord met VERBODEN TOEGANG en de groentetuin het erf op.

Virgil reed door naar de woonwagen en ging op het licht achter de ramen af. Hij zag een gordijntje opzij gaan, Wendy's gezicht in een flits. Daarna ging de deur open en vroeg Wendy, met Berni dicht achter zich: 'Heb je hem gevonden?'

'Nee.' Hij zag vanuit zijn ooghoek dat de twee hulpsheriffs achter de patrouillewagen bleven. Goed zo.

'Is hij teruggegaan naar Iowa?' vroeg Berni over Wendy's schouder.

'Zijn vliegtuig staat nog op het vliegveld,' zei Virgil. Hij keek om zich heen en vroeg aan Wendy: 'Waar is je ouweheer? En je broer?'

'Pa is in het huis, en de Deuce... ik heb geen idee, maar hij was hier eerder vanavond. Hij heeft er niks mee te maken.'

Virgil hoorde een deur dichtslaan en draaide zich om. Hij zag Slibe de veranda af komen en naar de hulpsheriffs kijken, de ene hulpsheriff knikte naar de andere en mompelde iets.

Wendy zei: 'Berni vertelde dat je haar vanmiddag in elkaar hebt geslagen.'

Slibe kwam aanlopen en vroeg: 'Wat is hier verdomme aan de hand?'

Virgil zei: 'Jud Windrow wordt vermist.'

'En wat hebben wij daarmee te maken?'

De reactie was te fel, kwam te snel en was te defensief, vond Virgil, en in zijn hoofd begon zich een scenario te ontvouwen.

'Hij is hier voor het laatst gezien, toen hij met jullie kwam praten,' zei Virgil. 'De avond voordat McDill werd doodgeschoten, was je dochter bij haar. En je dochter zou al eens eerder een contract bij Jud tekenen, maar toen werd haar contactpersoon gewurgd in Iowa. Maak je hier iets uit op?'

'Ja, dat iemand probeert mijn dochter te naaien,' zei Slibe.

'Waar was je vanavond omstreeks zeven uur, en waar was je zoon?' vroeg Virgil.

'Ik was hier. Het gesprek was afgelopen, Jud is vertrokken en de meisjes gingen ook weg omdat ze moesten spelen. Ik heb de honden eten gegeven en heb er een paar getraind totdat het te donker werd.'

'En je zoon?'

Slibe wierp een blik in de richting van de kennel en zei: 'Die is op *walkabout*. Hij was zijn rugzak aan het inpakken en ik heb tegen hem gezegd dat ik wel wat hulp met de honden kon gebruiken. Hij zei dat hij daar geen tijd voor had, heeft zijn geweer gepakt en is vertrokken.'

'Lopend?'

'Ja, natuurlijk, anders is het geen walkabout,' zei Slibe. 'Trouwens, Jud was oké toen hij hier wegging, dat heeft iedereen kunnen zien. Hoe had de Deuce hem naar de stad moeten volgen? Had hij achter zijn auto aan moeten rennen, zwaaiend met een geweer?'

'Jud zou naar de Duck Inn gaan,' droeg Wendy bij.

Virgil keek de drie een voor een aan, liet zijn tong over zijn onderlip gaan en dacht: verdomme, ze staan me voor te liegen. Dat moest wel. Op een zeker moment gedurende de avond...

Berni zei: 'Weet je wie het heeft gedaan? Als Jud spoorloos is? Je vriendin Zoe.'

Virgil zei: 'We hebben Zoe doorgelicht en van de verdachtenlijst geschrapt.'

'Waarom?' vroeg Wendy. 'Vanwege haar lekkere kontje? Nou, ik kan je vertellen dat daar weinig lol aan te beleven valt.'

'Zij was degene die tegen Jud zei dat hij naar de Duck Inn moest gaan, dus ze wist waar hij was,' zei Berni, om de druk op te voeren.

'Je ziet haar overal in de stad, met al die belastingaangiften die ze voor de mensen doet,' zei Slibe. 'Dan zie je haar auto weer ergens staan en denk je: die zit weer cijfertjes in te vullen.'

'Ze kan gehoord hebben dat ik bij McDill was,' zei Wendy. 'Ze was de dag daarna in het resort en het is mogelijk dat iemand me met McDill gezien heeft. En zij kende McDill goed genoeg om te weten dat ze 's avonds bij het adelaarsnest ging kijken.'

Virgil dacht aan de barkeepster die Wendy met McDill had gezien. Was zij de enige die ze had gezien, of waren er meer geweest?

Wendy keek haar vader en Berni aan. 'En die vrouw die in Iowa is vermoord... dat was in de tijd dat Zoe en ik iets met elkaar hadden. Een jaar of twee geleden. Ja, dat was het, twee jaar geleden.' Ze wendde zich weer tot Virgil. 'Jezus christus, Virgil, het is Zoe.'

Virgil voelde dat hij in een hoek werd gedreven. Misschien stonden ze dit ter plekke uit hun duim te zuigen, maar het klonk geloofwaardig en hij had er niets tegen in te brengen.

Tegen Slibe zei hij: 'Ik wil je zoon spreken. Het kan me niet schelen waar hij uithangt, zoek hem op en zeg dat ik hem wil spreken. En als ik morgen voor het eind van de dag niks van hem heb gehoord, beginnen we een klopjacht. Dan roken we hem uit het bos.'

Slibe snoof. 'Weinig kans.'

'Ik vind hem heus wel,' zei Virgil, en hij bleef Slibe even recht aankijken.

Slibe gaf geen krimp en keek terug, met ogen als zwarte knikkers. 'Wat? Gaan jullie hem erin luizen? De Deuce heeft het niet gedaan. Waarom zou hij, vertel me dat eens.'

Ik kan het antwoord beter voor me houden, dacht Virgil. Omdat hij zijn zus wilde neuken? Omdat hij bang was dat ze wegging en nooit meer zou terugkomen?

Virgil zei: 'Ik wil hem zien. Morgen.' Hij draaide zich om, liep terug naar de pick-up en knikte naar de hulpsheriffs, die vervolgens in hun auto stapten. Toen Virgil zelf instapte riep Wendy hem na: 'Het was Zoe, stomme hufter! Zoe heeft het gedaan.'

Virgil reed voorop en toen ze uit het zicht van het huis waren verdwenen, zette hij zijn auto in de berm. De patrouillewagen deed hetzelfde. Hij stapte uit, liep naar de patrouillewagen en vroeg: 'Weet een van jullie waar Jan Washington woont, of kunnen jullie dat opvragen?'
'Jazeker. Ze woont ten zuiden van de stad, aan de andere kant van de rivier.'
Ze vertelden hoe hij moest rijden en Virgil keek op zijn horloge. Middernacht. Nou, dan had hij pech... als Washingtons man thuis was, dan kwam hij zijn bed maar uit. Hij vroeg aan de hulpsheriffs: 'Wat is jullie indruk, van zonet bij het huis?'
Ze keken elkaar even aan en een van hen zei: 'Ik krijg een onaangenaam gevoel van die lui.'
'Ik ook,' zei de andere. 'Ze zijn mij een beetje te dik met elkaar. Ik heb altijd mijn twijfels gehad over Wendy en haar ouweheer. Ik heb me meer dan eens afgevraagd of die twee, misschien jaren geleden, met elkaar... je weet wel.'
'O,' zei Virgil.
'Aan de andere kant,' zei de eerste hulpsheriff, van wie Virgil dacht dat hij Dan heette, 'lijkt het me niet onverstandig om Zoe ook nog eens goed onder de loep te nemen. Dat hele gezin was ook verre van normaal. Wist je dat hun moeder lesbisch was? Ik bedoel, dat ze het later is geworden?'
O ja, dacht Virgil, nou en? Maar hij zei het niet. Hij ging rechtop staan, deed het portier dicht en zei: 'Oké, rustig aan, jongens. Probeer verdomme Windrow voor me te vinden. Man, als hij naar een van de andere resorts is gegaan, krijg ik echt de pest in.'
'En dat zou heel goed kunnen,' zei Dan. 'Het barst hier van de resorts. We hebben ze wel al gebeld, maar hij is nog nergens gesignaleerd.'
'Wat ik het vreemdst vind is dat we de auto niet kunnen vinden,' zei Virgil. 'Dat begrijp ik dus niet. Zelfs als ze hem hebben vermoord, zouden we die toch moeten kunnen vinden?'
'Die is vast ergens in het bos gedumpt,' zei Ben.
'Vind hem,' zei Virgil, en hij liep terug naar de pick-up.

En hij dacht:
Als iemand Windrow ontvoert, mét zijn auto, hem vermoordt en zijn auto diep in het bos dumpt... hoe komt de dader dan terug bij zijn eigen

auto? Dat was alleen mogelijk wanneer hij zijn auto had achtergelaten op een parkeerterrein dat 's nachts open was en hij bereid was naderhand tien tot vijftien kilometer in het donker te lopen. Of misschien had hij de auto dichterbij gedumpt, zodat de wandeling terug maar een halfuurtje duurde. Maar hoe wist hij dat van tevoren? Om te beginnen moest hij weten waar Windrow ging eten.

Tenzij ze met twee man waren geweest.

Zoals Slibe & Zoon.

En de politie van Iowa dacht dat de moordenaar een man was...

De Washingtons woonden een kilometer of tien buiten de stad, ook aan een landweg, maar minder geïsoleerd dan de Ashbachs. Virgil zag overal lichtjes, huizen, schuren, auto's en brievenbussen op een paal langs de weg.

Hij reed hun huis per ongeluk voorbij, moest weer achteruit terug en richtte zijn zaklantaarn op de brievenbussen totdat hij het huisnummer had gevonden. Het was een wit laag huis, in ranchstijl, met kunststof buitenwanden, een garage voor twee auto's, een schuurtje achter het huis en borders met bloemen aan weerszijden van de oprit. Zo te zien brandde er alleen een nachtlamp, maar de buitenverlichting ging aan toen Virgil de oprit opreed.

De veranda aan de voorkant bestond uit een kaal, betonnen terras. Virgil belde aan, hoorde gestommel van voetstappen en even later ging het verandalicht aan. Washington keek door het ruitje in de deur, draaide die van het slot, deed open en vroeg: 'Jan? Is alles oké met Jan?'

Virgil stak zijn handen op en zei: 'Sorry dat ik je heb laten schrikken, maar het gaat niet over Jan. Ze is in goede handen, dat weet ik zeker. Maar we zitten met een probleem en ik zou je graag een paar vragen willen stellen.'

Washington, in zijn blauwe pyjama, zei: 'Natuurlijk, kom binnen. Wat is er aan de hand?'

'We zijn naar iemand op zoek,' zei Virgil, en hij legde in het kort uit wat er misschien met Windrow was gebeurd. 'Dus wat ik je vragen wil is het volgende: heb jij, of heeft je vrouw, ooit iets te maken gehad met Slibe Ashbach, of met zijn zoon?'

'Nee, voor zover ik weet niet. Hij heeft toch die septic tankservice? Die van ons wordt gedaan door El Anderson.'

'Maar je kent ze wel? Slibe en zijn zoon?'

'Slibe... senior... ik zat ooit in een hulpforum voor belastingzaken, een paar jaar geleden, en hij kwam toen vragen of hij recht had op belasting-vermindering, geloof ik. Ik kan me niet herinneren wat er precies is ge-beurd, maar veel stelde het volgens mij niet voor. Ik geloof dat we hem hebben geadviseerd zijn aangifte te laten herzien. Als ik hem tegenkom, herken ik hem waarschijnlijk wel. Denk ik.'

'Oké,' zei Virgil, en toen: 'Doe je je eigen aangifte zelf?'

'Wat?' Washington leunde achterover.

'Je belastingaangifte, doe je die zelf? Of laat je die doen?'

'Die laten we doen, door een vrouw in de stad,' zei Washington.

Virgil voelde een knoop in zijn maag. 'En wie is die vrouw?'

'Ze heet Mabel Knox.'

'Mabel Knox?' Opluchting.

'Ja, ze werkt voor Zoe Tull,' zei Washington. 'Zoe heeft een groot ac-countantskantoor in de stad.'

Dus de Washingtons kenden Zoe, en Zoe kende de Washingtons.

Het had waarschijnlijk niks te betekenen, dacht Virgil. Maar toch... het was het enige verband dat hij kon ontdekken.

En hij had het graag eerder geweten, hij had het eerder uit haar moeten trekken.

Dat zou hij ook hebben gedaan, als hij er diep in zijn hart niet van over-tuigd was geweest dat Zoe onschuldig was...

19

Slibe Ashbach ging via de achterdeur naar buiten, bleef roerloos in het duister staan en spitste zijn oren. Als je 's nachts heel goed luisterde, hoorde je het zachte geritsel op de achtergrond, alsof de gevallen boombladeren tegen elkaar fluisterden en de insecten hardloopwedstrijden hielden in het lange gras.

Dat hoorde hij nu, maar geen geluiden die door een mens werden veroorzaakt. Er brandde nog licht in Wendy's woonwagen, en licht, wist Slibe, trok de Deuce aan als een mot.

Hij liep in het vrijwel inktzwarte duister op zijn tennisschoenen zo zachtjes als hij kon de tuin door naar de achterkant van de woonwagen, en met gebogen hoofd onder de ramen door. Hij gluurde om de hoek en zag de Deuce staan, op zijn cementblok, met zijn gezicht tegen het raam gedrukt. Slibe voelde zijn woede oplaaien toen hij hem zag, haalde een keer diep adem, riep zichzelf tot de orde en vroeg zachtjes: 'Is het interessant?'

De Deuce verroerde zich niet. Er viel een streep licht over zijn oog, van de binnenverlichting die langs de omgebogen jaloezie scheen. Hij zei, nog zachter dan Slibe: 'Ik hoorde je aankomen vanaf het moment dat je de achterdeur dichtdeed. Alsof er een olifant door het gras liep te stampen.'

Daarna stapte hij van het cementblok af en kwam dichter bij Slibe staan. Zijn ogen waren weer in schaduw gehuld en hij vroeg: 'Wat kom je doen?'

'We moeten praten, nu meteen,' zei Slibe. 'Ga mee naar de kennel, weg van de muggen.'

'De muggen doen me niks,' zei de Deuce, en dat was ook zo.

'Maar mij wel. Kom mee naar de kennel.'

Ze liepen snel weg van de woonwagen, niet naast elkaar maar de Deuce een stap achter Slibe, zwijgend. De meeste honden sliepen, en eentje jankte zacht toen ze langs de hokken naar de trap liepen.

Boven ging de Deuce op een keukenstoel zitten. 'Nou, wat is er?'

'Heb je gezien dat de politie hier was?'

'Ja. Ik zat bij het aspergeveldje.'

'Die ene smeris, van de staat Minnesota, Flowers, denkt dat jij het hebt gedaan. Dat je die mensen hebt vermoord, en nu wordt sinds vanavond die Windrow vermist. Ze kunnen hem nergens vinden en denken dat hij dood is.'

'Ik heb het niet gedaan,' zei de Deuce.

'Luister, sukkel, het kan de politie allang niks meer schelen wie het heeft gedaan,' zei Slibe. 'Ze zitten met één dode vrouw, één zwaar gewonde vrouw en een vermiste man, en het enige wat ze willen is iemand arresteren en zeggen dat het allemaal voorbij is. Flowers vroeg me waar je was en ik heb gezegd dat je op walkabout was.'

'Ik heb eten nodig als ik dat doe,' zei de Deuce.

'We hebben eten. Haal spullen uit de keukenkast en smeer hem.'

'Ik weet niet of ik dat wel wil,' zei de Deuce.

'Als je het niet doet, ga je de bak in, daar kun je vergif op innemen. En ik betwijfel of je er ooit nog uitkomt.'

'Maar ik...'

'Luister nou. Hoor je niet wat ik zeg? Het kan ze niks schelen. Ze willen gewoon iemand arresteren. De sheriff wil volgend jaar herkozen worden. Als ze iemand anders vinden, is dat natuurlijk prima... dan laten ze jou weer gaan. Maar doen ze dat niet, dan hang je.'

De Deuce liet het hoofd hangen, zoals hij altijd deed wanneer hij over iets nadacht. Na ongeveer vijftien seconden zei Slibe: 'Ik heb ze gezegd dat je al weg was. Als je een tijdje uit de buurt blijft, pakken ze heus wel iemand anders op, denk ik.'

De Deuce zei nog steeds niets, maar hij draaide zich een kwartslag om op zijn stoel en keek naar de stapel kampeerspullen bij de zijwand. 'Ik heb gisteren bij Martin's twee dozen patronen gekocht. Als ik Shake 'n Bake had en pannenkoeken kan maken, hou ik het wel een tijdje uit.'

'Er staat een pak met twaalf flesjes in de keukenkast, niet aangebroken,' zei Slibe. 'Er zijn nog cornflakes en toen ik pas in een cafetaria at, heb ik van die kleine zakjes peper en zout in mijn zak gestopt, een stuk of twintig. Ik zal ze pakken als je die wilt meenemen.'

Een kwartier later had de Deuce zijn spullen gepakt... een knapzak, schone kleren, vier paar sokken, een .22 pompactie met twee dozen patronen, vijftig stuks per doos, zijn jachtmes, een koplamp op batterijen, een muskietennet, handschoenen en een spuitbus muggenspray. Hij dacht even na en voegde er een lichtgewicht hengel, een kleine viskoffer en een yogamatje aan toe.

Slibe kwam terug met een plastic tas met eten: de flesjes Shake 'n Bake, cornflakes en een sixpack bier. De Deuce zei: 'Ik ga niet lopen.'

'Wat?'

'Ik neem de kano,' zei hij. 'Als je me bij de rivier afzet, zak ik die af naar het zuiden, tot aan het moerasgebied bij Deer River. Daar kan ik zo lang blijven als ik wil, *sunnies* en *northerns* vangen en opeten.'

'Maar ik heb ze verteld dat je lopend was.'

'Als ze me er ooit naar vragen, zeg ik dat ik de kano daar had aangelegd en dat ik ernaartoe ben gelopen.'

Slibe zei: 'Oké, oké. Maar we moeten nu gaan. De meisjes zijn naar bed, dus we moeten het nu doen.'

De Deuce bracht de tas met eten, de viskoffer, het geweer, de hengel en het yogamatje naar de pick-up. Slibe ging naar de schuur en kwam terug met twee peddels voor de kano. Het was acht minuten rijden naar de gammele aanlegsteiger bij Big Dick Lake. De kano, een oude, aluminium Grumman, lag verscholen in het groen, met een ketting aan een boom. Ze haalden het hangslot van de ketting, tilden de kano in de laadbak van de pick-up en reden naar de rivier.

'Donker,' zei Slibe toen ze Highway 2 verlieten en langs de rijstfabriek naar de botensteiger reden.

'Niks mis mee, als je eraan gewend bent,' zei de Deuce.

Ze lieten de kano te water bij de brug en knipten de koplamp aan. De Deuce bracht het eten, het geweer, de hengel en het yogamatje naar de kano.

'Dat matje,' zei Slibe. 'Begin je soft te worden?'

'Tegen de boomwortels,' zei de Deuce. 'Dat slaapt beter.' Hij pakte de peddels van Slibe aan en voegde eraan toe: 'Ik weet niet wat je aan het doen bent, pa, maar ik zou het op prijs stellen als je mij erbuiten liet.'

Hij duwde de kano af, maakte een bocht en verdween de nacht in.

Slibe keek hem na totdat hij hem niet meer zag of hoorde, spuugde in het water en liep de helling naar de pick-up op.

Hij stopte bij een benzinestation dat 's nachts open was, kocht een flesje bier en dronk het leeg terwijl hij naar huis reed.

En al die tijd dacht hij koortsachtig na.

En werkte zijn plan uit.

20

Virgil stond op Zoe's veranda en bonsde op de deur alsof hij haar dronken echtgenoot was. Het verandalicht ging aan, de binnendeur werd geopend en Zoe gluurde naar hem door de hordeur. 'Virgil?'

Ze had al haar kleren nog aan.

'We hebben hem niet gevonden. Ik ben bij de Ashbachs geweest. Mag ik binnenkomen?'

'Ja, natuurlijk.' Ze deed een stap achteruit en Virgil trok de hordeur open, volgde haar naar de woonkamer, plofte neer op de bank en voelde zijn pistool tegen zijn ruggengraat drukken. Hij was het vergeten. Hij boog zich naar voren, trok het pistool achter zijn broekband vandaan en legde het op de salontafel.

'Je bent gewapend,' zei ze. Haar stem klonk licht bezorgd.

'Niet vanwege jou,' zei Virgil. 'Ik was bij de Ashbachs met een paar hulpsheriffs en we waren op alles voorbereid.'

'Om iemand dood te schieten, bedoel je.'

'Om terug te schieten, bedoel ik. Die lui daar zijn hartstikke gestoord. Die Slibe zegt verdomme dat zijn zoon verdomme op walkabout is, wat dat dan ook mag betekenen.'

'Dat is Australisch.'

'Dat weet ik ook wel,' mopperde Virgil. 'Ik ben een smeris, niet achterlijk. Maar goed, de Deuce zwerft dus midden in de nacht met een geweer door het bos. Toen ik de anderen onder druk zette, waren ze – Berni, Wendy en Slibe – het erover eens wie de dader moest zijn.'

'De Deuce?' Ze klonk sceptisch.

'Nee. Jij.'

Ze leunde achterover. 'Wendy ook?' vroeg ze met een klein stemmetje.

'Wendy ook. Hoewel Berni je naam als eerste noemde. Dus hier ben ik, om te doen wat ik dagen geleden had moeten doen maar niet heb gedaan omdat ik je graag mag. Ga een stuk touw zoeken.'

'Touw?'

'Ja, een stuk waslijn of zoiets. Ongeveer twee meter lang.'

Ze moest een tijdje zoeken, maar uiteindelijk kwam ze terug met een stuk elektriciteitsdraad waarvan Virgil zei dat ze het er maar mee moesten doen. Hij nam haar weer mee naar de woonkamer, sloeg het stuk draad om zijn nek, stak zijn hand ertussen, hield hem met de handpalm naar buiten voor zijn adamsappel en zei: 'Wurg me.'

'Wat?'

'Wurg me, en doe je uiterste best,' zei hij.

'Virgil, ik wil je geen pijn doen,' zei ze.

'Nou, als ik zeg dat je me pijn doet, hou je op.'

Dus deed ze heel voorzichtig of ze hem probeerde te wurgen, schudde hij haar als een vlo van zich af en zei: 'Doe beter je best, of ik schop je verdomme onder je lesbische kont de hele kamer door.'

Dat gaf haar nieuwe energie, of in elk geval een beetje. En hoewel ze beter haar best deed, wrong hij zich moeiteloos los, trok haar met zich mee en zei: 'Je lijkt wel een klein kind. Wat een slappeling ben jij. Ik zal je dit zeggen, mijn derde ex-vrouw was half zo groot als jij, maar ze zou er meer van hebben gebakken.'

Het provoceren had het gewenste effect. De derde keer gaf ze echt alles wat ze in zich had. Hij had moeite zich los te wringen, rukte haar naar links en naar rechts en met een uiterste krachtsinspanning draaide hij zich om zijn as, totdat het stuk draad door haar handen begon te glijden en ze riep: 'Au! Mijn handen.'

Hij trok het stuk draad van zijn nek en vroeg: 'Alles oké met je?'

'Je hebt bijna mijn vingers gebroken.' Ze hing half onderuit op de bank waar ze zich op had laten vallen, en keek naar de rode striemen in haar handpalmen.

Hij ging zitten en keek haar aan. 'Goed dan. Je zóú Lifry gewurgd kunnen hebben, maar ik zie je nog niet haar kop van haar romp snijden.'

'Ik heb niemand gewurgd,' zei ze, en de tranen schoten haar in de ogen.

'Waarom heb je me niet verteld dat je de belastingen van Jan Washington doet?'

'Ik doe...' En toen vormde haar mond een O. 'O, shit. Mabel doet haar belastingen.'

'Daar heb je niks over gezegd,' zei Virgil.

'Omdat ik haar belastingen niet doe,' zei ze. 'Ik heb er geen moment aan gedacht. Mabel doet hun aangiftes. Ze brengen de papieren langs, in een grote envelop, en die gaat rechtstreeks naar Mabel. Of het gaat per post; dan sturen we een invullijst met een retourenvelop en Mabel rekent alles na. Ik bedoel, ik spreek Jan Washington twee, drie keer per jaar, maar

nooit op kantoor. Alleen op straat, dan maken we weleens een praatje.'
Virgil bleef haar even aankijken en zei toen: 'Kom mee.'
'Waar gaan we naartoe?' vroeg ze.
'Naar de Eagle Nest.'
'Het is één uur geweest.'
'Als ik wil weten hoe laat het is, kijk ik wel op mijn horloge,' zei Virgil.
'Kom mee.'
Ze liepen naar de pick-up – ze moesten eerst weer naar binnen omdat Virgil zijn pistool was vergeten, dat hij daarna onder zijn stoel legde – en gingen op weg naar het resort.

Het kan in augustus 's nachts koud zijn in het noorden van Minnesota, en deze nacht was misschien niet echt koud, maar wel fris. Toen ze bij het hoofdgebouw aankwamen, stapten er net een stuk of zes vrouwen uit een auto, die vervolgens naar hun huisjes liepen. Ze kwamen waarschijnlijk terug van de Wild Goose, vermoedde Virgil. De meeste huisjes stonden rechts van het hoofdgebouw, meer landinwaarts, maar Zoe nam hem mee langs de linkerkant van het hoofdgebouw, naar een huisje dat op het hoogste punt van het terrein stond en dat een groene, met glas afgeschermde veranda had.
'Ze zal flink de smoor in hebben,' zei Zoe.
'Nou en?'
'Ik zeg het alleen maar.'

Stanhope was eerder verbijsterd dan boos. Ze droeg een wijde, flanellen pyjama met een patroon van dansende aapjes, en een tot op de draad versleten roze badjas eroverheen. 'Wat is er aan de hand?'
'Zoe is er door drie mensen openlijk van beschuldigd dat zij de dader is,' zei Virgil tegen haar. 'Dus ik moet óf haar onschuld aantonen, óf haar arresteren.'
'Wat?' Verbijsterd, niet boos.
'Laten we ergens gaan zitten,' zei Virgil.
Stanhopes woonkamer was comfortabel ingericht, op een vakantiehuisjesmanier, met planken vol oude romans en rijen *Reader's Digests* uit de jaren zestig of omstreeks die tijd. Op de armleuning van een fauteuil lag een bijbel. Virgil pakte hem op, gooide hem als een honkbal van de ene hand over in de andere en zei tegen de twee vrouwen: '"Bedriegers zijn de Heer een gruwel." Spreuken twaalf, tweeëntwintig.'
Stanhope: 'Twaalf tweeëntwintig?'

217

'Hoe kun je de hele dag "godverdomme dit" en "godverdomme dat" zeggen en even zo goed uit de Bijbel citeren?' vroeg Zoe.

'Hou je mond en ga zitten,' zei Virgil. 'Jullie allebei.'

Ze deden wat hij zei.

Tegen Zoe: 'Nou, op de dag dat McDill werd vermoord was jij hier, klopt dat?'

'Ja, ik was gekomen om de boeken te doen,' zei Zoe. 'De dag daarna, toen jij hier aankwam, heb ik het afgerond. Je moet in Minnesota elk kwartaal je personeelsgegevens indienen, en de teruggaven krijg je dan een maand later.'

'Hoe laat ben je weggegaan?'

'Ik... dat weet ik niet meer. Ergens in de middag.'

Ze keek naar Stanhope, die haar schouders ophaalde. 'Ik weet het ook niet meer.'

Virgil zei tegen Stanhope: 'Met dat soort bullshit neem ik geen genoegen meer. Doe je ogen dicht en concentreer je, als je dat nog kunt. Denk na. Wanneer heb je Zoe die dag voor het laatst gezien? Wat was je aan het doen toen je haar zag?'

Stanhope sloot haar ogen, legde haar handen met ineengevlochten vingers in haar schoot en uiteindelijk zei ze: 'Ik zag haar op het parkeerterrein lopen. Ik was in het kantoor. Ik had net met Helen gesproken...' Ze keek op. 'Oké. Helen stond op het punt om weg te gaan en ik vroeg haar of ze haar cijfers klaar had, zodat Zoe er de volgende ochtend mee aan de slag kon. En Helen gaat altijd om even voor drieën weg omdat ze haar kind om kwart over drie bij het kinderdagverblijf moet ophalen. Dus het moet een paar minuten voor drie zijn geweest.'

Virgil vroeg Zoe: 'Klopt dat?'

Ze knikte. 'Ja, volgens mij wel.'

Aan Stanhope vroeg hij: 'Als ik je voor de rechter sleep, ben je dan bereid dit onder ede te verklaren?'

Ze knikte. 'Ja. En Helen ook, neem ik aan, want zij werkte samen met Zoe voordat ze Steve ging halen.'

'Steve is het kind?'

'Ja,' zei Stanhope. 'Haar zoontje van drie.'

'En hoe laat is McDill volgens jullie met de kajak het meer op gegaan?' vroeg Virgil.

'Aan het begin van de avond... een uur of zes, omstreeks die tijd. Ik weet het niet precies, want niemand heeft haar echt zien weggaan. Maar het is heel goed mogelijk, want er peddelen op elk willekeurig moment van de dag mensen op het meer.'

'Dus Zoe gaat om drie uur weg, ongeveer, en McDill vertrekt pas drie uur later.'

'Dat lijkt me juist,' zei Stanhope.

'Ken je die weg die bij de kreek langs het meer loopt?'

'Ja, natuurlijk,' zei ze. 'Ik maak er in de herfst vaak gebruik van. We proberen goede contacten te onderhouden met de mensen die daar wonen.'

'Waar kan de moordenaar een auto hebben verborgen?'

Daar moest Stanhope even over nadenken, en na een minuut zei ze: 'Er zijn daar drie huisjes die naar het meer toe gekeerd staan, en nog twee, maar dat zijn jachthutten die niet aan het water staan. Je zou daar de oprit op kunnen rijden en je auto achter het huisje kunnen parkeren. Of aan het eind van de oprit. Het is daar dicht begroeid, dus je kunt vanaf de weg niet zien of er een auto staat.'

'We zijn er gaan kijken en konden inderdaad niet veel zien,' zei Virgil. 'Maar dan nam de schutter wel een groot risico. Stel dat er iemand thuis was als hij uit zijn auto stapte...'

Stanhope schudde haar hoofd. 'Dat kun je gemakkelijk zien. Er staat niet veel in die huisjes... een bed, een elektrisch kookplaatje, een waterpomp, een tafel en een paar stoelen. Niks wat het stelen waard is. Dus ze doen het hek bij de weg wel dicht, maar niet op slot. Als je erlangs rijdt en het hek is dicht, is er niemand thuis. Als er iemand is, voor een paar dagen of om zich voor te bereiden op het jachtseizoen, laten ze het hek open.'

'Dus je kunt daar stoppen, het hek opendoen, de oprit oprijden, het hek weer dichtdoen en je bent uit het zicht.'

'Ja.'

Virgil vroeg aan Zoe: 'Doe je van iemand daar de belastingen?'

Ze schudde haar hoofd. 'Het zijn mensen van buiten de stad. Uit de Cities, vermoed ik. En eentje uit Alex...'

Ze stapten weer in de pick-up. 'Waar nu naartoe?' vroeg ze.

'Naar je kantoor. Je hebt vast wel een agenda.'

'Ja, die heb ik,' zei ze.

Ze reden in een stilte die niet bepaald kameraadschappelijk was terug naar de stad. Onderweg belde Virgil het kantoor van de sheriff en sprak even met de agent van dienst: geen Windrow.

'Denk je dat hij dood is?' vroeg Zoe met een klein stemmetje.

'Ik weet het niet, maar ik kan je evenmin garanderen dat hij nog leeft,' zei Virgil. Hij gaf een klap op het stuur. 'Ik moet iets dóén. Ik moet iets doen en ik doe niks.'

In Zoe's kantoor in de stad startte ze haar computer op, opende de agenda en vond twee namen, die ze zich allebei herinnerde. 'Dat duurde zeker tot na vijven,' zei ze.

'Maar dat is niet laat genoeg, Zoe,' zei Virgil. 'Als je hier om vijf uur wegrijdt, kun je gemakkelijk op tijd daar zijn. Denk na. Wat heb je daarna gedaan?'

'Ik ben naar Donaldson's gewandeld en heb daar iets gegeten – ik kook niet zo vaak, net als Sig – en daarna... eh, wacht even.' Ze leunde achterover en sloot haar ogen. 'Ik ben gaan eten... maar eerst heb ik wat etalages bekeken en heb ik bij Gables een tijdschrift gekocht, want ik lees graag tijdens het eten. O, en ik heb getankt.'

'Heb je dat met een creditcard betaald?'

'Ja.'

'En dat zou om een uur of zes geweest zijn?'

Ze dacht erover na. 'Ja, zo ongeveer. Of iets later, want misschien ben ik niet meteen om vijf uur weggegaan. Dat lukt me zelden. Laat me even nadenken...'

Ze sloot haar ogen weer. Na een minuut zei ze: 'Weet je, ik herinner me dat ik Mabel gedag zei toen die naar huis ging. Ze kwam me iets vertellen... hm... ik weet niet meer wat, iets wat niet met het werk te maken had, maar ik denk dat zij het ook nog wel weet. Daarna heb ik nog even doorgewerkt. Mabel gaat altijd om vijf uur weg... ze is zowel receptioniste als accountant, dus als zij weggaat is het kantoor gesloten. Maar weet je, volgens mij ging ik zelf pas om twintig over vijf weg. Dus het kan kwart over zes of misschien zelfs halfzeven geweest zijn toen ik tankte.'

Ze stak haar wijsvinger naar hem op. 'Mijn creditcards. Ik betaal alles met creditcards, zodat ik zicht op mijn uitgaven kan houden. De meeste accountants doen dat. Kom mee, we moeten terug naar mijn huis.'

Het was drie uur toen ze uit de pick-up stapten. Ze nam hem mee naar een kleine werkkamer met een bureau, een dossierkast en een grote muurkast. Toen ze de deur van de muurkast opende, zag Virgil een rij plastic archiefdozen met jaartallen die teruggingen tot 2005.

Ze zei: 'Constance Lifry werd twee jaar geleden vermoord. Heb je daar een datum en tijd van?'

'Ja. In de pick-up.'

Hij kwam terug met zijn notitieboekje en ze haalde de doos van dat jaar uit de kast. Ze zocht haar maandafrekeningen van American Express en Visa op en ze namen de aankopen door.

'Hier,' zei ze. 'Ik ben die dag ook bij Nordstrom's geweest. Die gaan pas om elf uur open. Ze kennen me daar, en ik koop daar alles met mijn creditcard. Kijk, ik ben ook bij Target geweest; daar heb ik een hele berg spullen gekocht. En de volgende dag...'

'Je kunt de volgende dag teruggereden zijn,' zei Virgil. 'Bovendien staan er geen aankooptijden op vermeld.'

'Maar die hebben ze in de computer,' zei Zoe. 'Je kunt ze bij Visa en Amex opvragen.'

'Dat ga ik ook doen,' zei Virgil. 'Ik laat me niet langer in de luren leggen, Zoe.'

'Je gaat je gang maar,' zei ze. 'Dan hebben we het maar achter de rug.' En na een korte stilte: 'Je weet dat ik het niet heb gedaan.'

Ze hadden op hun knieën op de grond gezeten terwijl ze de papieren uit de doos doornamen, maar uiteindelijk stond Virgil op en vroeg: 'Wat voor tankpasje gebruik je?'

'Ik heb geen tankpasje,' zei ze. 'Ik betaal mijn benzine met Visa. Je kunt op de afrekeningen zien wanneer ik heb getankt.'

Hij nam de maandafrekeningen van Visa nog eens door en zag dat ze drie dagen voor de moord op Lifry en vier dagen erna had getankt. Daartussenin vond hij niets. Natuurlijk kon ze de benzine met contant geld hebben betaald, hoewel de meeste mensen daar niet bij stilstonden.

Hm.

Hij haalde zijn telefoon uit zijn zak, zocht een nummer en belde dat. Het toestel ging zes keer over voordat er werd opgenomen en Sandy, de hippie van kantoor, vroeg: 'Virgil, weet je wel hoe laat het is?'

'Momentje, ik zal even kijken,' zei Virgil.

'Ben je in de stad? Ik dacht dat je...'

'Ik ben in het noorden, bezig met een zaak,' zei Virgil. 'Pak pen en papier. Ik heb informatie nodig, morgenochtend, als ik opsta, wat waarschijnlijk om een uur of tien zal zijn.'

'Ik heb om tien uur een college osteologie.'

'Dan bel ik je om vijf voor tien,' zei Virgil. 'Je moet bij alle creditcardmaatschappijen informeren naar creditcards op naam van Slibe Ashbach. Heb je een pen?' Die had ze, en hij spelde de naam. 'Ik wil weten wanneer en waar hij benzine heeft getankt.'

Hij gaf haar de data.

'Weet je, Virgil, daar doe je me nou echt een plezier mee,' zei Sandy.

Virgil hoorde een mompelende mannenstem op de achtergrond en vroeg: 'Wie is dat?'

'Ik heb ook mijn vrienden,' zei ze.

'Sandy...'

'Virgil, hou je mond.'

Zoe vroeg: 'Wie was dat? Een speciale vriendin?'

'Een onderzoeksassistent van kantoor,' zei Virgil.

'Heeft ze weleens onderzoek naar Virgil Flowers gedaan?'

'Misschien wel,' zei hij.

Ze zwegen enige tijd en uiteindelijk vroeg Zoe: 'En? Hoe luidt het vonnis?'

'Ik heb nooit gedacht dat jij het hebt gedaan,' zei Virgil. 'Daar ben je veel te stabiel voor. Al heb je wel een stabiliteitsprobleempje als het op Wendy aankomt. Maar als je iemand zou vermoorden, zou het waarschijnlijk Berni zijn. Of Wendy. Of jezelf.' Hij nam zijn onderlip tussen duim en wijsvinger en dacht erover na. 'Maar het is een gecompliceerde zaak. Als je ervan uitging dat ze Berni uiteindelijk zou dumpen, waarom zou je haar dan vermoorden? McDill was misschien een veel grotere bedreiging voor je, want die kon jou zowel Wendy als het resort afnemen.'

'Ach, jezus christus, ik ga naar bed,' zei Zoe, en ze stond op van de vloer. 'Als je besluit me te arresteren, laat het me dan weten, dan kan ik eerst mijn haar wassen.'

'Dat zeggen ze allemaal,' zei Virgil.

Later, achter het stuur van de pick-up, zette hij een streep door Zoe's naam. Hij zou nog een paar dingen nagaan, voor de zekerheid, maar hij wist vrijwel zeker dat ze het niet had gedaan.

21

Voordat Virgil ging slapen dacht hij enige tijd aan God, aan hoe de dingen liepen, aan de vraag waarom iemand als Jud Windrow misschien zonder aanwijsbare reden ergens dood in het bos lag, waarom de dingen liepen zoals ze liepen, en aan de vraag waarom een gelovige zoals hij verdomme vloekend door het leven ging.

Virgil hield er bepaalde onconventionele opvattingen op na, die niet per se christelijk maar ook niet onchristelijk waren, die hij had opgedaan in de tijd dat hij de natuur bestudeerde, en daarvoor, in zijn kindertijd, tijdens godsdienstles. God, meende hij, was misschien niet dat almachtige, alom aanwezige, tijdloze bewustzijn dat men altijd had gedacht. Misschien was God meer als een golfbeweging die een onpeilbare toekomst tegemoet ging, met menselijke zielen die er als neuronen, als de cellen van Gods eigen intelligentie, omheen draaiden...

Helemaal te wauw, man. Geef de joint eens door.

Maar wat God ook was, Virgil betwijfelde ten zeerste dat Hij zich bijzonder druk maakte om blasfemie of seks, of zelfs om de dood. Hij liet de wereld met rust, liet de mensen hun gang gaan, liet ze hun eigen lot bepalen. En Hij vond het leuk om mensen als Virgil – die nadachten over de niet-zichtbare wereld maar tegelijkertijd de slaaf waren van hun eigen dierlijke verlangens, en die handelden uit een overtuiging die vrijwel zeker de Zijne niet was, als Hij er überhaupt een op nahield – op het verkeerde been te zetten.

Virgil vroeg zich bovendien af of God niet iemand was die ook gewoon het Zijne wilde... Dat was een opvatting, had een wedergeborene hem ooit uitgelegd, die hem in staat stelde zich alles te permitteren, net als iedere andere goddeloze rakker.

Hij kwam tot 'goddeloze rakker' en viel toen in slaap.

Hij piekerde slapend verder.

Toen vijf uur later zijn mobiele telefoon ging, zat hij meteen rechtop in bed. Hij tastte om zich heen en vond het toestel uiteindelijk in de zak van zijn spijkerbroek, die naast het bed op de grond lag.

'Hallo?'

Sandy zei: 'Slibe Ashbach heeft een Visa-card en een Cheque-card. Hij heeft de Visa-card gebruikt bij een witte pomp in Grand Rapids, 's ochtends vroeg op de dag dat Constance Lifry werd vermoord. Later die dag heeft hij dezelfde creditcard gebruikt in Clear Lake, Iowa, daarna nog een keer, om drie uur 's nachts, weer in Clear Lake, en uiteindelijk, later die tweede dag, een vierde keer in Grand Rapids.

Het is ongeveer vijfhonderd kilometer rijden van Grand Rapids naar Clear Lake. Ergens tussen de tweehonderddertig en tweehonderdzestig kilometer van Clear Lake naar Swanson, Iowa, afhankelijk van welke route je neemt, of tussen de vijfhonderd en vijfhonderdvijftig kilometer heen en terug. En daarna nog eens vijfhonderd kilometer terug naar Grand Rapids. Dus als je ervan uitgaat dat hij om de vijfhonderd kilometer moet tanken, wat een redelijke veronderstelling is, sluit dat aan bij het idee dat hij van Grand Rapids naar Clear Lake is gereden, van Clear Lake naar Swanson, daarna weer terug naar Clear Lake, en ten slotte terug naar Grand Rapids. Sterker nog, het past perfect. Ook de tijdlijn, want Constance werd 's avonds om tien uur vermoord.'

'Je bent een parel,' zei Virgil. 'E-mail dit naar me, wil je?'

'Een parel, mijn reet,' zei Sandy. 'De vorige keer dat je me zag zei je wel iets anders.'

'Eh, ik heb nu geen tijd voor emotionele bekentenissen,' begon Virgil.

'Jij hebt nooit tijd voor emotionele bekentenissen,' zei ze. 'Als het ooit zover komt, bel je me maar.'

Ze verbrak de verbinding, Virgil kromp even in elkaar, slaakte een zucht en krabde aan zijn ballen.

Slibe.

Die goeie, ouwe Sliber. De Sliberoni. Slibissimo.

'Slibe heeft het gedaan,' zei Virgil tegen het plafond van de motelkamer, dat niets terugzei.

John Phillips was een gedrongen, gespierde man, met rood haar en licht kalend, en een blauw pak dat – vond Virgil – zijn teint geen goed deed. De lijnen op Phillips' gezicht wezen op de voortdurende scepsis van iemand die de zin: 'Ik heb het zo niet bedoeld' een paar honderd keer te vaak heeft gehoord. Hij was de procureur van Itasca County, zat achter zijn bureau, met de Amerikaanse vlag achter zich, en de scepsis op zijn gezicht verdiepte zich met de minuut.

Sanders, de sheriff, zat met zijn benen over elkaar geslagen aan de andere kant van het bureau en hij keek op toen Virgil zijn verhaal afrondde.

'... nou, dat is het zo ongeveer.'

'Dus je hebt één ding: de Visa-card en het benzinestation,' zei Phillips.

'Nee, ik heb twee of waarschijnlijk drie doden, een slachtoffer dat in de rug is geschoten en een loslopende gek. Ik dénk dat Slibe I het heeft gedaan, maar het kan ook Slibe II geweest zijn, en er is zelfs een mogelijkheid, om redenen die we niet kennen, dat Wendy Ashbach de dader is. Na mijn wurgexperiment van de afgelopen nacht ben ik tot de conclusie gekomen dat Zoe niet sterk genoeg is om Lifry vermoord te hebben, maar Wendy misschien wel. Wendy is minstens vijftien kilo zwaarder dan Zoe.'

'Maar Wendy wilde juist met die Windrow in zee gaan,' zei Sanders.

'Ja. Bovendien heeft Wendy min of meer een alibi voor de moord op McDill, hoewel dat alibi afhangt van het exacte tijdstip van de moord, en dat weten we niet. Daarom denk ik meer aan Slibe I of Slibe II als dader dan aan Wendy. Maar als we een huiszoekingsbevel voor het hele perceel kunnen krijgen, kunnen we Wendy's woonwagen net zo goed overhoop halen.'

Phillips nam een geel potlood uit de jampot op zijn bureau en gebruikte het gummetje aan de achterkant om zich mee op zijn hoofd te krabben. Tegen Sanders zei hij: 'Ik kan je nu al vertellen wat Don gaat zeggen. Dat dit vissen is.'

'Maar we hebben de Visa-card,' zei Sanders.

Virgil zei: 'Het zou wel heel erg toevallig zijn als Slibe I of Slibe II, of Wendy, die níét heeft gebruikt om naar Iowa te rijden en Lifry te vermoorden. En we hebben gelegenheid voor de drie anderen: McDill, Washington en Windrow. Slibe I en Slibe II hebben geen van beiden een sluitend alibi... plus we hebben het feit dat de moorden verband lijken te houden met Wendy's band.'

'Met uitzondering van Washington,' zei Phillips.

'Eh... ja,' zei Virgil. 'Maar er zijn al minstens twee mensen gedood, dus zelfs als het vissen is wat we doen, als we kunnen ontdekken wie de dader is kunnen we voorkomen dat er meer slachtoffers vallen. En als we kunnen aantonen dat een van de drie het heeft gedaan, lijkt het me sterk dat een rechter het bewijs zal negeren, ook al was de huiszoeking misschien twijfelachtig. Kortom, het is geen onredelijk verzoek. Zeker niet als het iets oplevert.'

'Windrow zit me dwars,' zei Sanders. 'We kunnen hem niet eens vínden.

Avis heeft in al zijn auto's gps geïnstalleerd en ze ontvangen geen signaal, vanuit heel Noord-Amerika niet. Die gast moet ergens op de bodem van een meer liggen. Of onder de modder in een of ander moeras.'
'Waar hij vader en moedertje speelt met Little Linda,' zei Phillips.
'Erg leuk, John,' zei Sanders. 'Ik lach me rot.'
'Nou, het Windrow-aspect kan een probleem worden,' zei Phillips. 'We kunnen hem niet als slachtoffer aan een jury presenteren als we niet kunnen bewijzen dat hij dood is.'
'Bewijzen?' zei Sanders. 'We wéten het niet eens.'

Districtsrechter Don Hope was een oudere man met wit haar en een randloos brilletje, en hij zei tegen Phillips: 'John, dit is de grootste visexpeditie sinds Teddy Roosevelt de Amazone op voer.'
Phillips schoof heen en weer in zijn stoel en zei: 'Edelachtbare, dat soort beeldspraak wil ik liever niet horen, die verwijzing naar vissen. Ik betwijfel of...'
'Ja, ja, beeldspraak, mijn reet. Maar er zijn genoeg doden gevallen en ik ben een oude man, dus wie kan me verdomme nog iets maken? Geef hier dat verzoek, dan teken ik het. Niet dat het niet tegen al mijn principes indruist.'
Virgil glimlachte en Hope zei: 'Wat zit jij daar te lachen?'
'Dat was een goedkeurende glimlach,' zei Virgil.
'Je ziet eruit als een wijsneus,' zei Hope. 'Wat staat er op je T-shirt?'
'De naam van een band,' zei Virgil. 'The Appleseed Cast.'
'Nooit van gehoord,' zei de rechter. 'Klinkt als een wijsneuzenband.'
'Dat is het ook,' zei Virgil. 'Hé, bedankt voor het huiszoekingsbevel, edelachtbare. We zullen u niet teleurstellen.'
'Die Wendy is een lekkere meid,' zei de rechter. 'Ik hoop dat zij de dader niet is.'

Nu ze het huiszoekingsbevel hadden, hoefden ze niet halsoverkop naar het huis van de Ashbachs te gaan. Sanders wilde het goed doen, niet overhaast. 'We hoeven er niet op te hopen dat we Windrow op het allerlaatste moment van de dood kunnen redden,' zei hij. 'Als ze hem uit de weg wilden ruimen, hebben ze dat allang gedaan.'
'En als hij niet dood is en hij zit stomdronken aan een bar in een ander resort, vermoord ik hem zelf,' zei Virgil. 'Zoek jij je mannen bij elkaar, dan laat ik de technische jongens van BM hiernaartoe komen. Het kan een paar uur duren voordat ze hier zijn.'

Sanders trommelde drie rechercheurs uit Grand Rapids op en vijf hulpsheriffs. Met het technische team erbij maakte dat twaalf man, plus Virgil,
en de sheriff wilde zelf ook mee, want Little Linda was en bleef onvindbaar. Veertien man was genoeg om alles in één keer op zijn kop te zetten.
Ze verzamelden zich in een van de rechtszalen en Virgil vertelde ze waar-
naar hij op zoek was, en ook dat hij geen echte problemen verwachtte.
'Waar we vooral naar zoeken is een geweer, .223-munitie, of alles wat
erop wijst dat ze een .223 grendelactie bezitten, zoals jachtfoto's. Let
vooral op foto's van de jacht op prairiehonden. En, natuurlijk, zoek naar
bloed. Besteed extra aandacht aan Slibe junior; kijk of hij terug is en of
hij sporen van verwondingen vertoont. Windrow reed in een Jeep Commander... zoek naar autosleutels. We zullen daar een tijdje bezig zijn, dus
als jullie broodjes of blikjes cola willen meenemen, is het nu het moment
om die in te slaan.'

Zodra het technische team zich had gemeld vertrokken ze, in een lange
karavaan van voertuigen, met de sheriff voorop en Virgil die de rij sloot.
Tegen de tijd dat hij uit zijn pick-up stapte hadden de politiemensen zich
al over het terrein verspreid en verscheen Wendy in de deuropening van
de woonwagen. 'Wat krijgen we verdomme nou?' riep ze.
De sheriff negeerde haar en klopte op Slibes deur, maar er deed niemand
open. Wendy kwam naar hem toe lopen, met Berni in haar kielzog, en
zei: 'Pa is de stad in.'
'Dan overhandig ik dit aan jou en kun jij het aan je vader geven,' zei de
sheriff. 'Dit is een huiszoekingsbevel voor de woning en bedrijfsgebou-
wen van Slibe Ashbach, Slibe Ashbach LLC en Slibe Ashbach Septic &
Grading. Als je een sleutel van het huis hebt, hoeven we de deur niet te
forceren.'
'Ik heb een sleutel...' Wendy zag Virgil staan en vroeg: 'Wat is hier verdomme de bedoeling van? Virgil? Wat wil je van ons?'
'Er is iets gebeurd,' zei Virgil. 'Ik mag er niet over praten. Ik moet je
vader spreken. Is de Deuce al terug?'
'Dat weet ik niet,' zei ze. 'Kijk zelf maar.'
'Hier, in het huis?'
'Nee, hij woont op de vliering boven de kennel.' Ze draaiden zich alle-
maal om, keken naar de hondenkennel en Virgil herinnerde zich dat hij
er de avond ervoor licht had zien branden.
'Gisteravond brandde daar licht,' zei Virgil. 'Ik dacht dat jullie zeiden dat
hij weg was.'

'Er brandt altijd licht,' zei Wendy. 'Het gaat vanzelf aan als het donker wordt.'

'Waarvoor?'

'Weet ik veel... dat heeft met de honden te maken.'

Een van de hulpsheriffs ging met Wendy mee om de sleutel van het huis te halen en Berni zei tegen Virgil: 'Hier gaan grote problemen van komen. Reken er maar op dat jullie voor de rechter worden gesleept.'

'Weet je wanneer meneer Ashbach terug wordt verwacht?' vroeg de sheriff.

'Ik weet niet eens wat hij is gaan doen,' zei ze. 'Hij is pas een halfuur geleden vertrokken.'

'Juist,' zei de sheriff, en toen Wendy terugkwam met de sleutel: 'Oké, aan de slag.'

De mensen van het technische team deden het eerste onderzoek van Slibes huis, Wendy's woonwagen en de vliering van de Deuce terwijl een van de hulpsheriffs een oogje op Wendy en Berni hield. De anderen verspreidden zich over het terrein en deden de bijgebouwen.

Virgil ging om de beurt bij iedereen kijken, om te zien of er al iets van belang was gevonden.

Het eerste wat hem aan Ashbachs huis opviel was dat alles zo netjes was. Alles had zijn eigen plek, tot en met een grote glazen kom die als een kwispedoor naast Ashbachs bed op de grond stond en waarin hij wisselgeld bewaarde: muntjes van tien, vijf en één dollarcent, maar geen kwartdollars. Hij trok in de slaapkamer een paar laden open en zag dat de sokken tot een bolletje waren opgerold, de T-shirts netjes opgevouwen, en de vuile was werd opgespaard in een katoenen kledingzak onder het raamkozijn. In de badkamer stonden het scheergerei, de tandpasta, een paar flesjes met pillen en een flacon zonnebrand keurig in het gelid op het glazen plateau boven de wastafel.

De pillen waren op recept en een van de technische rechercheurs zei dat het twee verschillende cholesterolremmers waren.

Virgil wist nog waar Slibe de sleutel van de wapenkluis bewaarde, dus die werd nog eens grondig doorzocht. Ze haalden alle geweren eruit, en alle dozen .223-munitie waarvan Slibe had gezegd dat die voor de halfautomatische Colt was. Het lab kon ernaar kijken om te zien of er overeenkomsten waren met de sporen die in McDills schedel waren aangetroffen.

Maar de patronen waren nieuw, dus sporen van het uitwerpmechanisme zouden ze er niet op vinden, en lege hulzen, om te herladen, vonden ze niet.

'Hij vertelde me dat ze van plan waren om in het westen prairiehonden te gaan schieten,' zei Virgil. 'Ik dacht dat die gasten meestal herlaadbare patronen gebruikten.'

'Anders wordt het te duur,' beaamde de technisch rechercheur.

Ze doorzochten het schuurtje met het brandhout maar vonden er alleen brandhout, netjes opgestapeld voor de winter. In de grote schuur stonden twee Bobcats, een graafmachine en een shovel, en een grotere Caterpillar-bulldozer. Alle drie de machines waren al wat ouder, maar ze waren goed onderhouden. Achter de schuur lag een stapel witte kunststof afvoerpijpen en een betonnen septic tank met een barst erin.

In de tank lag gras, verder niets.

Ze vonden een herlaadapparaat op de vliering van Slibe II.

De vliering stelde niet veel voor: een extra verdieping met een houten vloer boven de hondenkennel. De honden waren rustig en vriendelijk, en ze zagen er goed verzorgd en goed gevoed uit. Maar het was onvermijdelijk dat het in de kennel naar hondenpoep stonk en de stank op de vliering was nog erger. De vliering werd verwarmd door twee elektrische straalkachels die aan de dakbalken waren bevestigd, en er stond een potkachel in de achterste hoek. Verder zagen ze een ligbad en een wc, en achterin een apart kamertje met een houten wand zonder deur erin.

Net als Slibes huis was de vliering schoon en strak georganiseerd, met bijna militaire precisie, althans, op het eerste gezicht, want in de kasten en laden was het een warboel van kleding, elektrische en mechanische onderdelen en jacht- en visspullen. Toen een van de hulpsheriffs de vrijstaande hardboard kast opende, trof hij daar een kluwen van kleerhangers van ijzerdraad en winterkleding waarvan de ene helft was opgehangen en de andere op een hoop onder in de kast lag. Dus ogenschijnlijk zag het eruit als Slibes huis, maar als je beter keek leek het er helemaal niet op.

Op de vloer naast het herlaadapparaat stonden vier stalen patroonkisten uit het leger. In twee daarvan zaten patronen voor karabijnen, twaalf en twintig kaliber, en in de andere twee lege hulzen. De technisch rechercheur leegde de kisten op de tafel en Virgil en hij bekeken de hulzen stuk voor stuk. Ze vonden veertig .223-hulzen, die ze in een grote plastic bewijszak deden.

Mapes, de leider van het technische team, kwam kijken en zei: 'We sturen ze naar het lab, maar ik zie er zo met het blote oog geen uitwerpsporen op zitten. Laten we ze eerst maar eens goed bekijken.'

'We hoeven er maar één te vinden,' zei Virgil. Hij zocht in de kisten met karabijnpatronen in de hoop er een verdwaalde .223-huls tussen te vinden, maar dat was niet zo.

Virgil keek onder het eenpersoonsbed en vond een stapel oude *Hustlers*, een plastic zakje met vijf verschoten kleurenfoto's van een vrouw met een kapsel uit de jaren tachtig, en een ander plastic zakje met ongeveer een paar gram marihuana.

Hij liet de marihuana in een bewijszakje doen en ging op de rand van het bed zitten om de foto's te bekijken. Op de eerste stond de vrouw met een veel jongere Slibe tegen de voorkant van een Chevy uit de jaren zeventig of tachtig geleund. Ze stonden op de oprit en de foto was in de richting van de straat genomen. Geen tuin te zien, alleen een lege ruimte achter hen. De moeder van Wendy en de Deuce?

Virgil stond op en liep met de foto's naar het dakraam, waar hij meer licht had. Een fors gebouwde vrouw met lichtblond haar en een volle boezem, zoals Wendy, aantrekkelijk op een plattelandsmanier. Slibe had ook blond haar. Virgil had dat al gezien, ondanks zijn half kale schedel. Op deze oude foto hing het haar tot over zijn oren en was het net zo lang als dat van Virgil. Lichtblond. Rockersblond.

De man van het technische team zei: 'Misschien heb ik hier iets.'

Virgil draaide zich om en zag hem naast de wasmand op de vloer zitten kijken naar de mouw van een denim overall.

'Wat?'

'Ik durf het niet te zweren, maar het ziet eruit als bloed. Een bloedvlekje.'

'Zou hij dat niet gezien hebben?' vroeg Virgil. Hij liep ernaartoe en keek naar het vlekje, dat ongeveer zo groot was als een halve dollar. Zo te zien was het bloed niet door de stof gedrongen, het was een oppervlakkige vlek.

'Het is er van buitenaf op gekomen, dus het is waarschijnlijk niet zijn eigen bloed.' Hij hield de overall op en de mouwen hingen losjes omlaag. 'Kijk, het zit aan de uiterste rand van de manchet... je weet wel, als je je mouw per ongeluk ergens doorheen haalt, door de jam of zoiets.'

'Dat ding moet naar het lab, nu meteen,' zei Virgil. Hier had hij iets aan. Dit was goed. 'We zullen uiteindelijk een DNA-monster moeten nemen, maar wat ik eerst wil weten is de bloedgroep, vanmiddag nog. En ik moet

te weten zien te komen wat Windrows bloedgroep is. Nu meteen.'
'Laat het eerst aan Ron zien. Die weet alles van bloed.'

De technische man stopte de overall in een plastic bewijszak, waarna ze naar beneden gingen en doorliepen naar de achterkant van het huis. Sanders keek op, vroeg: 'Wat heb je?' en Virgil zei: 'Bloed... misschien.'
Mapes kwam kijken, zei: 'Ja, dat is bloed', en onmiddellijk gonsde het woord door het hele huis.
Virgil vroeg Sanders een van zijn mannen met de overall naar Bemidji te sturen en Virgil zei tegen de hulpsheriff: 'Je hoeft geen mensen van de weg te rijden, maar je doet je alarmlichten aan en houdt je voet op het gaspedaal, oké? Ik bel ze dat je er aankomt.'
'Komt voor mekaar,' zei de hulpsheriff.
Virgil belde Bemidji met Slibes vaste telefoon, zei wat ze voor hem moesten doen, en daarna belde hij Sandy op kantoor, die nog wat stug tegen hem was maar beloofde dat ze zou uitzoeken wat Windrows bloedgroep was.
Wendy kwam binnen, aangetrokken door het rumoer. 'Wat is er aan de hand?' vroeg ze.
Virgil vroeg: 'Waar is je broer?'

22

In de daaropvolgende tien minuten arriveerden er twee mensen. De eerste werkte zich langs de politiemensen, een man met rood haar, in een spijkerbroek, een gekreukeld zwart sportjasje en zwarte schoenen met puntneuzen die Jersey Pointers schenen te heten. Het was Ruffe Ignace, reporter van de bijna failliete Minneapolis *Star Tribune*. Hij en zijn vriendin hadden Virgil ooit de jitterbug geleerd.

Virgil wachtte hem met over elkaar geslagen armen op. Ignace kwam grijnzend als een kat voor hem staan en zei: 'Die verdomde Flowers. Toen ik je vrolijke gezicht zag, heb ik me door het politiecordon geworsteld met de smoes dat ik een afspraak met je had.'

'Ik zou je een trap onder je kont moeten geven,' zei Virgil.

'Ja, ja,' zei Ignace. 'Ik probeer een failliete krant van de ondergang te redden en jij zit me dwars. Je wordt bedankt, vriend. Je bent zeker vergeten dat ik nog het een en ander van je te goed heb.'

'Hoe gaat het met je?' vroeg Virgil.

'Ik ben moe, want ik heb vanaf zonsopgang driehonderd kilometer moeten rijden omdat verdomme een of ander redacteurtje van drieëntwintig vond dat ik dat moest doen,' zei Ignace. 'En ik ben een misdaadroman aan het schrijven.'

'Net als iedere andere journalist in Minnesota,' zei Virgil.

'Nee, die schrijven filmscenario's. Ik schrijf een boek. Ik heb zelfs al een agent.' Ignace keek om zich heen, volgde met belangstelling het komen en gaan van de politiemensen. 'Gaan jullie iemand oppakken?'

'We hebben zonet een doorbraak bereikt. We zijn op zoek naar een jongen die Slibe Ashbach junior heet, ook bekend als de Deuce, de zoon van Slibe Ashbach senior en de broer van Wendy Ashbach, de zangeres van een plaatselijke countryband. We hebben bloed gevonden; het is al onderweg naar Bemidji.'

Ignace vroeg: 'Bloed van McDill?'

'Nee, die is van een afstand gedood. Het gaat om bloed van iemand anders, van een man die wordt vermist. We denken dat we te maken hebben met drie gerelateerde moorden en een bijna dodelijke poging tot moord.'

Hij nam even de tijd om het uit te leggen, want hij wist dat Ignace een uitstekend geheugen voor gesprekken had en dat hij in staat was het later woordelijk op te schrijven. Zijn geheugen, had Ignace hem ooit verteld, bleef twee tot drie uur haarscherp en daarna begon het af te nemen. 'Hoor eens, ik zal je aan de sheriff moeten voorstellen. Ik weet niet of hij het goed vindt dat je hier bent. Dus wees aardig, oké? We zijn ook op zoek naar de vader, Slibe senior. Ik blijf hier totdat hij komt opdagen, of totdat iemand komt zeggen dat ze hem in de stad hebben aangehouden.'

Op dat moment naderde er met flinke snelheid op de toegangsweg een pick-up, die stofwolken opwierp. 'Shit, daar zul je hem hebben.'

'Maar de zoon is de verdachte?'

'Nu wel. Toen we hier aankwamen was de vader de verdachte. Kijk mee... tenminste, als de sheriff je niet wegstuurt.'

De hulpsheriff bij het begin van de oprit liet Ashbach stoppen, terwijl Virgil met Ignace naar Sanders liep en zei: 'Bob, dit is Ruffe Ignace, de misdaadverslaggever van de *Star Tribune*. Ik heb hem binnen gelaten, maar ik heb hem verteld dat het jouw beslissing is of hij mag blijven of niet.'

Sanders knikte naar Ignace maar maakte geen aanstalten hem de hand te schudden. 'Als de plaatselijke krant komt, moet ik je wegsturen, want ik wil geen gedonder tussen persmensen. Maar tot het zover is, als je je handen in je zak houdt en niet in de weg loopt, maakt het me niet uit.'

'Bedankt, sheriff, dat waardeer ik,' zei Ignace. 'Ik zal me gedeisd houden.'

Slibes pick-up reed de hulpsheriff voorbij, stopte bij de schutting naast de groentetuin en Slibe stapte uit. Zodra hij Virgil en de sheriff zag, kwam hij dreigend naar ze toe lopen. Een paar hulpsheriffs zagen het en schoten op hem af, maar Slibe bleef staan en riep: 'Wat is hier verdomme aan de hand? Halen jullie mijn huis overhoop?'

'We doen een huiszoeking,' zei Virgil. 'Bij Wendy en je zoon ook. Waar is de Deuce? Heb je hem al gevonden?'

'Ik hou niet bij waar die jongen uithangt,' zei Slibe. Hij keek verwilderd om zich heen en zei tegen Sanders, met een smekende ondertoon in zijn stem: 'Laat mijn honden met rust, sheriff. Laat verdomme mijn honden met rust.'

Virgil zei: 'Kom mee naar binnen, dan gaan we even zitten en stel ik je een paar vragen.'

De sheriff zei: 'Om alles volgens het boekje te doen moesten we hem zijn rechten maar voorlezen.'

Een van de hulpsheriffs deed dat en Slibe zei tegen Virgil: 'Ik hoef verdomme geen advocaat. En ik wil niet met jou in mijn eigen huis gaan
zitten. Als je iets te vragen hebt, doe je dat maar hier.'
Virgil zei: 'Je hebt een Visa-card. Mag ik die zien?'
Slibe bleef hem even aankijken. Toen haalde hij zijn portefeuille uit zijn
achterzak, bekeek zijn pasjes, trok de Visa-card eruit en gaf die aan Vir-
gil. Virgil haalde zijn notitieboekje uit zijn achterzak en keek erin: een
ander nummer.
'Hoe lang heb je deze card al?' vroeg hij.
'Een jaar of dertig?' zei Slibe. 'Ik zou het echt niet weten.'
'Heeft de Deuce een creditcard?'
'Nee,' zei Slibe. 'Hij heeft geen eigen bankrekening. Wendy wel.'
'Ik heb hier een ander cardnummer op naam van Slibe Ashbach staan.'
'Maar...' Zijn blik dwaalde even af, toen keek hij Virgil weer aan en zei:
'Ik heb een zakencard. Die ligt binnen. Die gebruiken we voor, je weet
wel, als er spullen worden bezorgd, dat soort dingen.'
Virgil zei: 'Laten we die gaan pakken.'
Slibe had een keurig thuiskantoor met een houten bureau in de tweede
slaapkamer aan de achterkant van het huis. Hij trok de lade linksboven er
helemaal uit, stak zijn hand in de achterste opening en haalde er vier
creditcards uit: een Visa, een Visa-chequecard, een Target en een Sears.
Virgil bekeek het nummer van de Visa-card en zag dat het overeenkwam
met het nummer in zijn boekje.
Hij hield de card op. 'Op de ochtend van de dag dat Constance Lifry
werd vermoord in Swanson, Iowa, is deze card gebruikt bij een ben-
zinepomp in Clear Lake, Iowa, dat vijfhonderd kilometer ten zuiden
van hier ligt. De ochtend daarna, ook 's morgens vroeg, is de card opnieuw gebruikt bij hetzelfde benzinestation, wat vermoedelijk inhoudt
dat de bestuurder tussen die twee tankbeurten vijfhonderd kilometer
heeft afgelegd. Heen en terug van Clear Lake naar Swanson is vijfhonderd kilometer. De eerstvolgende tankbeurt was hier in Grand
Rapids.'
Slibes ogen waren groot geworden, zijn adamsappel ging op en neer, hij
liet zijn blik door het kantoor gaan, keek de sheriff aan en zei: 'Godallejezus, ik wist dat die jongen niet in orde was.'
'Denk je dat de Deuce het heeft gedaan?' vroeg Virgil.
'Dat weet ik niet... ik weet het echt niet,' zei Slibe. 'Maar ik niet in elk
geval. Ik heb nog nooit van mijn leven een tussenstop in Clear Lake gemaakt, voor zover ik weet. Ik weet niet eens waar het ligt. Aan de I-35?

Ik ben over de I-35 naar Texas gereden toen ik naar New Orleans moest, maar dat was kort na Katrina.'

'Gebruikt de Deuce deze kaart?'

'We gebruiken hem allemaal,' zei Slibe. Hij begon te trillen en te schokken. 'Hij... heeft hem eerder gebruikt om te tanken. Zonder dat ik het wist.'

Virgil vroeg: 'Maar je weet niet waar hij nu is?'

'Nee, alleen dat hij te voet is vertrokken. Ik heb gezien dat hij zijn spullen aan het pakken was. Hij heeft flesjes pannenkoekenbeslag uit mijn keukenkast gehaald en heeft zijn geweer en een hengel meegenomen.' Zijn mond bleef openstaan. 'Godallejezus, denken jullie echt dat hij die mensen heeft vermoord?'

Virgil zei tegen de sheriff: 'We móeten hem zien te vinden.'

'Moet lukken,' zei de sheriff.

Itasca County is bosgebied, hier en daar onderbroken door moerassen, meertjes en een paar stadjes, twee keer zo groot als Rhode Island, bijna achtduizend vierkante kilometer pijnbomen, sparren, lariksen, berken, espen en esdoorns. Als de Deuce zich in het groen had verstopt, dacht Virgil, die zelf op de prairie was opgegroeid, zou hij onmogelijk te vinden zijn. De sheriff dacht daar anders over.

'Als je met je rug tegen een boom gaat zitten, het maakt niet uit waar, dan komt er na verloop van tijd altijd wel iemand langs. Daar kun je donder op zeggen. Als mensen verdwaald zijn, blijven ze vaak onvindbaar omdat ze in het rond gaan lopen. Als ze gewoon tegen een boom gaan zitten, komt er heus wel iemand langs.'

'Fijn om te horen, sheriff, maar deze jongen heeft een geweer en hij heeft misschien al een stel mensen vermoord.'

'Dat is waar,' zei Sanders.

Ignace bemoeide zich ermee. 'Wat gaan jullie nu doen?'

'Nou, als hij iemand tegen het lijf loopt, is het misschien te laat,' zei Sanders. 'Dus ik ga mijn radio gebruiken om iedereen te waarschuwen.'

Het technische team vond diverse soorten patronen, die in bewijszakjes werden gedaan, een paar korte koorden en stukken touw die gebruikt zouden kunnen zijn om iemand te wurgen, en een tiental sieraden verstopt in een doosje onder in een legergroene opbergkist vol stripboekjes en de overblijfselen van een set Tinker Toy-speelgoed.

De sieraden, waaronder een halssnoer van kleine parels, een kleine turkooizen broche en diverse paren goedkope oorbellen, werden samen in een bewijszak gedaan om onderzocht te worden als mogelijke aandenkens die hij de vermoorde vrouwen had afgenomen. Maar toen Virgil ze aan Wendy liet zien, gingen haar wenkbrauwen omhoog en zei ze: 'Dat zijn ma's sieraden. Waar heb je die gevonden? Ik had ze, maar op een dag waren ze opeens weg.'

Virgil belde Davies en Prudence Bauer, maar die waren geen van beiden parelsnoeren of broches kwijt. Bauer vroeg: 'Waar is Jud?'

Virgil zei: 'Dat weet ik niet.'

'Het is allemaal jullie schuld,' zei ze, waarna ze aan de telefoon in tranen uitbarstte.

Sandy belde en zei dat ze Jud Windrows ex-vrouw had gesproken. Windrow had bloedgroep A-positief, een veel voorkomende soort. Slibe zei dat hij bloedgroep O had en Wendy wist niet wat de hare was.

De namiddag ging over in de vooravond. De huiszoeking begon Ruffe te vervelen en nadat hij Virgil zijn mobiele nummer had gegeven en had beloofd later contact met hem op te nemen, vertrok hij om het 'erotische nachtleven' van Grand Rapids te verkennen. De politiemensen begonnen hun spullen in te pakken om te vertrekken. Slibe had de rest van de middag vloekend over het erf lopen ijsberen terwijl de technische mensen zijn huis in en uit liepen, en uiteindelijk was hij een tijdje met de honden bezig geweest. Wendy had zich met Berni teruggetrokken in de woonwagen. Om zes uur belde een laborant uit Bemidji om te zeggen dat het bloed op de mouw A-positief was.

Virgil belde Sanders. 'Het is natuurlijk mogelijk dat Slibe II zelf A-positief is, of dat zijn moeder het was, maar ik begin toch echt te denken dat we Jud Windrow... kwijt zijn.'

'Vanaf nu richten we al onze pijlen op Slibe junior,' zei Sanders. 'Als er iemand is in Bemidji County die niet weet naar wie we op zoek zijn, dan is hij blind en doof.'

De zon was achter de bomen verdwenen toen Sanders terugbelde. 'Hij is waarschijnlijk gespot. In een kano, in het moerasgebied ten zuiden van Deer River. Een paar jongens zakten de rivier af, zagen hem tussen het riet en hebben het gemeld.'

'Wat gaan we nu doen?' vroeg Virgil.

'We houden het stil, ik stuur mijn mannen naar de rivier en zet een paar boten in, eentje ten noorden en een ten zuiden van hem, zodat hij niet meer weg kan,' zei Sanders. 'We wachten tot het licht wordt en gaan er in een helikopter boven hangen. We gaan hem opjagen.'

'Kan ik nog iets doen?'

'Nou... heb je zin om een eindje te vliegen?'

Virgil reed terug naar de stad, stopte bij een Subway voor een broodje peperoni, salami en ham en een cola, en at het op terwijl hij naar het vliegveld reed. Hij nam de laatste hap toen Sig belde. 'Wat ben je aan het doen?' vroeg ze.

'We zijn op zoek naar Slibe junior.' Hij vertelde haar over de huiszoeking, de creditcard en het tochtje met het vliegtuig dat hij ging maken. Ze floot en zei: 'Nou, goddank. Wees voorzichtig daarboven.'

Op het vliegveld haalde hij een verrekijker uit zijn uitrustingstas en stapte uit de pick-up. Hij werd opgewacht door een hulpsheriff die Frank Harris heette.

'De piloot is wat later,' zei Harris. 'Hij belde om te zeggen dat zijn zoontje misschien zijn arm heeft gebroken tijdens karatetraining. Hij is met hem naar het ziekenhuis en komt zodra ze daar klaar zijn.'

'Hè, shit...' Virgil hield niet van wachten. Hij dacht aan Sig, die alleen en nog altijd onbevredigd thuis zat. Hij keek op zijn horloge. Er ging een halfuur voorbij, toen veertig minuten, en Virgil besloot dat als de piloot er na een uur niet was, hij het voor gezien hield. Hij zou zich er schuldig over voelen, maar hij zou toch weggaan.

De piloot, die Hank Underwood heette, kwam vijf minuten later binnen en zei: 'Sorry.'

'Gebroken?' vroeg Harris.

'Ja. Het is ernstiger dan we dachten,' zei Underwood. Hij was klein van stuk, had donker haar en was ongeveer van Virgils leeftijd. 'Het is niet zijn arm maar zijn pols, een handwortelbeentje. Misschien moet hij vijf maanden in het gips. Hij zou over drie weken met footballtraining beginnen.'

Ondertussen liepen ze naar buiten, naar Underwoods eenmotorige Cessna, en Virgil zei dat de gebroken pols weleens een onverwachte zegen kon zijn. 'Misschien blijkt dat hij goed is in wiskunde en kan hij later wetenschapper worden.'

'Hij speelt liever football,' zei Underwood. 'Al zijn vrienden doen het... maar misschien heb je wel gelijk.' Hij klonk niet overtuigd.

Underwood zette Harris achterin omdat hij kleiner was dan Virgil, en toen ze in het donker waren opgestegen en het in het vliegtuig naar warme olie en koude buitenlucht rook, zei hij: 'Als we er straks zijn, maak ik een paar rolvluchten om jullie een idee van het landschap te geven. Langs de ene kant naar het noorden en langs de andere naar het zuiden, met Deer River als leidraad.'

'Hoe gaan we hem markeren?' vroeg Virgil.

'Met gps,' zei Underwood. 'We cirkelen rond totdat we een verbindings-lijn tussen hem en een bepaald punt op de rivier kunnen trekken. Dan markeren we onze eigen positie en doen hetzelfde nog een keer vanuit een andere hoek. Het is misschien niet op de meter nauwkeurig, maar het komt verdomd dicht in de buurt.'

'En als we meer dan één kampvuur zien?' vroeg Harris.

Underwood zei: 'Er kamperen zelden mensen in het moerasgebied. Als het donker is, zie je er helemaal niks. We hebben alleen een probleem als hij in zijn boot slaapt, of als hij geen vuur maakt om eten te koken.'

'We willen hem niet wegjagen,' zei Virgil.

'We blijven op afstand,' zei Underwood. 'We vliegen langs de ene kant naar boven, blijven daar een tijdje dollen, en dan langs de andere kant weer omlaag. Als hij dicht bij de snelweg zit, hoort hij ons misschien niet eens.'

Al een paar minuten nadat ze waren opgestegen werd Deer River zicht-baar. 'Daar, bij die lichtjes is hij gezien,' zei Underwood. 'Zien jullie die rij lichtjes? Nou, en dan haaks daarop een stukje onze kant op.'

Het water van de rivier was inktzwart. Ze vlogen boven de rechteroever, over een stadje, draaiden een wijde bocht naar het westen, met weinig snelheid, en kwamen uit boven de snelweg. Tijdens de tweede poging zei Harris opeens: 'Daar. Een kampvuur.'

'Waar?' vroeg Virgil.

'Ongeveer op halfdrie... nu op drie uur. Het knippert... shit, het is weg. Hé, nu zie ik het weer.'

'Er zitten bomen en groen tussen,' zei Underwood.

Virgil keek opzij in de hoek die Harris had genoemd, op drie uur. 'Ja, ik zie het,' zei Virgil. 'Een klein vuurtje.'

'Je hoeft geen schuur plat te branden om een worstje te roosteren,' zei Harris.

Underwood vloog een keer om het stadje heen en ze trokken lijnen van de gps-peilingen naar de markeringspunten op de snelweg, met het kampvuur als middelpunt. 'Er is verder niks te zien,' zei Virgil, die uit het raampje in het duister tuurde.

'Omdat er niks ís,' zei Harris. 'Al geef je me vijfhonderd dollar, dan ga ik daar nog niet kamperen. Je weet nooit wat je tegen het lijf loopt.'
'Een gestoorde moordenaar?' zei Underwood. 'Zoals in *Friday the 13th*?'
'Die ken ik niet,' zei Harris. 'Maar jullie begrijpen wat ik bedoel.'

Ze waren een en al strijdlust toen ze weer op het vliegveld landden. Virgil en Harris namen afscheid van Underwood, nadat ze hem op het hart hadden gedrukt dat hij zijn mond moest houden, stapten in de patrouillewagen en reden met hoge snelheid terug naar het kantoor van de sheriff. Ze werden opgewacht door Sanders en een paar hulpsheriffs, en er was een USGS-topografiekaart waar Virgil en Harris met een liniaal de lijnen op uitzetten.
'Niet slecht,' zei de sheriff terwijl hij met zijn vingertop de lijnen op de kaart volgde. 'Man, dit is nog geen anderhalve kilometer van de plek waar die jongens hem hebben gezien. Het moet hem zijn.'
'Hoe laat komt de helikopter?' vroeg Virgil.
'De zon komt om een uur of zes op... dus om een uur of zes.' Sanders keek op zijn horloge. 'Over zeven uur. Zorg ervoor dat jullie om uiterlijk vijf uur op de oever van Deer River staan. Dan kunnen jullie mee met een van de boten.'
'Wie zitten er in de helikopter?' vroeg Virgil.
'De piloot en ik,' zei de sheriff. 'Ik betaal dat ding, dus ik zit eerste rang.'
'Hij schiet jullie waarschijnlijk uit de lucht,' zei Virgil.
'Dat zeg je alleen omdat jij mee wilt,' zei Sanders, en daar had hij gelijk in. Hij klapte in zijn handen en zei: 'Allemachtig, nu komen we ergens. Ik zeg het niet graag, maar ik heb het helemaal naar mijn zin. Dat kon ik vanochtend niet zeggen.' Hij wendde zich tot een van de hulpsheriffs en zei: 'Ik bel je zodra we hem zien en dan sleep jij Jim Young naar Deer River. We landen daar op de weg en ik wil een foto van mezelf als ik uit de helikopter stap.'
En tegen Virgil: 'Ik moet aan mijn pr denken. Young is de fotograaf van de plaatselijke krant.'
'Ik begrijp het,' zei Virgil.

Voordat hij ging slapen dacht Virgil weer even aan God, en aan de Deuce, aan het flikkerende lichtpuntje midden in het moeras, de eenzame, beschadigde ziel die zich veilig waande in de natuur en geen idee had wat hem de volgende ochtend te wachten zou staan.

23

Virgil liep terug naar de pick-up en haalde er een zwart nylon jack uit, voor noodgevallen. Augustus in Minnesota... het kon hier, zo ver naar het noorden, flink fris zijn, zeker zo vroeg in de ochtend.

Een waterrat die naar de naam Earl luisterde en geronseld was door de sheriff, had bij de botensteiger zijn zes meter lange Alumacraft-platbodem te water gelaten. Virgil zou met hem meevaren, samen met een hulpsheriff die Rod heette. Rod zat nerveus met zijn AR-15 te spelen, met zijn starende blik gericht op de plek waar hij de helikopter verwachtte. Er lagen al twee platbodems in het water, en verder stroomopwaarts lagen er nog drie.

'Ga je er met een pistool op af?' vroeg Rod aan Virgil.

'Dat heb ik nog niet besloten,' zei Virgil.

Rod vroeg dit omdat Virgil geen geweer bij zich droeg, en hij ging er blijkbaar van uit dat hij een pistool onder zijn jack had, maar dat lag onder de bestuurdersstoel in de pick-up. Al die wapens maakten Virgil nerveus, want ze zouden het moerasgebied in gaan, waar het zicht op sommige plekken heel beperkt was, met zes boten vol hulpsheriffs die hun geweren van verschillende kanten op één centraal doelwit richtten... Sanders' eerste hulpsheriff was net zo nerveus als Virgil en hij liep van de ene hulpsheriff naar de andere om ze de regels met betrekking tot het hanteren van de wapens op het hart te drukken.

Virgil liep weer terug naar de pick-up en keek om zich heen, naar alle hulpsheriffs, de vier patrouillewagens en de drie pick-ups met boottrailers, zag hoe Earl zijn trailer parkeerde en bedacht dat het misschien het beste zou zijn om plat op de bodem van de boot te gaan liggen, hoewel zijn botten dan waarschijnlijk uit zijn lijf werden geschud. Platbodems waren prima wanneer je langzaam over een spiegelglad wateroppervlak voer, maar in een draaikolk van actie, om over een heftig vuurgevecht maar helemaal te zwijgen, had je er niets aan.

Hij dacht er nog eens over na en uiteindelijk haalde hij zijn twaalfschots pompactie uit de pick-up, laadde die met drie patronen en stak er nog zeven in de zak van zijn jack. Als dat niet genoeg was, had hij dikke pech.

Ze wachtten nog langer in de milde stank van modder en dode vis. Een van de hulpsheriffs pakte een peddel, viste een plastic zak uit het water en gooide die in een afvalbak. Een van de anderen tuurde in zuidelijke richting en vroeg: 'Wat zijn ze daar aan het uitspoken?'

Toen riep de eerste hulpsheriff: 'Te water. De sheriff komt eraan.'

Ze holden allemaal naar de boten en klommen aan boord. De stille 4pk-motoren werden gestart, ze voeren langzaam het meer op en keken naar het zuiden. Na een minuut hoorden ze de helikopter en even later zagen ze die ook, hoog in de lucht en met veel vaart, maar toen leek hij opeens tot stilstand te komen. De mobilofoons kraakten en Rod zei: 'Ze hebben hem! Hij zit recht onder de helikopter.'

Ze gaven gas en de drie boten trokken kromme sporen in het gladde wateroppervlak, Rod met zijn geweer rechtop als een of andere commando op een filmposter, Virgil op een kussen in de boeg, met zijn rug naar de wind. Rod, wiens bleke gezicht van de kou een tint roder was geworden, hield de mobilofoon tegen zijn oor en riep: 'Hij rent naar het bos. Hij probeert het bos te bereiken.'

Het moerasgebied was ooit ontstaan door een aantal U-bochten in de Mississippi, vanuit de lucht nog herkenbaar als langgerekte sikkelvormige meertjes die van elkaar werden gescheiden door velden met wilde rijst, kattenstaarten en ander groen. Ten zuiden daarvan was een groot bosgebied. Als de Deuce dat wist te bereiken, zou het een hele klus worden om hem eruit te krijgen, zeker wanneer iedereen op elkaar schoot.

Het zou voor hem tien tot vijftien minuten roeien geweest zijn als hij was gebleven op de plek waar ze hem de avond ervoor hadden gezien. Voor Sanders' oorlogsvloot was het maar twee à drie minuten varen.

Ze staken het meer over, voeren met flinke snelheid, in elk geval voor een platbodem, en kwamen in een vaart die een scherpe bocht opzij maakte. Maar Earl kende dit gebied en hij nam geen gas terug maar gaf één keer een ruk aan de stuurhendel toen ze bijna de kant schampten, toen kwamen ze in een verbindingswater waarvan Virgil even dacht dat het de rivier was, hoewel die maar twaalf tot vijftien meter breed was.

De helikopter bewoog zich naar het zuiden, van hen weg, maar ze liepen snel in. Virgil waagde het om op te staan, heel even maar, want hij kon niet veel zien, alleen de boomtoppen in het zuiden.

Rod riep: 'Hij rent door het gras, nog steeds richting bos...'

Virgil hoorde rumoer, keek om en zag de andere boten, die verder stroomafwaarts waren gestart, hun kant op komen. Ze waren nu met vijf boten over een afstand van amper tweehonderd meter.

'We komen in de buurt!' riep Rod.

Na nog eens vijftien seconden wees Rod omhoog en riep naar Earl: 'Kijk... daar.'

De helikopter vloog niet meer dan vijftig tot zestig meter boven hen en Virgil hoorde een stem uit een megafoon, maar door het geklapwiek kon hij niet verstaan wat er werd geroepen. Vanuit het noorden kwamen er nog twee boten hun kant op en Earl stuurde naar een gebied met kattenstaarten, waar ze vaart minderden en uitdreven totdat Virgil een opening zag. Het was een doorgang, maar die was nog geen halve meter breed.

'Kunnen we hem hier doorheen persen?' vroeg Rod.

'Zal moeilijk worden,' zei Earl. Hij zette de motor af, trok een vaarboom uit de klemmen onder het linkerdolboord en begon de boot door de opening te bomen. Ze kwamen tien meter ver en toen was het afgelopen. 'Te ondiep,' zei Earl.

'Kunnen we er lopend doorheen?' vroeg Rod.

'Nee,' zei Earl. 'Sommige stukken wel, maar dan zak je weer tot aan je nek in het water.' Hij begon de boot achteruit te bomen terwijl Rod de mobilofoon tegen zijn oor hield en zei: 'Een stukje terug, meer naar het noorden, is een doorgang. Shit, ze zijn daar al met een paar boten... we gaan de actie missen.'

Ze kwamen in open water, waar Earl de motor startte. Ze voeren in noordelijke richting terwijl achter hen nog een boot tussen de kattenstaarten vandaan kwam. De boot kwam hen achterna en Virgil zag dat de andere boten een flinke voorsprong hadden genomen terwijl zij probeerden zich tussen de kattenstaarten door te persen.

'Hij rent naar het bos,' riep Rod, en meteen daarna: 'Ze zien hem, ze zien hem.'

Ze hoorden geweervuur, vijf schoten kort achter elkaar. Rod riep: 'Jezus, wat is dat?' en ging opeens zitten, en Virgil zei: 'Rustig aan, jongens, en blijf laag.'

De helikopter maakte een draai, ze hoorden een lang salvo van schoten, halfautomatisch vuur, met twee of drie geweren, en toen riep Rod: 'Hij is neer, ze hebben hem!'

En Virgil dacht: shit.

De helikopter hing recht boven hen, zo laag dat ze hun eigen gedachten niet meer konden horen, maar ze konden niet bij de plaats delict komen zonder eerst vierhonderd meter door het lange moerasgras en de kattenstaarten te varen. En toen ze uiteindelijk een laatste bocht om voeren, zagen ze de boten van de oorlogsvloot op de modderige oever tussen de bomen liggen en stond er vijftig meter verderop een groepje hulpsheriffs om een aluminium kano geschaard.

Ze moesten uit de boot stappen en door het water waden dat tot aan hun knieën reikte, om naar de oever te komen. Toen Virgil zich even later bij het groepje hulpsheriffs voegde, zaten er twee man naast de Deuce gehurkt die probeerden met tourniquets en drukverbanden de bloedende wonden in zijn dijen en onderbeen te stelpen. Een andere hulpsheriff zei: 'Leg hem op een zeil', en met vier man tilden ze hem op, de Deuce kreunde, en ze legden hem op een blauw dekzeil, maar hij bleef bloeden en algauw zat het hele zeil onder het bloed.

Met zes man, onder wie Virgil, droegen ze hem in het zeil door het water naar de eerste boot terwijl de Deuce huilde van de pijn, zijn ogen waren vochtig en schichtig en hij vroeg wel drie of vier keer: 'Waarom hebben jullie me neergeschoten? Waarom hebben jullie me neergeschoten?' Ze legden hem op de bodem van de boot, de bootsman startte de motor, voer langzaam terug naar het open water en toen ze uit het zicht waren verdwenen, hoorde Virgil dat de gashendel werd opengedraaid.

'Waar brengt hij hem naartoe?' vroeg hij aan een van de hulpsheriffs.

'Er komt een ambulance naar de botensteiger,' zei de man. Hij zag er doodmoe uit, hoewel het nog vroeg in de ochtend was.

'Wat is er gebeurd?' vroeg Virgil.

'Hij probeerde het bos in te vluchten,' zei de man. 'Ik zat in de derde of vierde boot en iemand in de voorste boot legde hem neer.'

'Had hij... had hij zijn geweer bij zich?'

De hulpsheriff schraapte zijn keel en wendde zijn blik af. 'Zijn... eh... geweer zit in de klemmen in de kano. Volgens mij probeerde hij de kano op de kant te trekken en het bos in te vluchten, maar zeker weet ik het niet.'

'Hoe ernstig is hij gewond?' vroeg Virgil.

'Zijn beide benen zijn aan flarden, en hij is in zijn bil geraakt, van opzij. Grote gaten.'

Virgil keek om zich heen en zag dat de andere hulpsheriffs, die zich op de achtergrond hielden, op gedempte toon tegen elkaar praatten.

Hier gaan we problemen mee krijgen, dacht hij.

De hulpsheriffs bleven op de plaats delict wachten op het technische team van BM. Mapes had de afgelopen week in Grand Rapids meer werk verzet dan in zijn hele carrière, dacht Virgil.

Hij maakte een rondje langs de hulpsheriffs en hoorde dat twee van hen hun wapen hadden afgevuurd. De eerste had in het bos gevuurd, een stuk voor de Deuce uit, om zijn vlucht te belemmeren en hem bij de bomen weg te houden. De tweede hulpsheriff had gemeend dat de Deuce het vuur op hem opende, dus had hij teruggeschoten, en toen de Deuce achter een boom was gaan staan en vanuit zijn standpunt uit het zicht was verdwenen, had de eerste hulpsheriff nog een keer gevuurd omdat hij niet wist waar het tweede salvo vandaan was gekomen.

Virgil sprak nog een paar andere hulpsheriffs en liet zich daarna door Earl terugvaren naar de botensteiger.

Onderweg zei Earl: 'Ze hadden die jongen niet mogen neerschieten.'

'Als hij zich met een geweer in het bos had verschanst, hadden er doden kunnen vallen voordat ze hem eruit hadden gekregen,' zei Virgil, zonder veel overtuiging.

Earl spuugde in het water. 'Hij had meer dan genoeg kans om iemand neer te schieten, als hij dat had gewild. Maar hij had zijn geweer niet eens uit de klemmen getrokken.'

'Soms weet je dat soort dingen niet,' zei Virgil. 'Het is niet altijd zo simpel als het lijkt.'

'Een waarheid als een koe, verdomme,' zei Earl. Ze voeren het meer weer op in het vroege ochtendlicht, dat de bleke schaduwen van de wilde rijstplanten op het water wierp, en Earl zei: 'Gods land.'

Virgil dacht aan Johnson Johnson, die hetzelfde over Vermilion Lake had gezegd, en hij zei: 'Ja, dat is het zeker.'

Sanders was al in het ziekenhuis toen Virgil daar aankwam. Hij zag Virgil binnenkomen, liep hem tegemoet en vroeg: 'Was je erbij?'

'Ja, maar ik zat in de laatste boot. Ik heb het niet zien gebeuren. Hoe is hij eraan toe?'

'Niet best. Hij wordt geopereerd, ze proberen het bloeden te stoppen. En hij krijgt bloed toegediend. Ik sprak een van de artsen en hij heeft dus bloedgroep O. Dan weet je dat...'

'Ja, dat kan belangrijk zijn,' zei Virgil.

'Ik weet dus niet of er daar een schotenwisseling heeft plaatsgevonden.'

Sanders gebruikte de term 'schotenwisseling' alsof hij hoopte dat het zo was, maar Virgil schudde zijn hoofd. 'Hij had een .22, maar die zat nog

in de klemmen in zijn kano toen hij werd neergeschoten.'
'Verdomme. Had hij geen vuistwapen of zoiets bij zich?'
'Er heerste daar nogal wat verwarring, niemand wist waar hij aan toe was,' zei Virgil. 'Als hij gewapend het bos in was gevlucht, zou het een hele klus worden om hem eruit te krijgen. Ik weet niet wat ik moet zeggen, Bob, maar misschien is dit wel de beste uitkomst. Er is in elk geval niemand anders gewond geraakt.'
'Maak dat Channel Three maar wijs,' zei Sanders.
'Zijn die hier?'
'Ze hebben gebeld, maar ik weet niet of ze hiernaartoe komen of niet,' zei hij. 'Hoe is het met je vriend van de *Star Tribune*?'
'Ik weet niet waar hij uithangt, en hij is niet bepaald een vriend...'
'Gelul,' zei Sanders, met een halve glimlach om zijn mond. 'Dan heb je zeker de krant van vanochtend niet gezien.'
'O...'
'Je staat breed grijnzend op de voorpagina,' zei Sanders. 'Met de kop DOORBRAAK IN MOORDZAAK.'
'O, man.'

Sanders zei dat ze niets konden doen totdat de chirurgen de operatiekamer uit kwamen, en hij vermoedde dat dat nog wel een paar uur kon duren. 'Ze hebben heel wat werk te verrichten,' zei hij.
Hij bleef wachten. Virgil liep de centrale hal in en zag een krantenstandaard. Hij haalde de *Star Tribune* eruit, betaalde en zag zichzelf op de voorpagina, met zijn armen over elkaar geslagen in gesprek met Slibe. Geen slechte foto, en hij had niet gemerkt dat Ignace die had genomen. Hij had niet eens geweten dat hij een camera bij zich had.
Hij stond er best goed op, vond hij, en daar dacht hij nog even over na toen zijn mobiele telefoon ging. Hij haalde hem uit zijn zak: Davenport.
'Ja?'
'Heb je de *Star Tribune* van vanochtend gezien?' vroeg Davenport.
'Ik sta er nu naar te kijken. Ik moet je iets vertellen. We hebben vanochtend wat problemen gehad...'
Toen hij het hele verhaal had verteld, bleef het even stil en vroeg Davenport: 'Houdt je zaak stand voor de rechter?'
'We laten het DNA van het bloed op de mouw bepalen en zoeken Windrows DNA erbij in zijn huis... dat laten we de politie van Iowa doen. Als dat een match oplevert, en met de creditcard erbij, moeten we een veroordeling kunnen krijgen.'

'En dan is iedereen gelukkig, is dat het?'

'Nee, gelukkig zal ik er niet mee zijn. De jongen kán het hebben gedaan, maar zijn ouweheer zit me nog steeds niet lekker. Bij senior heb ik het juiste gevoel, maar bij de jongen weet ik het nog niet. Hij lijkt me niet iemand die dit gepland kan hebben, om je de waarheid te zeggen. Ik weet het nog niet...'

'Dus je komt vanavond niet terug?'

'Nee, en morgenavond waarschijnlijk ook nog niet. Verdomme, Lucas, deze zaak stinkt aan alle kanten.'

'Blijf erop zitten en laat me weten wat er gebeurt,' zei Davenport. 'Een staatssenator, ene Marsha Williams, heeft me gebeld over de McDill-zaak. Ze is bevriend met McDills vader en wilde weten hoe ver we waren.'

'Word je onder druk gezet?'

'Nee, niet echt, maar ze wilde de man een plezier doen en vroeg of ik haar op de hoogte kon houden,' zei Davenport. 'Als jij het niet erg vindt, bel ik haar terug en vertel ik haar wat er zoal is gebeurd.'

'Dat kun je doen, maar, eh... wees niet te exact en laat me een beetje ruimte.'

Hij liep terug naar de Spoedeisende Hulp toen Wendy Ashbach de hal binnen kwam. Ze had een loshangende witte blouse, een spijkerbroek en badslippers aan en haar haar zat in de war. Ze bleef staan, keek om zich heen, zag Virgil en riep: 'Is hij dood? Waar is mijn broer?'

Virgil liep naar haar toe en zei: 'Hij is in de operatiekamer. Hij is neer-geschoten.'

Ze begon te huilen en vroeg op smekende toon: 'Overleeft hij het? Komt het weer goed met hem?'

'Hij is voornamelijk gewond aan zijn benen, maar wel ernstig,' zei Virgil. 'Hij heeft veel bloed verloren voordat ze hem hiernaartoe hadden gebracht, maar hij krijgt nu bloed toegediend. Er zijn twee chirurgen met hem bezig.'

'Waar is hij?'

Hij nam haar mee naar de gang, waar Sanders en twee hulpsheriffs zaten te wachten. Toen Sanders haar zag stond hij op en liep naar haar toe. Hij pakte haar hand vast en zei: 'Ze zijn met hem bezig. Ik kan je nog niet zeggen hoe hij eraan toe is, maar zodra ik iets hoor, laat ik het je weten.'

Ze werd boos, wilde weten wat er was gebeurd, maar Sanders legde zijn arm om haar schouders en nam haar mee naar de gang. Virgil vond dat hij dat niet slecht deed, zoals hij zich bekommerde om een familielid.

Ze wachtten nog een uur. Virgil werd gebeld door Ignace en vroeg: 'Sinds wanneer loop jij met een camera rond?'
'Gaaf, hè? Dat ding is zo groot als je lul, dus niemand ziet het. Volautomatisch, alleen richten en de knop indrukken. Hoe vind je de foto?'
'Nou, best goed, eigenlijk.'
'Ik zal er een voor je afdrukken,' zei Ignace. 'En, is er vanochtend nog iets gebeurd?'

Twee uur nadat de Deuce de operatiekamer binnen was gebracht kwam de chirurg, een gedrongen man met een zwarte baard, de gang op en zei: 'We hebben hem gestabiliseerd, maar het is nog steeds een ravage. We hebben de ergste bloedingen kunnen stoppen, maar er zijn diverse botten van zijn bovenbeen en bekken verbrijzeld. We hadden vier zakken bloed nodig. Er komt straks een helikopter om hem naar Regions Hospital in St. Paul over te brengen.'
'Komt het weer goed met hem?' vroeg Wendy.
'Hij zal geruime tijd moeten revalideren,' zei de chirurg. 'En, eh... hij is nog niet helemaal uit de gevarenzone. Hij is er nog lang niet, maar hij kan in elk geval vervoerd worden.'

De chirurg gaf nog wat informatie toen Zoe binnenkwam en haar armen om Wendy heen sloeg. Een halfuur later werd de Deuce, met de slangetjes van de zoutoplossing en pijnstillers in zijn arm, op een brancard naar de wachtende helikopter gereden en aan boord getild, en even later was hij weg.

24

Virgil, Sanders en John Phillips, de districtsprocureur, hadden een korte bespreking in Phillips' kantoor. 'Als het bloed overeenkomt, we hebben de creditcard en zijn ouweheer legt een verklaring af, zitten we waarschijnlijk goed,' zei Phillips tegen Virgil. 'Maar wat we goed zouden kunnen gebruiken, is een verklaring van Ashbach junior, wanneer hij voldoende is hersteld om er een af te leggen. Dus zorg dat je daar bent als het zover is. Ga zijn kamer binnen, wijs hem op zijn rechten en kijk wat hij te vertellen heeft. Je hoeft hem niet meteen te wijzen op zijn recht op rechtsbijstand... wacht tot hij zelf om een advocaat vraagt.'

'Ik wou dat ik die verdomde .223 kon vinden,' zei Virgil. 'Hij moet die ergens op zijn perceel verstopt hebben. Ik ga Wendy en Slibe eens flink onder druk zetten, want misschien hebben ze daar wel een of andere geheime bergplaats, in het bos of ergens anders.'

'Het geweer zou het feest compleet maken, zeker als we er een paar vingerafdrukken af kunnen halen,' beaamde Phillips.

Virgil belde Davenport, praatte hem bij over de bespreking en benadrukte nog eens hoe wankel hun zaak tegen de Deuce was. 'Laat ze een beetje opschieten met het DNA, man. Ik weet dat ze het druk hebben, maar we hebben het nodig.'

Zoe belde en zei: 'Ik ben thuis, met Wendy. Je kan maar beter komen.'

Wendy en Zoe zaten in Zoe's woonkamer en ze zagen er allebei nogal somber uit toen Virgil binnenkwam. Er hing een lichte marihuanageur in de kamer en Virgil vroeg: 'Hebben jullie de scherpe kantjes eraf gerookt?'

'Niet bepaald,' zei Zoe, en Wendy zei: 'Wat ben je toch een klootzak.'

'Ik vind het heel vervelend dat ze je broer hebben neergeschoten,' zei Virgil. De twee vrouwen zaten op de bank, naast elkaar, en hij nam in de fauteuil tegenover hen plaats. 'Ik hou er niet van wanneer er op mensen wordt geschoten, op wie dan ook. Maar de hulpsheriffs waren bang dat hij de dekking van het bos zocht, met zijn geweer, en dat hij ze een voor een zou neerleggen.'

'Ze hadden kunnen wachten tot hij zich zou overgeven... Ze hoefden niet op hem te schieten,' zei Wendy. 'Hij was waarschijnlijk doodsbang, door die helikopter boven zijn hoofd en al die boten op het water.'

'Ben je erbij geweest?' vroeg Virgil.

Wendy schudde haar hoofd en Zoe zei: 'Nee, maar het was allemaal op de radio. Iedereen heeft het erover.'

Virgil zei: 'Wendy, het spijt me.'

Zoe: 'Vertel het hem.'

Wendy begon te huilen. 'O, god,' zei ze. 'Ik vind het zo erg.'

Virgil: 'Vertel me wat?'

Wendy keek Zoe aan, die knikte, en wendde zich weer tot Virgil en zei: 'Ik geloof niet dat de Deuce het heeft gedaan. Ik denk dat mijn vader het heeft gedaan.'

Na een korte stilte vroeg Virgil: 'Waarom denk je dat?'

Ze zei: 'Op de dag dat Erica werd vermoord... ik was 's morgens heel vroeg bij haar weggegaan en ik zag alles weer helemaal zitten. Ik was helemaal enthousiast over de plannen die we hadden gemaakt. We zouden die middag gaan opnemen in de Schoolhouse en ze had de avond daarvoor gezegd dat ze dat machtig interessant vond. Dat ze wilde zien hoe we het deden, en hoe het allemaal werkte. Dus ik dacht: ik ga bij haar langs en vraag of ze het leuk vindt om erbij te komen zitten. We lasten een eetpauze in en ik ben naar de Eagle Nest gereden.'

'Hoe laat was dat?' vroeg Virgil.

'Halfzeven, omstreeks die tijd.'

'Maar je hebt haar niet gezien?'

'Nee. Ze was er niet. Haar auto stond op het parkeerterrein, maar zij was weggegaan, ik wist niet waar naartoe. Ik vermoed dat ze toen al het meer op was gegaan om naar de adelaars te kijken.'

'Oké.'

'Maar goed, we waren aan het opnemen, dus ik moest terug. Toen ik de oprit van het resort af reed, dacht ik dat ik pa's pick-up voorbij zag rijden. Op de weg. Ik ben hem achterna gegaan, maar de pick-up reed zo hard dat het me niet lukte hem in te halen. Maar hij zag eruit als pa's pick-up.'

Virgil bleef haar aankijken. 'Dat is alles?'

Ze keek Zoe weer aan en Zoe zei: 'Je kunt hem de rest ook maar beter vertellen.'

'Welke rest?'

Het kostte Wendy moeite, maar uiteindelijk zei ze: 'De volgende ochtend hoorde ik van Cat, die het van een hulpsheriff had gehoord, dat Erica was doodgeschoten toen ze op het meer aan het kanoën was, en dat ze zaten te wachten tot de mensen van de politie van Minnesota zouden komen. Ik werd gek. Ik bedoel, ik ging compleet door het lint. Ik ben in mijn auto gesprongen, ben ernaartoe gereden en heb mijn auto geparkeerd op de oprit van een van de huisjes. Ik ben teruggelopen, en toen ik door het moeras naar de waterkant liep, zag ik dat daar iemand had gelopen. Ik ben doorgelopen tot aan de waterkant – ik werd gek van alle muggen die om mijn hoofd zoemden – en heb even naar de boten op het water staan kijken, en ben toen snel teruggegaan naar mijn auto en weggereden. Ik was doodsbang.'

Virgil wreef met zijn handen over zijn gezicht. 'O, man. Wat voor schoenen had je aan?'

'Mephisto's. Zoe vertelde me later die avond dat jij naar Mephisto's op zoek was. Ik wilde ze niet weggooien, want ze hadden me meer gekost dan al mijn andere schoenen bij elkaar, dus ik heb ze in mijn spullenkist in de Schoolhouse verstopt.'

'Je had tegen me gezegd dat ik erover mocht praten,' zei Zoe tegen Virgil.

'Ja, dat is waar,' zei Virgil.

'Er is nog iets,' zei Zoe. Ze keek Wendy even aan en vervolgde: 'De band was dinsdagmiddag een nummer aan het opnemen en Slibe kwam langs om naar Wendy te kijken. McDill was er ook. Wendy liet Slibe een paar pizza's bestellen en die hebben ze toen met z'n allen opgegeten.'

'Oké.'

'En tijdens het eten had Erica het over de adelaars, dat ze van plan was het meer op te gaan om bij het nest te kijken,' maakte Wendy de zin voor Zoe af.

'O, man.' Ze zwegen enige tijd en Virgil had zelf ook wel één of twee trekjes van een joint gewild, als iemand hem die had aangeboden. Uiteindelijk zei hij: 'En je dacht dat je zíjn pick-up had gezien. Maar je weet het niet zeker.'

'Ik... weet je, als je een pick-up ziet, denk je dat ze er allemaal hetzelfde uitzien, maar als je die van je beste vriend ziet, de manier waarop hij rijdt, meen je die te herkennen. Ik dacht dat het pa's pick-up was. Ik reed naar de weg en dacht: wat doet híj hier?'

Weer een stilte, en toen zei Virgil: 'Goed dan, Wendy. Constance Lifry werd vermoord, Erica werd vermoord, Jud Windrow verdween van de aardbodem en ik vermoed dat hij ook dood is. Al deze mensen hebben op de een of andere manier een connectie met de band. Maar hoe zit het met Jan Washington?'

'Ik heb geen idee,' zei Wendy.

'Kende de Deuce haar?'

'Voor zover ik weet niet. Hij wil wel snoepen, maar hij doet het eigenlijk nooit.'

'En je vader?' vroeg Virgil.

'Voor hem geldt hetzelfde, denk ik. En ze was niet bevriend met iemand van ons.'

'Maar waarom... ik bedoel, als er aan de Deuce een steekje los is, heeft hij Washington misschien alleen van haar fiets geschoten omdat hij dat leuk vond. Omdat het op jagen lijkt en hij een bepaalde behoefte voelde. Maar dat zie ik je ouweheer niet doen. Daar lijkt hij me te... beheerst voor.'

'Ik weet het echt niet,' zei ze. 'Ik weet het gewoon niet. Het slaat allemaal nergens op.'

Zoe vroeg aan Wendy: 'Als het je vader was die al die mensen heeft vermoord, waarom zou hij dat dan hebben gedaan? Om jou bij zich te houden?'

Wendy knikte. 'De enige mensen van wie mijn vader ooit heeft gehouden waren mijn moeder en ik. En de Deuce, neem ik aan. Dat heeft hij me wel honderd keer verteld. Toen mijn moeder ervandoor ging, heeft hij dat bijna niet overleefd. Hij zegt altijd dat ik hem aan haar doe denken.'

'Heeft je vader je ooit...?' Virgil liet de rest van de vraag in de lucht hangen in plaats van 'seksueel misbruikt' te zeggen.

Het duurde even voordat Wendy begreep wat hij bedoelde, maar toen zei ze: 'O, nee, nee. Absoluut niet.'

'Nooit?'

'Nee, nooit. Er was een periode, toen ik twaalf of dertien was, dat ik me niet bij hem op mijn gemak voelde omdat ik dacht dat hij naar me gluurde, en toen ben ik een tijdje op mijn hoede geweest. Maar er is nooit iets gebeurd. Nooit.'

'En de Deuce?'

Er kwam een bedroefde glimlach om haar mond. 'Hij gluurde graag naar me. Je weet wel, als ik de badkamer uit kwam, of stiekem, door het raam. Ik vond het niet erg, en ook hij heeft nooit iets gedaan. Daar is hij veel te verlegen voor.'

'Hoe is de relatie tussen je vader en de Deuce? Hij heeft ons min of meer verteld dat hij de dader was.'

Ze schudde haar hoofd. 'Daar weet ik niks van. Toen we klein waren kregen we allebei slaag van hem, want hij geloofde in discipline. Maar ma sprong er altijd tussen. Toen zij er niet meer was, heeft hij de Deuce een paar keer flink afgetuigd. Daar is een paar jaar geleden een eind aan gekomen toen de Deuce ging terugslaan. Soms denk ik weleens dat pa meer op zich heeft genomen dan hij aankan.'

Ze zaten weer een tijdje zwijgend tegenover elkaar en uiteindelijk vroeg Virgil: 'Heeft je vader weleens tegen je gezegd dat hij niet wilde dat je wegging?'

Ze knikte. 'Ja, nou, reken maar. Hij kwam uit een heel arm gezin, en dan bedoel ik echt arm. Hij had een broer die op jonge leeftijd is overleden, zogenaamd aan een hartkwaal, maar pa heeft me een keer verteld dat hij vermoedde dat zijn broer was gestorven omdat hij als kind niet genoeg te eten had gekregen. Ze hebben periodes meegemaakt dat er echt niks te eten was. Ze kregen hulp van de overheid, maar alleen in de vorm van potten pindakaas en reuzel en dat soort dingen. Overschotten van boeren die te veel hadden geproduceerd. Hij vertelde dat ze soms maanden lang alleen pindakaas aten, bij het ontbijt, de lunch en het avondeten. Als hij nu alleen maar pindakaas ruikt wordt hij al misselijk.'

Ze raakte afgeleid, maar Virgil wilde haar aan de praat houden, dus hij zei: 'Dat kan ik me voorstellen.'

Ze knikte. 'Maar goed, na zijn schooltijd ging hij op een shovel werken, voor een bedrijf dat septic tanks plaatste, en daarna, in het leger, leerde hij met zware machines omgaan. Hij bleef zes jaar in het leger, spaarde elke cent soldij op en toen hij eruit kwam, deed hij een aanbetaling op een Bobcat. Vanaf dat moment was het werken, werken en nog eens werken. Hij trouwde met ma, die net zo hard mee werkte, en uiteindelijk slaagden ze erin het bedrijf van de grond te krijgen. Hij gelooft niet dat de Deuce het bedrijf kan voortzetten; hij wil dat ik dat doe. Hij denkt dat als ik naar Nashville of zo ga, het bedrijf...'

Ze haalde haar schouders op.

'... door de plee gespoeld zal worden,' zei Zoe.

'Dat is niet grappig,' snauwde Wendy. En tegen Virgil zei ze: 'Maar ik wil dat niet. Ik wil niet de rest van mijn leven rondrijden op een of andere verdomde Bobcat, of kantoorwerk doen voor een stel rednecks.'

'Waarom vertel je dit allemaal aan mij?' vroeg Virgil.

'Omdat, als pa het heeft gedaan, hij gestopt moet worden,' zei Wendy. 'En de Deuce... de Deuce kan er niks aan doen dat hij niet helemaal normaal is. Zo heeft pa hem gemaakt. Nadat ma er met Hector vandoor was gegaan, was het alsof ik de moeder van het gezin was geworden en moest ik de Deuce in bescherming nemen. Toen was ik degene die alsmaar weer tussen hem en pa in moest gaan staan.'

'De Deuce is... wat? Vier, vijf jaar jonger dan jij?'

'Zeven jaar,' zei Wendy. 'Als hij de gevangenis in moet, wordt dat zijn dood. Ik denk dat alleen al het feit dat ze hem als een beest in een kooi stoppen genoeg is om een eind aan zijn leven te maken. Bovendien trekt hij de aandacht... van mensen die grappen met hem zullen uithalen. Kortom, als hij de gevangenis in moet, gaat hij daar zelf dood of ze vermoorden hem. En als hij het niet heeft gedaan, is dat gewoon niet rechtvaardig.'

'Nee, dat ben ik met je eens,' zei Virgil.

Hij leunde achterover en sloot zijn ogen. Als Slibe het had gedaan en de Deuce was onschuldig, zaten ze flink in de problemen. Als de politie eenmaal iemand had gearresteerd voor een meervoudige moord, was het vrijwel onmogelijk om er iemand anders voor veroordeeld te krijgen, zonder een waterdichte zaak. Op grond van de voorwaarde voor een veroordeling, schuldig buiten gerede twijfel, zou een advocaat van de verdediging hen zeker om de oren slaan met de eerdere arrestatie. *Als jullie er zo zeker van zijn dat X schuldig is, waarom hebben jullie dan twee dagen daarvoor Y gearresteerd?*

Misschien zouden ze zich hierlangs kunnen werken aangezien de twee betrokkenen familie van elkaar waren en het bewijs beiden als dader kon aanwijzen, maar het zou lastig worden, vooral omdat het enige wat Slibe als dader aanwees het feit was dat hij 'misschien' was gezien.

Hoewel hij er wel vertrouwen in had dat ze zijn pick-up had herkend.

Hij opende zijn ogen en vroeg aan Wendy: 'Wat zou je zeggen als je je vader confronteerde met de beschuldiging dat je hem daar in zijn pick-up hebt zien rijden en hij zei: "Nee, dat kan ik niet geweest zijn. Ik was bij Joe Dinges."'

'Nou, dan zou ik hem waarschijnlijk geloven, denk ik,' zei Wendy. 'Zeker als Joe Dinges het bevestigde. Nogmaals, ik ben er niet honderd procent zeker van dat het pa's pick-up was. Ik dacht het alleen. Op dat moment.'

'Man, het is allemaal erg mager,' zei Virgil. Hij boog zich naar voren. 'En wat zou je ervan vinden als we jou van een microfoontje en een zendertje voorzagen en dat jij hem dan van de moord op Erica beschuldigt? Dat je zegt dat je hem hebt zien rijden, om te zien hoe hij reageert? Dan zorgen wij ervoor dat we in de buurt zijn voor het geval hij rare dingen gaat doen.'

'O, mijn god.' Ze haalde haar vingers door haar blonde haar. 'Dat zou echt verraad zijn, toch? Dat vergeeft hij me nooit, zelfs niet als hij onschuldig blijkt te zijn. Ik bedoel, toen ma hem verraadde, is hij daar nooit overheen gekomen. Hij deed niks anders dan werken, kwam thuis, deed de tuin, maakte het huis schoon en gaf zijn kinderen te eten. Alles wat hij normaliter deed, plus alles wat ma had gedaan. Daarna ging hij naar bed, stond de volgende ochtend op en deed alles weer opnieuw.'

'Ik kan niks anders bedenken dan een zendertje,' zei Virgil. 'Zeker niet als de uitslag van het lab bevestigt dat het bloed van Jud Windrow is. Dan hangt de Deuce. En ik kan je vertellen, meisje, dat je een zangcarrière wel op je buik kunt schrijven als bekend wordt dat je vader iedereen afmaakt die probeert jou hogerop te helpen.'

Ze zei: 'Ik moet erover nadenken.'

'Wacht daar niet te lang mee,' zei Virgil.

Zoe zei tegen Wendy: 'We kunnen erover praten. We schoppen Virgil de deur uit en nemen de voors en tegens door.'

Virgil vermoedde dat dit wel een tijdje zou duren. Hij belde de sheriff en vroeg of hij een paar hulpsheriffs kon lenen. 'Ik ga met Slibe praten en doe dat liever niet alleen.'

'Dat kan ik me indenken, nu we zijn zoon aan flarden hebben geschoten,' zei Sanders. 'Ik ben weer in Bigfork. Rijd maar naar mijn kantoor; ik zal ervoor zorgen dat er een paar man op je wachten.'

Virgil reed met twee hulpsheriffs naar Slibes huis, maar Slibe was er niet. De honden hadden te eten gehad, hadden schoon water en huppelden vrolijk rond, maar het huis, de vliering en de trailer waren verlaten en Slibes pick-up was weg.

Toen Virgil Zoe belde om te horen of Wendy zou meewerken en voorzien van een zendertje met haar vader wilde praten, zei Zoe: 'Slecht nieuws op dat punt. Slibe belde en ze is weggegaan voor een afspraak met hem.'

'Een afspraak? Zoe, als hij de dader is en ze is met hem alleen...'

'Ze hebben afgesproken op het kantoor van Dick Raab,' zei Zoe.

'Wie is Dick Raab?'

'Een advocaat,' zei Zoe. 'Waarschijnlijk de beste van de hele stad. Slibe vindt dat het tijd is geworden om niks meer te zeggen en het gezin voor de ondergang te behoeden.'

'O, dat kan er ook nog wel bij,' zei Virgil.

'En zal ik je eens iets zeggen?' zei Zoe. 'Volgens mij valt Wendy weer op me.'

'O nee...'

Virgil belde Sanders en zei dat ze nog een keer met Phillips, de districts-procureur, om de tafel moesten. 'Problemen?' vroeg Sanders.

'Dat zou kunnen,' zei Virgil.

Ze kwamen bijeen in Sanders' kantoor. Phillips had de smoor in en in de hoek van het kantoor zat een oudere man die zijn gezicht zorgvuldig in de plooi hield.

'Bob zei dat er misschien problemen zijn?' zei Phillips zodra Virgil bin-nenkwam.

Sanders knikte naar Virgil en gebaarde naar de oudere man. 'Dit is mijn vader, Ken Sanders. Hij was hier sheriff voordat ik het werd. De helft van de mensen in de county denkt dat ze nog steeds op hem stemmen in plaats van op mij.'

Virgil en Ken Sanders schudden elkaar de hand, Virgil ging zitten en zei: 'Ik heb Wendy Ashbach net gesproken. Ze gelooft niet dat de Deuce het heeft gedaan; zij denkt dat haar ouweheer het heeft gedaan.'

Hij vertelde over zijn gesprek met Zoe en Wendy, over Slibe die had ge-beld en hun afspraak bij Dick Raab, de advocaat. Ken Sanders keek sceptisch, maar zijn zoon en Phillips kregen bijna een woedeaanval.

'Dat vertelt ze ons nu pas?' barstte Phillips uit. 'Nadat er nog een vrouw is neergeschoten, een man van de aardbodem is verdwenen en haar broer zwaargewond in het ziekenhuis ligt?'

'Slibe is haar ouweheer,' zei Ken Sanders. 'De enige familie die ze heeft, afgezien van haar broer. Ze heeft hem in bescherming genomen.'

'Als het waar is wat ze zegt, is haar ouweheer de grootste klootzak van heel Noord-Minnesota,' zei Virgil. 'Dan heeft hij zijn eigen zoon voor de leeuwen geworpen.'

Toen vroeg Bob Sanders: 'En als ze liegt? Als zij haar broer probeert te beschermen? Of zichzelf? Hebben jullie haar vader gesproken na de schietpartij in het bos?'

'Nee, nee, nee,' riep Phillips. 'Ik zal jullie vertellen hoe het in elkaar zit. Jezus christus, het is allemaal zo duidelijk.' Hij stond op, liep een rondje door het kantoor en drukte zijn handen tegen zijn slapen. 'Wendy zegt tegen ons dat haar ouweheer het heeft gedaan. Maar we hebben al dat bewijs tegen haar broer. Het bloed op de overall, het feit dat hij op de vlucht is geslagen... Dus we slepen hem voor de rechter, Wendy neemt plaats in de getuigenbank en zegt dat ze haar ouweheer bij het meer heeft gezien. Bovendien is het zíjn creditcard die in Iowa is opgedoken. Het is voor hem een koud kunstje om die overall op de vliering van junior neer te leggen. De advocaat van junior zet Slibe in de getuigenbank en het bewijs tegen hem blijkt net zo sterk te zijn als dat tegen zijn zoon. De Deuce wordt vrijgesproken want, shit, laten we eerlijk zijn, meer dan gerede twijfel hebben we niet tegen hem. En dan? Arresteren we Slibe? Zijn dochter krijgt slappe knieën als ze tegen hem moet getuigen en we hébben het bloed op de overall van de Deuce. Dus Slibes advocaat zet de Deuce in de getuigenbank en dan... Wacht! Ja, daar kun je op wachten. Wendy wordt ook voor de rechter gesleept omdat Virgil kan bewijzen dat ze daar is geweest. Met die schoenen. Kortom, Slibe wordt vrijgesproken. O, fuck! Fuck!'

Bob Sanders vroeg: 'Meen je dat nou?'

'Nou en of,' zei Phillips. 'Dick Raab gooit die meid in de strijd en laat geen spaan van me heel. Ach, jezus!' Hij richtte zijn vinger op Virgil. 'Jij moet terug naar de Cities. Je gaat naast het bed van de Deuce zitten en zodra hij bij kennis komt, neem je hem een verklaring af. Als hij bekent, zitten we goed. Als hij zegt dat zijn ouweheer het heeft gedaan... nou, dan zitten we niet goed, maar dan zijn we in elk geval een stap verder.'

'En als hij al door een advocaat wordt afgeschermd?'

'Dan staan we voor joker,' zei Phillips. 'Wacht eens even... jij niet. Jij hebt ze allemaal opgespoord. Dan sta ík voor joker, omdat ik geen veroordeling kan krijgen. Jij zit sowieso goed.'

'Een hele opluchting,' zei Bob Sanders tegen zijn vader, die daar om moest glimlachen.

'Ja, heel grappig, Bob,' zei Phillips.

'Ik zal jullie dit zeggen,' zei Bob Sanders, 'even tussen ons... Als de Deuce het niet overleeft, zou het probleem opgelost zijn. Dan kunnen we het verder laten lopen.'

Virgil schudde zijn hoofd. 'Nee. De dader is gestoord. Als Slibe de dader is, of zelfs als het Wendy is, kunnen er meer slachtoffers vallen. Want dit is nu de manier waarop hij zijn problemen oplost. Omdat hij gestoord is.'

Ze zaten een minuut zwijgend bijeen. Toen zei Ken Sanders. 'Of het is die griet. Misschien is zij gestoord. Ik heb haar gezien, die Wendy. Ze is het evenbeeld van haar moeder.' Hij grinnikte. 'Ik kan jullie vertellen dat de halve stad op de hoogte was van die kleine romance, die van Maria Ashbach en Hector.'

'Wist je daarvan? Ik bedoel, wist iedereen ervan?'

'Ik weet niet precies hoeveel mensen het wisten, maar Hector deed de inspecties van de septic tanks in de county en Maria Ashbach deed het papierwerk voor Slibe... en algauw inspecteerde onze Hector meer dan alleen het papierwerk, als jullie begrijpen wat ik bedoel. Slibe Ashbachs vrouw met een latino. Daar moest ellende van komen. En die kwam er ook: Maria en Hector pakten hun biezen en wierpen een smet op de rest van het gezin. Ze waren allemaal zwaar aangeslagen. Het zou me niet verbazen als Slibe zich een paar keer aan zijn kleine meisje heeft vergrepen. Misschien is ze daarom lesbisch.'

'Dat heb ik haar gevraagd,' zei Virgil. 'Ze zegt van niet.'

Ken Sanders ging rechtop zitten. 'Heb je dat gevraagd? Man, dan heb je meer zand tussen je oren zitten dan ik dacht.'

'Hij is degene die in International Falls al die Vietnamezen heeft afgeslacht,' zei Sanders tegen zijn vader.

Virgil kreeg het warm. 'Hoor eens, ik héb niemand afgeslacht...'

Sanders begon te lachen en wuifde het protest weg. 'Zoe zei dat ik dat tegen je moest zeggen als ik je op de kast wilde krijgen.'

Virgil ontspande zich. 'Misschien moet ik Zoe eens een pak op haar kleine kontje geven.'

'Mag ik dan kijken?' vroeg Ken Sanders.

'Hé, wat moet dit voorstellen?' vroeg Phillips. 'Wat zitten jullie nou te lachen? Geloof me, straks gaan ze alle drie vrijuit.'

Ken Sanders schudde zijn hoofd. 'Nee, dat gaan ze niet. Om te beginnen kunnen we Wendy waarschijnlijk pakken voor medeplichtigheid, omdat ze informatie heeft achtergehouden. We hebben die schoenen, en als ze jou om de tuin wil leiden zal ze moeten zeggen dat ze haar vader daar heeft gezien, toen ze die schoenen droeg, en dat ze daar tegen Virgil over heeft gelogen. Dan hebben we haar in de tang en hoeven we alleen nog te bedenken hoe we haar als blikopener kunnen gebruiken.'

Phillips bleef de oudere man enige tijd aankijken en zei: 'Ik wist dat er een reden moest zijn dat ze je acht keer hebben herkozen.'

'Reken maar,' zei Ken Sanders. En tegen Virgil: 'Ik heb het in de krant gelezen, over die toestand in International Falls. Zit het je nog dwars?'

Ze praatten er een tijdje over, de oude man luisterde aandachtig toe en stelde een paar intelligente vragen. Uiteindelijk zei hij: 'Ik zou niet weten hoe je het anders had moeten doen, Virgil.'

'Ik ook niet,' zei Virgil. 'Ik had ze kunnen laten gaan, maar ja, daar zijn rechtbanken voor, nietwaar? Je sluit geen deal met een stel buitenlandse moordenaars die hier mensen komen executeren.'

Ken Sanders zei: 'Ik maak me wel zorgen over politiemensen die met machinegeweren rondlopen. We zijn in een soort legercommando's veranderd. We hebben automatische wapens, patrouillewagens die meer op tanks lijken, boordevol munitie en smerissen met kogelvrije vesten. Als je zo'n situatie als vanochtend hebt en het loopt uit de hand, en al je mannen rennen in het rond met zware, automatische wapens... Shit, bij een doodgewone autoachtervolging valt de helft van de keren al een dodelijk slachtoffer. En een kwart van de keren is dat iemand die er niks mee te maken heeft. Iemand die de straat wilde oversteken...'

'Helemaal mee eens,' zei Virgil.

'Hoor eens, jongens, heel interessant, hoor, die filosofische bespiegelingen, maar we hebben werk te doen,' zei Phillips.

Virgil stond op en rekte zich uit. 'Je hebt gelijk. Ik moet deze zaak openbreken. Ik moet weten wie deze mensen heeft vermoord. Niet eens om ze veroordeeld te krijgen, maar omdat ik het gewoon wil weten.'

'Smeer hem dan maar gauw naar de Cities,' zei Phillips.

Virgil dacht aan Signy, overwoog eerst bij haar langs te gaan, maar meteen daarna dacht hij aan de Deuce in het ziekenhuis, die zonder advocaat bij kennis kwam.

Hij wilde dolgraag naar Sig.

Maar hij moest naar St. Paul.

25

Virgil belde Signy, zei dat hij nog één nachtje weg moest en hij meende dat er een heel lichte scepsis in haar stem doorklonk toen ze zei: 'Doe eerst wat je moet doen, Virgil.'
Hij zei: 'Sig, met mijn hand op mijn hart, ik zou niks liever doen dan meteen naar je toe komen.'
'Ik geloof je.'

Een saaie, vervelende middagrit over de I-35 naar de Cities, met nauwelijks iets te zien langs de weg en dan ook nog zonder het romantische gefonkel van sterren aan de hemel.
Uit de autoradio klonk *Dallas* van Jimmie Dale Gilmore, een van zijn favoriete songs, en Lucinda Williams' coverversie van *It's a Long Way to the Top (If You Wanna Rock 'n 'Roll)* van ac/dc, en de muziek verbeterde zijn slechte humeur enigszins maar toen hij het parkeerterrein van Regions Hospital in St. Paul op draaide, was er nog niets in hem opgekomen waarmee hij aan de slag kon.

Maar er kwam wel iets in hem op toen hij de deur van de ziekenhuiskamer opendeed en de Deuce in bed zag liggen. Het ingevallen gezicht van de jongen was als een donker eiland in een zee van witte lakens, kussens en dekens, met daarnaast de elektronische apparatuur waarop rode en groene cijfers knipperden, zakken met transparante vloeistof die via slangetjes naar zijn armen werd getransporteerd en nog meer slangetjes die andere vloeistoffen uit zijn lichaam afvoerden. Zijn ogen waren gesloten en zijn ademhaling was licht en zachtjes piepend.
Virgil vroeg aan de verpleegkundige: 'Is hij al bij kennis geweest?'
'Ja, een uur geleden, maar hij is er slecht aan toe,' zei ze. 'Hij ijlde en begrijpt niet waar hij is. Hij heeft pijnstillers gekregen, dus ik denk niet dat hij vandaag nog wakker wordt.'
'Gaat hij het halen?'
'Tachtig tegen twintig,' zei ze. 'Ze hebben zijn rectum moeten hechten, want er zijn een paar botsplinters doorheen gegaan. Zijn bekken en be-

259

nen worden bij elkaar gehouden door metalen plaatjes. Zijn wervelkolom is niet geraakt, maar de schade aan de benen is aanzienlijk. Een van de chirurgen zei dat hij nog minstens vijf keer geopereerd moet worden om alles te herstellen. Tenminste, voor zover het kán worden hersteld. En er is sprake van wondinfectie. Als die verergert, wordt de overlevingskans onzeker.'

'Bedankt,' zei Virgil, en hij ging naar beneden voor een blikje cola in het restaurant, en om na te denken over wat hij zonet had gezien. Na een tijdje keek hij op zijn horloge en belde Sandy, de onderzoeker van kantoor. Ze wilde net naar huis gaan. 'Ik heb een berg informatie nodig. In de komende paar uur. Ik zal ervoor zorgen dat je overuren betaald krijgt. Wil je me helpen?'

'Aardig van je dat je het vraagt, in plaats van me te commanderen als een of andere slaaf,' zei ze.

'Sandy...'

'Hou je mond, Virgil. Wat heb je nodig?'

'Oké, in deze volgorde. Er ligt een vrouw in een ziekenhuis in Duluth, ene Janelle Washington. Ik wil weten in welk ziekenhuis. Haar man heet James en ze wonen in Grand Rapids. En ik heb het kentekennummer van een auto nodig...' Hij las haar de rest van zijn lijst voor en ze zei dat alles makkelijk te vinden moest zijn.

'Waar ben je straks?'

'Ik ga nu naar Duluth. Verdomme, ik was daar twee uur geleden ook. Ik ben amper een kwartier hier en nu moet ik weer terug.'

'Tja, het zit ons allemaal weleens tegen in het leven,' zei ze.

'Je bent een en al hart,' zei hij.

'Lucas gaat net weg. Wil je hem nog spreken?'

'Nee, laat maar. Die zeikt me toch alleen maar af. Bel me zodra je de informatie over Washington hebt.'

Toen hij zijn toestel had opgeborgen, liep hij naar buiten, haalde zijn Nikon D3 uit de fototas in de pick-up en ging terug naar de kamer van de Deuce. De verpleegkundige was niet blij met wat hij wilde, maar Virgil was onverzettelijk en stuurde haar de kamer uit. Hij ging op een stoel staan, nam een aantal foto's van de Deuce, keek op het lcd-schermpje of ze scherp waren, was tevreden en stapte van de stoel.

De verpleegkundige kwam terug met haar baas en Virgil zei: 'Ik ben al klaar. Sommige dingen moeten gewoon gebeuren. De regels kunnen m'n rug op, en jullie mogen me citeren.'

Halverwege Duluth, toen het donker begon te worden, stopte hij bij een diner langs de weg. Hij reed het parkeerterrein op, bleef in de pick-up zitten en deed een dutje. Na een halfuur werd hij gewekt door Sandy, die hem vertelde in welk ziekenhuis Washington lag, dat ze bij kennis was en dat ze hem verwachtte. Daarna zei ze: 'Je had gelijk over die auto. Die staat nergens geregistreerd.'

'Bedankt, Sandy. Ik zie je over een paar dagen.'

Hij ging de diner binnen, at een klef broodje en reed verder naar het noorden.

Jan Washington zat rechtop in het ziekenhuisbed. Hij had haar nooit gezien voordat ze was neergeschoten, maar ze zag eruit als iemand die in de afgelopen paar dagen flink was afgevallen.

'James loopt hier ook ergens rond,' zei ze.

'Hoe gaat het met je?' vroeg Virgil.

'Ik heb pijn, de hele dag door. Ze geven me pijnstillers, maar die helpen niet echt. Of ze hebben van die sterke, waarvan ik knock-out ga. Een tussenweg kunnen ze blijkbaar niet vinden.'

'Ik wil je een foto laten zien,' zei Virgil. Hij haalde zijn laptop uit de tas, zette hem aan, startte Adobe Lightroom en klikte de beste foto van de Deuce aan, met het gezicht van de jongen in close-up en alle medische apparaten buiten beeld. Het had wel iets van een pasfoto.

'Ken je deze man?'

Ze keek enige tijd naar de foto, fronste haar voorhoofd en zei: 'O, ja... van lang geleden. Dat is Hector. Wat was zijn achternaam ook alweer? Hij werkte daar pas een paar jaar en toen ging hij weer weg... Hector Avila, zo heette hij. Hij is met Maria Ashbach naar Arizona gegaan. Ze zijn er samen vandoor gegaan.'

Virgil ging naast het bed zitten en ze praatten erover.

Hector Avila werkte voor de county als technisch inspecteur op de afdeling Publieke Werken toen Jan Washington daar op de administratie werkte, totdat ze ontslag nam omdat ze kinderen wilde. Ze konden goed met elkaar overweg en Washington herinnerde zich nog goed dat Hector en Maria Ashbach iets met elkaar kregen.

'Hector deed de inspecties van septic tanks in de county. Maria deed de administratie voor Slibes bedrijf. Zij was de bedrijfsleider en Slibe deed het zware werk. Ik merkte algauw dat er iets gaande was tussen die twee. Ik heb Hector nog gewaarschuwd dat hij...'

'Gewaarschuwd?'

'Nou, ja... Slibe was een rouwdouw en het ging hier om zijn vrouw. Als je met de vrouw van een ander rotzooide... er zijn daar genoeg stille, donkere weggetjes. Je kunt zomaar worden neergeschoten. Zoals mij is gebeurd.'

'Hoe lang heeft die affaire geduurd?' vroeg Virgil.

'Een hele tijd,' zei Washington. 'Een paar jaar op zijn minst. Ze deden het heel stiekem. Toen het eenmaal begonnen was, spraken ze elkaar nooit meer in het openbaar. Ik weet dat omdat ik Hector kende. Hij nam ergens een motelkamer, meestal in Hibbing, en dan kwam zij daar in het geniep naartoe. Ik weet het niet zeker, maar in het begin was het alleen om de seks en daarna zijn ze verliefd op elkaar geworden. Ik hoop dat ze gelukkig zijn, waar ze nu ook zijn.'

Virgil belde Ron Mapes, de leider van het technische team, thuis, en vertelde hem wat hij nodig had. Daarna belde hij Sanders. 'Dat huiszoekingsbevel van de Ashbachs, hoe lang is dat geldig? Drie dagen?'

'Yep. Daarna moeten we een nieuwe aanvragen. Maar we zijn niet verplicht de huiszoeking in één keer af te ronden. Hoezo? Wat is er gaande?'

'Als ik dat zeg, lach je me uit als ik het mis heb,' zei Virgil.

'Nee, niet waar...'

'Ik zie je morgen,' zei Virgil.

'Wacht, wacht... Hoe is het met de Deuce gegaan?' vroeg Sanders.

'Hij sliep. Ik heb niet met hem kunnen praten.'

'Dat zal John Phillips niet leuk vinden. Hij heeft die verklaring nodig.'

'Nee, want de Deuce heeft het niet gedaan,' zei Virgil. 'Zeg dat maar tegen John.'

'Virgil...'

'Ik heb een paar van je hulpsheriffs nodig,' zei Virgil. 'Morgenochtend om een uur of negen.'

Om twee uur 's nachts was Virgil terug bij het motel, waar hij zich op zijn buik op het bed liet vallen en meteen in slaap viel.

Mapes belde om acht uur 's morgens en zei: 'We wachten op je in de lobby.'

'Ga ergens een kop koffie halen,' kreunde Virgil. 'Over een minuutje ben ik bij jullie.'

'Je klinkt niet alsof je dat in een minuut gaat redden,' zei Mapes.

'Ja, nou... ik kom er zo aan.'

Het was een kalme, koele ochtend met de lichte geur van regen in de lucht, en toen Virgil het parkeerterrein op kwam, zag hij dat het beton nat was. Het had die nacht geregend, maar niet hard, want onder de auto's was het beton nog droog. Hij wandelde langs het busje van de technische recherche, ging de lobby binnen en trof daar Mapes en Herb Huntington, zijn assistent, bladerend in reisbrochures.

'Er is veel te doen hier,' zei Mapes. 'Dat wist ik niet.'

'Dat zal je vrouw leuk vinden,' zei Huntington tegen zijn baas. '"Schat, we blijven deze vakantie niet in Bemidji. Nee, nee, wij gaan naar Grand Rapids. Vissen, jagen, golfen, wat je maar wilt."'

'Hebben jullie de apparatuur bij je?' vroeg Virgil.

'Virgil, ik wil niet zeggen dat je niet goed snik bent,' zei Mapes, 'maar ik verstop me achter in het busje terwijl Herb het werk doet.' Virgil schudde zijn hoofd, er kwam een bedroefde glimlach om zijn mond en Mapes vroeg: 'Wat is er?'

'Ik ben niet aan het gissen,' zei Virgil. 'Laten we ergens gaan ontbijten... we zullen daar wel een tijdje bezig zijn.'

'Wat weet jij wat ik niet weet?' vroeg Mapes.

'We kunnen Jud Windrow nergens vinden,' zei Virgil. 'Zelfs niet met een gps in zijn auto.'

Mapes hees zijn broek op. 'Hm. Nou, we zullen zien. Dus... de Log Cabin? Pannenkoeken?'

Ze ontbeten, haalden de twee hulpsheriffs op, reden in een konvooi van drie auto's naar Ashbachs huis en parkeerden voor de deur. Het huis leek verlaten, en er hing een donkere wolk boven. Virgil bonsde op de deur, kreeg geen reactie, waarop de ene hulpsheriff doorliep naar de garage, naar binnen keek en riep: 'Zijn pick-up is weg.'

'Kijk op de vliering.' En tegen Mapes: 'Dan beginnen we toch gewoon?'

Virgil liep in de richting van Wendy's woonwagen en toen hij halverwege was ging de deur open en kwam Wendy, in spijkerbroek en op blote voeten, op de betonnen treden staan. 'Wat komen jullie doen?'

'Waar is je vader?' vroeg Virgil.

'Hij is... onze advocaat heeft gezegd dat we niet meer met je mochten praten, ongeacht wat je zei,' zei Wendy. Berni kwam achter haar staan en legde haar hand op Wendy's schouder.

'Doe vooral wat je advocaat zegt,' zei Virgil. 'Maar luister goed, Wendy, als je vader hier is, en hij komt opeens naar buiten stormen en schiet iemand neer, dan ga jij naar de gevangenis voor medeplichtigheid aan moord.'

'Laat me... Wat zijn ze daar aan het doen?'

Aan de andere kant van het erf liepen Mapes en Huntington heen en weer langs de groentetuin. 'We gaan door met de huiszoeking,' zei Virgil. Hij keek Berni aan. 'Berni, jou is niet door een advocaat verteld dat je niet met me mag praten, want je hebt geen advocaat. Dus vraag ik aan jou: weet jij waar Slibe is?'

'Dat is niet eerlijk,' zei Wendy.

'Eerlijkheid kan mijn rug op,' zei Virgil. 'Berni, als je het weet kun je het maar beter zeggen, anders raak je net zo diep in de problemen als Wendy.'

Wendy zei: 'Goed dan, ik zal het zeggen... laat haar met rust. Hij heeft een klus ten zuiden van de stad, op de Wendigo-farm.'

'Hoe laat is hij weggegaan?'

'De gewone tijd, denk ik... halfzeven of zo,' zei Wendy. 'Ik hoorde hem wegrijden.'

'Vind je het niet een beetje raar dat hij nog niet is gaan kijken hoe het met de Deuce is?'

'Ik denk dat hij nog te aangeslagen is door wat er is gebeurd,' zei Wendy. 'Berni en ik gaan vandaag naar St. Paul. Misschien gaat hij wel mee. Wat zijn ze daar aan het doen, Virgil?'

Huntington stond aan de rand van de tuin, met een metalen doos op zijn buik die aan een riem om zijn nek zat, en een bezemsteel met een soort basketbalring aan het eind in zijn hand. Ze zagen hoe hij de ring boven de aardappelplanten hield en langzaam langs de tuin liep, op de voet gevolgd door Mapes.

'Wendy, ga jij je broer nu maar opzoeken,' zei Virgil. 'Ik ben gisteravond bij hem geweest. Hij kan wel wat steun gebruiken.'

Ze keek hem aan. 'Is hij er erg aan toe?'

'Erg genoeg. Ze lappen hem wel op, maar het gaat tijd kosten. Infectie is op dit moment het grootste gevaar.' Hij vertelde haar over zijn bezoek, keek op en zag Mapes hun kant op komen. Huntington liep een rondje door de tuin, dwars door de tomatenplanten en komkommerstruiken, on-gevoelig voor de schade die hij aanrichtte.

Mapes zei: 'We hebben een object, Virgil. Een groot object.'

'Weet je het zeker?'

'Nou, we hebben de vorm. Jij denkt dat je weet wat het is, en het ligt daar. Dat is het enige wat ik op dit moment kan zeggen.'

Wendy vroeg: 'Waar hebben jullie het over?'

Virgil slaakte een zucht, ging naast haar op de bovenste trede staan, sloeg

264

zijn arm om haar schouders en trok haar tegen zich aan. 'O, god, wat vind ik dit erg.'

'Wat?'

'Wendy... ik geloof dat je moeder daar ligt, onder de groentetuin.'

Ze verstijfde alsof alle spieren in haar lichaam tegelijk samentrokken. Daarna duwde ze hem opzij, keek hem en Berni met open mond aan, deed een stap achteruit en zei: 'Je bent niet goed bij je hoofd.' Wendy keek met grote angstogen van de groentetuin naar Virgil en herhaalde: 'Je bent niet goed bij je hoofd.'

Virgil zei: 'Die man daar maakt gebruik van een heel geavanceerde metaaldetector. Ze zeggen dat er een groot, rechthoekig metalen object onder de tuin begraven ligt. Jij hebt me verteld dat toen je moeder wegging, ze haar auto hier heeft achtergelaten en is meegereden met haar nieuwe vriend, Hector Avila. Ik heb Avila's auto, een S10 Blazer uit 1990, laten opsporen door een onderzoeker van BM. De auto staat nergens in de Verenigde Staten geregistreerd, ook niet in Arizona, New Mexico, Texas, Californië, Nevada, Colorado... nergens.

Je hebt me verteld dat toen je thuiskwam van school, je vader je vertelde dat je moeder was weggegaan en dat hij op diezelfde dag die groentetuin was begonnen.'

Ze schudde haar hoofd. 'Nee... nee, nee, nee, dat kan niet. Mama is in Arizona.'

'Niemand heeft haar kunnen vinden,' zei Virgil. 'Hector Avila kunnen ze trouwens ook niet vinden. En echtscheidingspapieren van ene Maria Ashbach kunnen ze ook nergens vinden, niet in Minnesota, niet in Arizona... nergens.'

'Maar papa heeft me verteld dat ze waren gescheiden, en wanneer...'

'En hij heeft je ook verteld dat hij een brief heeft ontvangen waarin je moeder schrijft dat ze je nooit meer wilde zien. Vind je dat iets voor je moeder, om zoiets te schrijven?'

Ze staarde naar de tuin en de wanhoop was van haar gezicht te lezen. 'Maar dat... maar dat...'

'Je broer. Ik heb een foto van hem gemaakt en die aan Jan Washington in het ziekenhuis in Duluth laten zien. Zij dacht dat het Hector Avila was die op de foto stond. De Deuce is de zoon van Avila, en je vader weet dat. Daarom heeft hij hem voor de leeuwen geworpen.'

'Dat kan toch niet...'

'Er is maar één manier om daarachter te komen,' zei Virgil. 'We weten dat er een groot metalen object onder de groentetuin ligt. We weten dat je vader alle machines had om het graafwerk te doen. We bevinden ons hier een eind van de weg en er komt nooit iemand langs. Het kan hem gelukt zijn dat ongemerkt te doen. We moeten onder de grond kijken.'

Wendy begon te huilen. Berni sloeg een arm om haar schouders en dirigeerde haar voorzichtig de woonwagen in. Berni keek met een angstig gezicht om naar Virgil en Virgil zei zachtjes tegen de hulpsheriffs: 'Blijf in de buurt en hou een oogje op die twee.'
Daarna belde hij Sanders. 'Je kunt maar beter hiernaartoe komen.'
Mapes nam hem mee naar de groentetuin en wees de plekken aan waar ze de beste reacties hadden gekregen. 'Ik kan niet precies zeggen hoe groot het is, maar het heeft ongeveer de lengte en de breedte van een auto en het zit niet al te diep.'

Wendy kwam weer naar buiten en de tranen stroomden over haar wangen. 'Hoe gaan jullie het opgraven?'
'We laten een paar grondwerkers komen.'
'Ik kan beter met een Bobcat overweg dan wie ook in de omgeving.'
'Wendy, dat lijkt me een heel slecht idee.'
'Ik hou dit niet vol,' schreeuwde ze naar hem. 'Ik kan niet langer wachten, begrijp je dat dan niet? Ma is in Arizona. Ze is in Arizona en ooit, op een dag, komt ze terug. Ze kán niet onder de grond liggen.'
Virgil zei tegen Berni. 'Misschien kun je haar beter...'
Wendy duwde Berni weg. 'Gelul. Ik ga de Bobcat halen.' Ze beende weg en een van de hulpsheriffs wilde haar tegenhouden, maar Virgil schudde zijn hoofd en de hulpsheriff liet haar gaan. Virgil ging haar achterna, gevolgd door Berni en de ene hulpsheriff; de andere bleef met Mapes en Huntington bij de groentetuin achter.

Er stonden twee Bobcats in de schuur, waarvan eentje met een shovel. De grote Caterpillar stond er niet. Wendy klom in de Bobcat, startte de motor en zei tegen Virgil: 'Ga opzij.'
'Dit is geen goed idee, Wendy,' zei Virgil.
'Kan me niet schelen...' Ze liet de motor stationair draaien en zei: 'Toen ma ervandoor ging, moet er iets in zijn hoofd zijn geknapt. Hij heeft me een keer verteld dat hij met ma de stad in was gegaan en dat ze een grafkist hadden gekocht om later samen in begraven te worden. Toen ze een jaar of dertig waren, bedoel ik.'

'Ik denk dat hij je daarom zo graag bij zich wilde houden,' zei Virgil. Ze gaf gas en zei: 'Aan de kant.'

Virgil liep achter de Bobcat aan over het erf, Mapes kwam naar hem toe en vroeg: 'Vind je dit wel een goed idee?'
Virgil zei: 'We kijken het even aan. Geef haar een omtrek om binnen te graven.'

Mapes zette de rechthoek af en Wendy ging aan de slag. Ze kon inderdaad met een shovel overweg en groef per keer dertig centimeter grond af, over het hele oppervlak van de rechthoek, die ze naast de tuin stortte, een berg bruinzwarte grond die algauw hoger werd. Toen ze zestig centimeter had afgegraven, zag Virgil dat ze huilend in de cabine zat. Hij liep naar de Bobcat toe en riep, om zich verstaanbaar te maken boven het motorgeronk: 'Gaat het?'
'Er heeft hier iemand gegraven, tot diep in de bodem. Alle aardlagen zijn vermengd. Ga achteruit...'
Sanders arriveerde met nog een hulpsheriff en Virgil liep naar de auto. De sheriff stapte uit, keek met open mond naar Wendy in de Bobcat en vroeg: 'Wat zijn jullie in godsnaam aan het doen?'
'Ik denk dat Hector Avila en Maria Ashbach hier begraven liggen.'
'Wát!?'

Virgil legde het uit en Sanders zei: 'Je kunt ze toch niet door haar laten opgraven? Haal haar onmiddellijk uit dat ding. Wat moet dit verdomme...'
Maar voordat Sanders zijn zin had afgemaakt, was er een diepte van een meter bereikt en hoorden ze het gekras van metaal. Wendy liet de shovel omhoogkomen en reed een stukje achteruit. Een van de hulpsheriffs pakte een schop, sprong in het gat, groef de aarde weg, richtte zich op en vroeg aan Virgil: 'Wat voor kleur had die Blazer?'
'Blauw,' zei Virgil.
'We hebben blauw,' zei de hulpsheriff.

Wendy had zichzelf weer redelijk onder controle, haar gezicht stond strak en ze had een kille blik in haar ogen. Na een kort meningsverschil met Sanders reed ze de Bobcat terug naar de kuil, groef nog een centimeter of vijf aarde af, daarna nog een paar centimeter, en toen zaten ze over de hele breedte op metaal.

Ze reed de Bobcat weer achteruit en twee hulpsheriffs, de ene met een sneeuwschuiver met lange steel en de andere met een schop, sprongen in het gat.

Wendy slenterde weg, liep door het houten hekje om haar vaders huis en ging op de bovenste tree van de veranda zitten. Virgil en Berni gingen aan weerskanten van haar zitten.

'Pa sloeg haar altijd. Ik weet het nog goed. Hij sloeg en zij huilde. Naderhand huilde hij zelf ook, maar dan zei hij dat hij haar wel moest slaan, omdat ze hem iets had aangedaan. Ik dacht... dat het normaal was dat mannen vrouwen sloegen. Maar het was niet altijd zo, meestal ging het wel goed...

We kregen een brief van ma. Pa heeft die aan me voorgelezen. Het ging allemaal over dat ze een nieuw leven wilde beginnen en dat het beter was dat wij daar geen deel van uitmaakten. Ze nam afscheid van ons. Ik weet nog dat pa aan de Deuce vertelde dat ze niet terugkwam en dat de Deuce begon te huilen omdat hij niet begreep waarom ze was weggegaan. Het leek wel alsof ze dood was... Toen, een paar jaar later, zei hij dat hij echtscheiding had aangevraagd en na een tijdje dat die was toegekend, en dat heb ik toen aan al mijn vrienden verteld.'

'Ik heb het aan mijn moeder verteld,' zei Berni. 'En zoals de dingen hier gaan, wist in een mum van tijd iedereen wat er was gebeurd en dat ze waren gescheiden.'

'Hij maakte een verhaal voor de buitenwereld,' zei Virgil.

Ze zaten enige tijd zwijgend naast elkaar, keken naar de gravende hulpsheriffs en toen vroeg Virgil: 'Waarom heb je tegen me gelogen over dat kaartje met die lipstick? Die kus in lipstick die je voor McDill had gemaakt?'

Ze zweeg een tijdje, maar keek hem toen aan. 'Dat weet ik niet. Ik was bang voor je. Ik was van plan alles te ontkennen... ik weet niet precies waarom. Het was dom van me.'

Aan de andere kant van de oprit, in de kuil, was de ene hulpsheriff op zijn knieën gaan zitten en begon met zijn handen te graven. Virgil stond op en zei: 'Wacht hier.'

'Mooi niet,' zei Wendy.

De hulpsheriffs hadden het dak vrijgemaakt en na een paar minuten ook een stuk van de voorruit. Sanders haalde een zaklantaarn uit zijn auto en gaf die aan de hulpsheriff die, nog steeds op zijn knieën, door de opening

naar binnen scheen, zijn neus tegen het glas drukte, de lichtstraal bewoog, zich ten slotte oprichtte en eerst Wendy en toen Virgil aankeek.
'Ik zie kleding.'
'Kleding,' zei Sanders.
'Kleding en botten... en haar.'

Wendy ging opeens op de grond zitten. Ze plofte neer in het zand, viel achterover en haar ogen draaiden weg.
'Ze is flauwgevallen, of zoiets,' zei Virgil, die naast haar neerknielde en haar hoofd optilde. 'We moeten... eh... wat?' Hij had nog nooit te maken gehad met een vrouw die flauwviel.
Berni kwam naast hem zitten, nam het van hem over en riep naar Sanders: 'Ze moet naar het ziekenhuis. We moeten...'
Op dat moment bewoog Wendy zich weer en Virgil zei: 'Blijf liggen. Je bent flauwgevallen, dat is alles, dus blijf maar even stil liggen.'
Maar Wendy rolde zich om, krabbelde overeind, liep naar het gat en keek erin. 'Al die jaren,' zei ze. 'Al die jaren heb ik gedacht dat ze op een dag zou terugkomen. Of dat ik beroemd zou zijn en in Arizona optrad, en dat zij dan naar me toe zou komen om met me te praten. Ik heb er pas nog van gedroomd. Al die jaren heb ik daarvan gedroomd...'

26

Sanders kwam naar hem toe met een mobilofoon in zijn hand en zei: 'Ze zijn daar, maar hij is er niet meer. De Caterpillar en de dieplader staan er nog, maar hij is weg. Ze zeiden dat hij is gaan lunchen.'
'Waarschijnlijk in de stad,' zei Virgil.
'We proberen zijn pick-up op te sporen.'
Het begon te miezeren, en met tussenpozen viel er nattigheid uit de grijze wolken. Ze trokken hun kragen op en bleven naar het graafwerk kijken.
Er stonden inmiddels vier patrouillewagens op de weg, een paar pick-ups en personenauto's op de oprit en Virgils pick-up en het busje van het technische team voor het huis. Mapes en Huntington begeleidden het opgraven van de Blazer, waarvan de voorkant al was blootgelegd en de ruimte eromheen breder werd gemaakt. Een van de mensen was een Bobcat-bestuurder uit Grand Rapids, die met grote zorgvuldigheid de aarde aan de zijkanten van het voertuig weg groef terwijl hulpsheriffs met spades het fijne werk deden.
Het circus draait op volle toeren, dacht Virgil.

Phillips, de districtsprocureur, klom in zijn gele regenjack uit de kuil en liep naar het gazon om de modder van zijn schoenzolen te vegen en de aarde van zijn handen te slaan. Hij kwam terug en zei: 'Het is me verdomme wat. De vrouw ligt op de achterbank, de man dwars over de stoelen voorin. Zo te zien heeft hij ze in het hoofd geschoten. De schedels zijn nog intact, liggen met het gezicht omhoog, je aan te grijnzen...'
Hij huiverde en vervolgde: 'Slapen kan ik vannacht wel vergeten. En de rest van de maand misschien ook.'
'Hoe heeft dit kunnen gebeuren?' vroeg Sanders. 'Waarom wist niemand ervan?'
'Veel mensen kenden de voorgeschiedenis,' zei Virgil. 'Ze wisten dat Hector en Maria van plan waren ervandoor te gaan. En toen waren ze ineens weg... waren ze samen naar Arizona gevlucht. Iedereen wist dat. Slibe heeft er blijkbaar geen geheim van gemaakt. Het is waarschijnlijk

zo gegaan, als ik er zo over nadenk, dat hij zelf de geruchten de wereld in heeft geholpen. Over die brief van Maria en zo. Iedereen wist dat ze hem had geschreven, omdat Slibe het ze had verteld.'

'En haar familie... haar ouders? Wisten die het?'

'Geen idee,' zei Virgil. 'Ik zal het Wendy vragen als ik de kans krijg.'

De sheriff bleef naar de opgraving kijken, deed een stapje naar Virgil toe en vroeg zachtjes: 'Hoe heb je dit in hemelsnaam uitgedokterd?'

Virgil zei: 'Iedereen had het over de achtergrond, over Hector Avila en Maria, maar aan Hector had ik nooit echt aandacht besteed. Maar toen we op de vliering van de Deuce rondkeken, vond ik daar een paar foto's van Slibe en Maria toen ze jong waren. Ze hadden allebei blond haar. En Wendy is ook hartstikke blond, zo blond als Marilyn Monroe. Toen ik in het ziekenhuis was en ik zag de Deuce in bed liggen, met zijn hoofd op het witte kussensloop, toen viel het me op hoe donker hij was... dat zette me aan het denken. Hector Avila, een latino-naam. Een geheime relatie, een donker kind en een vader die bereid was zijn eigen zoon te verraden. Ik begon te vermoeden dat de Deuce misschien niet zijn kind was...

Vervolgens moest ik denken aan het feit dat we Windrows auto nergens kunnen vinden. Ondanks de gps die erin zat. Misschien heeft de dader die gevonden en uitgeschakeld, maar er is ook een andere verklaring mogelijk. Je zei het zelf... dat de auto ergens op de bodem van een meer ligt. Of, bijvoorbeeld, dat die is begraven.'

'En toen dacht jij aan die verdraaide Bobcats.'

Virgil knikte. 'Ja, plus het toeval dat Slibe zijn groentetuin was begonnen op de dag dat zijn vrouw de benen had genomen.'

Ze stonden er nog steeds te praten toen Virgil in de verte, in een stofwolk op de weg, een pick-up zag aankomen. 'O, shit,' zei hij. 'Daar hebben we Slibe.'

Iedereen draaide zich om en keek, en een paar hulpsheriffs renden al naar hun auto. Slibes pick-up minderde vaart, stopte, en Virgil zag de bestuurder opzij kijken, naar alle mensen op zijn erf en het gat in de grond. De pick-up reed achteruit, begon te draaien en een van de hulpsheriffs riep: 'Hij gaat ervandoor!' Maar toen draaide de pick-up weer terug en schoot vooruit, met zoveel vaart dat hij de bocht naar de oprit niet goed kon nemen, de brievenbus uit de grond reed en de oprit op-stoof, rakelings langs de hulpsheriffs, die bescherming zochten achter de patrouillewagens, nog meer gas gaf tot het grind achter de pick-up omhoog spoot, en recht op Virgil, Sanders en Phillips af kwam.

'Aan de kant!' riep Virgil, waarop Phillips naar de kuil rende en Virgil en Sanders hun heil zochten op de betonnen treden van de woonwagen, die ze nog maar net bereikt hadden toen de pick-up langs hen heen schoot. Ze zagen Slibes gezicht achter het zijraampje en toen was hij hen al voorbij en reed door, langs het huis, het busje van het technische team en de hondenkennel. Daarna stoof de pick-up dwars door het hek aan de achterkant van het erf en reed het weiland in.

Wendy had de commotie gehoord, deed de deur van de woonwagen open en keek de pick-up in het weiland na. De hulpsheriffs haalden hun kogelvrije vesten uit de auto, Sanders gebaarde dat ze achter hem aan moesten gaan en Virgil vroeg aan Wendy: 'Wat is er daar?'

'Niks. Hij kan het weiland niet af. Er is alleen een doorsteek naar Hourglass Lake. Een smal paadje...'

'Heeft hij daar een boot liggen?'

'Nee. Er is een plek waar je kunt vissen, maar het is ons land niet. Er is aan beide kanten moerasland, en een kreek die in het meer uitkomt, maar... ik weet het niet. Zo'n goeie zwemmer is hij niet, dus... En er is daar een huisje.' Ze wees. 'Aan de linkerkant als je het meer nadert. Als hij bij die weg kan komen, kan hij misschien ontsnappen. Maar het is een flink eind lopen.'

Phillips had het laatste gehoord en zei: 'Het is allemaal moerasland daar. Ik zou niet weten waar hij naartoe moest. Volgens mij kan hij geen kant op.'

Twee patrouillewagens volgden Slibes spoor door het weiland en Sanders zei: 'Ik laat de politiehelikopter komen. Maar het kan even duren.' Een derde patrouillewagen verdween en hij vervolgde: 'Die mannen heb ik naar Hourglass Lake gestuurd om de botensteiger en de weg af te zetten.'

Virgil zei: 'Waarom is hij er niet meteen vandoor gegaan? Hij had de kans.'

Berni, die achter Wendy was komen staan, zei: 'We hebben daar vaak gezwommen, in Hourglass Lake. Slibe heeft daar een grote, plastic gereedschapskist, je weet wel, zoals die in de laadbak van een pick-up, verborgen in het bos. Met spullen om een vuur te maken, een kookgasje en wat visspullen.'

'Maar hoe wilde hij...' begon Sanders.

Berni zei: 'Die kist is groot genoeg voor een geweer. Ik heb er niet aan gedacht toen jullie naar dat geweer vroegen, maar het zou er gemakkelijk in passen.'

Virgil tegen Sanders: 'Roep je mannen op. Als hij zich daar verschanst met een .223 met telescoopvizier, moeten ze afstand houden. Aan die kogelvrije vesten hebben ze niks. Als ze hem in het nauw drijven, kan het een paar van je jongens het leven kosten.'
Sanders rende al naar zijn auto.
'Weet je wie wij nodig hebben?' zei Berni.
Virgil: 'Nou?'
'De Deuce. Die weet hem wel te vinden.'

Alle overgebleven politiemensen controleerden hun wapens en Wendy zei: 'Ze gaan hem doodschieten, hè?'
Virgil vermoedde dat ze gelijk had, maar hij zei het niet. 'Waar is het meer precies?' vroeg hij.
Wendy wees naar een opening tussen de boomtoppen. 'Daar. Maar het is wel een kleine kilometer lopen.'
'Ik moet ernaartoe,' zei Virgil. 'Ik zal mijn best doen hem te ontzien, als ik hem tegenkom.'
Hij liep naar de pick-up, haalde zijn karabijn eruit, deed een kogelvrij vest aan, trok de sluitingen van klittenband strak en liep naar Sanders, die het verkeer stond te regelen. 'Ik ga naar dat hoge punt.' Hij wees naar een plek dertig graden rechts van de opening tussen de boomtoppen die de ligging van het meer aangaf.
'Denk je dat je genoeg hebt aan die karabijn?' vroeg Sanders. 'Ik kan een AR-15 voor je regelen als je die liever hebt.'
'Ik red me wel, maar zeg tegen je mannen waar ik zit. Ik voel er weinig voor om door iemand van ons neergelegd te worden.'
'Neem een mobilofoon mee.' Hij riep naar een van de hulpsheriffs: 'Bill, geef me je mobilofoon.'

Virgil bevestigde de mobilofoon aan zijn broekriem, klom in de pick-up en reed door het kapotte hek de anderen achterna, hobbelend over het weiland. Aan het eind van het weiland zag hij nog een kapot hek, van prikkeldraad, waar Slibe doorheen was gereden voordat hij met zijn pick-up tussen de bomen was verdwenen. Een stukje ervoor waren de patrouillewagens gestopt en zochten de hulpsheriffs dekking achter hun auto, met uitzondering van twee van hen, die naar links renden en even later tussen de bomen verdwenen.

Dat beviel Virgil helemaal niet. Als ze Slibe in het nauw dreven, zouden er zeker doden vallen. Hij reed zo ver mogelijk door, bleef rechts van de patrouillewagens, stapte uit de pick-up en bracht de mobilofoon naar zijn mond.

'Je mannen gaan het bos in,' zei hij tegen Sanders. 'Als hij besluit de strijd aan te gaan, schiet hij ze dood. Ze moeten hem meer ruimte geven en zich een beetje gedeisd houden, anders graaft hij zich ergens in en legt hij ze een voor een neer.'

'Roger. Maar ik denk dat ze redelijk zeker weten waar hij naartoe zal gaan, en ze willen dat hij in beweging blijft.'

'Maar ze zitten er te kort achter, er is veel te weinig afstand,' zei Virgil. 'Als hij dat geweer te pakken krijgt...'

'Roger.'

Virgil dacht: sukkel.

De sheriff was niet op hem overgekomen als dom, maar een klopjacht was waarschijnlijk nieuw voor hem en hij liet zich te veel meeslepen. Ook politiemensen kijken naar films, net als iedereen, en soms kost dat ze het leven.

Virgil stopte drie patronen in de karabijn, deed de rest in zijn broekzak, en liep naar het hek. Hij zwaaide zijn been eroverheen, paste ervoor op dat zijn broek niet bleef haken, en rende naar de bosrand. Hij wist niet precies welke kant hij op moest, maar dat zou hij gauw genoeg merken. Hij zag nog geen oplopend terrein, maar dit lag hoger, en iemand die voor geweervuur vluchtte zou instinctief een van twee wegen kiezen: door de greppels en langs de lage waterkant van kreken om uit het zicht te blijven, óf hij koos voor het hoogste punt om te zien wat er gebeurde en wie hem bedreigde.

Of, als hij slim was, bleef hij net onder de top van de heuvel, zodat hij, als het nodig was, binnen een paar stappen om de top kon rennen en zo uit het zicht kon verdwijnen.

Maar het ging altijd om hoger gelegen terrein, ofwel voor het betere zicht, ofwel om juist uit het zicht te verdwijnen. Virgil was op weg naar dit hoger gelegen punt, het enige in de omgeving. De heuvelrug die Slibe terugbracht op zijn eigen land, dat hij, ondanks het dichte bos, waarschijnlijk als zijn broekzak kende.

Virgil was van plan zich daar te verschansen, in de hoop dat hij Slibe kon pakken als hij voorbijkwam.

Want de hulpsheriffs zouden niet te dichtbij komen, tenzij Slibe zelf voor de confrontatie koos. En als hij dat deed, kon Virgil daar weinig aan doen...

Virgil sloop verder de heuvel op. De bomen stonden dicht op elkaar, voornamelijk jonge espen, een jaar of tien oud, en hij had een zicht van amper vijftig meter. Op de top aangekomen begon het terrein weer te dalen, en hoewel hij het niet kon zien wist hij dat het er vochtig moest zijn, want er scheen meer licht tussen de bomen door dan wanneer het bos dicht begroeid was. Dat betekende dat het ergens heuvelafwaarts moest ophouden. Bij een meer, waarschijnlijk, of een moeras.

Hij sloop verder de heuvel op en zocht naar een plek met goede zichtlijnen omlaag, maar echt vrij zicht had hij nergens. Hij koos uiteindelijk voor de wortels van een oude, omgewaaide esp, liet zich erop zakken en leunde tegen de vergane resten van de stam. Hij had zijn grijze regenjack aan, wat een meevaller was, want dan viel hij niet zo op.

Hij zat op de boomwortel, spitste zijn oren maar hoorde niets, afgezien van wat geroep in de verte. Ook geen eekhoorns, maar die had hij waarschijnlijk zelf weggejaagd en het zou minstens tien minuten duren voordat die zich weer lieten zien.

Hij had het geluid van de mobilofoon zacht gezet toen hij uit de pick-up was gestapt, hield hem nu tegen zijn oor en hoorde op metalige fluistertoon de mededelingen die er werden gedaan: de een rukte op naar links, een ander ook, een derde zag niets, niets wat bewoog, en een vierde moest een grotere omtrekkende beweging maken want hij was gestuit op moerasgebied en kon niet verder.

Virgil zag het niet echt voor zich, want daar kende hij het terrein niet goed genoeg voor, maar hij had de indruk dat de hulpsheriffs zich links van Slibe bevonden, ongeveer in een lijn die van het weiland naar het meer liep. Dan kon Slibe niet weg zonder iemand neer te schieten, en de hulpsheriffs dachten dat ze hem in de richting van het meer dreven.

Misschien was dat zo, maar misschien ook niet. Slibe had geweten waar hij naartoe ging en hij verplaatste zich snel.

Virgil zette het geluid weer zacht, spitste zijn oren en luisterde...

Hij luisterde of hij schoten hoorde. Of voetstappen.

Slibe kwam vanaf de rechterkant de heuvel op. Virgil dacht eerst dat het een eekhoorn was omdat het geritsel zo zacht was. Het had geregend, niet hard maar genoeg om de bladeren op de grond vochtig en zacht te maken en het geritsel te dempen. Toen hij een takje hoorde breken wist hij dat het Slibe moest zijn, want eekhoorns breken geen takjes.

Slibe had nog geruislozer kunnen zijn als hij zich langzamer had bewogen, en dat wist hij waarschijnlijk zelf ook, maar dat kon hij zich niet veroorloven. Virgil hoorde hem aankomen en vroeg zich af wat er door Slibes hoofd ging. Waar wilde hij naartoe vluchten? Was hij van plan nog meer mensen te vermoorden? Iemand in een huisje in het bos? Wilde hij een auto, een paspoort en misschien geld stelen? Hij kon binnen een paar uur in Canada zijn en dan zou het zoeken een stuk moeilijker worden...

Hij kon daar ook iemand vermoorden, in weer een ander huisje, en verder naar het noordwesten trekken. Tot hij ten noorden van Calgary was, waar de olievelden waren. Daar werkten mensen uit wel dertig verschillende landen; dat was pas het echte Wilde Westen.

Slibe kwam dichterbij en zocht zich een weg tussen de bomen door.

Virgil keek, dacht iets te zien bewegen en toen weer niet, maar hij wist ongeveer waar Slibe zich bevond. Hij zag het weer, eerst alleen een beweging, en toen zag hij hem aankomen. Slibe droeg een spijkerbroek en een shirt met lange mouwen. Hij was nat en had een geweer met telescoopvizier in zijn hand. Hij bleef staan, een meter of vijftien bij Virgil vandaan, wierp een vluchtige blik om zich heen en keek om in de richting waar hij vandaan was gekomen, de plek waar de hulpsheriffs zich bevonden.

Hij spitste zijn oren en liep weer door, met een grimmig gezicht, het natte haar op zijn schedel geplakt, het geweer losjes in de ene hand en met de andere het groen opzij duwend.

Toen hij voldoende was genaderd zei Virgil, redelijk rustig: 'Dwing me niet je neer te schieten.'

Slibe bleef als versteend staan.

Virgil zei: 'Ik heb een twaalfschots karabijn op je maag gericht. Ik kan niet missen.'

Slibe keek op, zocht Virgil, vond hem uiteindelijk en zag het geweer.

'Laat je geweer vallen,' zei Virgil.

Slibe deed het niet.

Virgil zei: 'Iedereen hier heeft het over die Vietnamezen die ik in International Falls heb afgeslacht. Het kost me geen enkele moeite je dood te schieten, Slibe, maar dat wil ik niet. Dus laat je geweer vallen, dan gaan we samen naar de stad.'

Slibe keek weer achterom, in de richting waar hij de hulpsheriffs verwachtte, en zei: 'Jij was degene om wie ik me zorgen maakte. Die jongens van Sanders had ik wel kunnen hebben.'

Virgil zei: 'Ik zal je dit zeggen, Slibe: je gaat naar de gevangenis, maar je komt er ook weer uit. Je bent nog jong genoeg. Regel een goeie advocaat en sluit een deal. We hebben geen concrete bewijzen voor McDill of Lifry, en evenmin voor Washington of Windrow, waar je hem ook hebt gelaten... dus het gaat alleen om je vrouw en Hector, en je kunt vast wel een of andere deal sluiten. Hooguit tien jaar, denk ik. En als je vrijkomt, heeft Wendy voor je bedrijf gezorgd.'

Dat was allemaal gelogen. Slibe zou het daglicht nooit meer zien, of in elk geval niet tot zijn tachtigste.

'Wendy en die verdomde Deuce,' zei Slibe.

'Hé, hij is wel Wendy's broer.'

Slibe had het geweer nog in zijn hand. Het begon weer zachtjes te regenen, de druppels gleden van de espenbladeren en ze werden allebei nat.

'Daar weet je van?'

'Ja. Iedereen vertelde me dat je vrouw ervandoor was gegaan met een latino, en uiteindelijk heb ik de Deuce eens goed bekeken. Hij ziet er niet uit als een Ashbach.'

Slibe lachte kort. 'Er zou niks gebeurd zijn als jij je er niet mee had bemoeid. Ik had alles onder controle.'

'Ach, misschien wel,' zei Virgil. 'Waarom gooi je dat geweer niet gewoon op de grond?'

'Je geeft me niet veel kans, hè?' zei Slibe.

'Nee, dat was ik niet van plan,' zei Virgil.

Slibe keek weer om en hoorde de hulpsheriffs roepen. Hij zei: 'Ach, krijg wat,' en gooide het geweer opzij.

Virgil verroerde zich niet. 'Ik maak me een beetje zorgen om het pistool dat je misschien bij je hebt, dus ik stel voor dat je je handen op je hoofd legt en langzaam de heuvel af loopt, terug naar het weiland.'

Slibe knikte, draaide zich om en begon te lopen. Virgil volgde op veilige afstand, pakte de mobilofoon, riep Sanders op en zei: 'Ik heb hem. We komen naar het weiland toe, rechts van mijn pick-up.'

'Roger,' zei Sanders.

Slibe liep voorop, de heuvel af, tot aan een hek, links van hen, en Slibe zei: 'Verderop zit een gat. Ik ben altijd van plan geweest het te repareren, maar het was voor de hertenjacht een goeie plek om in hinderlaag te gaan liggen, dus heb ik het zo gelaten.'

'Heb jij 's nachts bij Zoe ingebroken?'

'Neem je dit op?'

'Nee. Dit blijft tussen jou en mij. En na al het andere wat er is gebeurd, zal het niemand een bal kunnen schelen. Ik wil het gewoon weten.'

Slibe moest er bijna om lachen. 'Ik wilde haar alleen bang maken, ervoor zorgen dat ze haar mond hield. Ik was daar naar binnen gegaan met het idee... ik weet eigenlijk niet wat ik dacht. Ik had bij Jack's een paar bourbons gedronken. Maar goed, ik sluip door dat huis, muisstil, en opeens hoor ik een stem uit het duister: "Ik heb hier een geweer en ik schiet verdomme je kop van je romp." Nou, ik was wel dronken, maar zo dronken ook weer niet, dus ik ben hem snel gesmeerd.'

Virgil zag de opening in het hek en Slibe liep erdoor, het weiland op. Virgil volgde en zag de hulpsheriffs onder aan de heuvel naar hun auto's rennen. Slibe liet zijn handen zakken en Virgil zei: 'Leg je handen op je hoofd.'

'Nee,' zei Slibe. 'Toe dan, schiet me maar neer in het bijzijn van al die getuigen. Ik ben ongewapend.' Hij trok zijn jack uit. Zijn T-shirt was nat en kleefde aan zijn lijf. Hij draaide een rondje en stak zijn handen op: nergens een wapen te zien.

Hij zei: 'Ik ben ongewapend en je zult me moeten neerschieten, anders sla ik je helemaal verrot. Want jij bent degene die het allemaal heeft verpest, Virgil. En grondig ook. Dus ik ga je een pak slaag geven.'

Hij stormde op Virgil af en Virgil probeerde hem een kolfstoot tegen zijn hoofd te geven. Die had hij ooit in het leger geleerd, in een oefening die amper twee minuten duurde, maar net als toen was de stoot weinig effectief, want Slibe ontweek hem. Virgil bewoog mee, hoorde mensen roepen, gleed bijna weg in het natte gras, en meteen daarna was Slibe weer bij hem met een lage tackle. Virgil probeerde weg te draaien, maar dat lukte niet, en toen Slibe hem raakte, gooide hij de karabijn over het hek het bos in, en ze vielen allebei op de grond en rolden samen door het gras en de modder.

Hij hoefde maar een minuut stand te houden, wist Virgil, dan zouden de hulpsheriffs er zijn om hem te bevrijden. Op dat moment stompte Slibe hem tegen de zijkant van zijn hoofd en Virgil stompte hem een paar keer op zijn nieren, zo hard als hij kon, maar Slibe rolde door, over hem heen, haalde met zijn elleboog uit naar Virgils gezicht, raakte het en Virgil voelde dat zijn neus brak.

Toen lag Virgil weer boven op hem, hevig bloedend en pisnijdig, hij sloeg Slibe boven op zijn oog en ze rolden weer door. Slibe draaide mee, zodat ze elkaar aankeken en toen Slibe weer boven op hem lag, sloeg Virgil zijn arm om Slibes nek en trok hij hem hard tegen zich aan, waarop Slibe hem op zijn ribben begon te stompen en probeerde zich los te rukken.

Als Slibe zich wist te bevrijden, zou hij boven op Virgil zitten met zijn handen vrij, een positie waarin hij echt op Virgils gezicht in kon rammen. Slibes hoofd was glibberig en begon uit de wurggreep los te komen. Maar Slibes oor bevond zich vlak voor Virgils ogen, hij zette zijn tanden erin, beet zo hard als hij kon en klemde zijn arm strakker om Slibes nek. Slibe schreeuwde het uit en sloeg met zijn armen om zich heen, maar Virgil beet door terwijl ze weer omrolden tot Slibe weer boven op hem zat en hij dacht dat de hulpsheriffs niet meer ver weg konden zijn, maar het bloed droop in zijn ogen en hij kon niets meer zien...

Op dat moment doken de hulpsheriffs op Slibe. De twee jonge Scandinavische reuzen rukten hem omhoog en Slibe schreeuwde het weer uit, want toen Slibe naast hem op de grond in bedwang werd gehouden, besefte Virgil dat hij het grootste deel van diens oor nog in zijn mond had. Hij spuugde het uit en kreunde, en een van de hulpsheriffs vroeg: 'Ben je gewond?'

'O, man,' zei Virgil, en hij ging rechtop zitten, helemaal onder de modder en het gras en misschien ook, als zijn neus nog goed functioneerde, een beetje hondenpoep.

Slibe zat een paar meter verderop op de grond, met zijn handen geboeid achter zijn rug, en het bloed stroomde langs de rechterkant van zijn hoofd en hals. Hij zei tegen Virgil: 'Ik had je mooi te pakken.'

Virgil zei: 'Maak dat je oor maar wijs, klootzak.' Hij keek om zich heen, maar zag het in eerste instantie nergens. Toen kroop hij een minuut lang door het gras terwijl het bloed nog steeds uit zijn neus stroomde, en zag het ten slotte in een natte voetafdruk liggen. Hij raapte het op en hield het omhoog, zodat Slibe het kon zien.

'Dat had ik ervoor over,' zei Slibe.

Sanders kwam aanlopen, keek Virgil aan en zei: 'Je neus staat scheef.'

'Ja, die is gebroken,' zei Virgil.

'Doet het pijn?' Virgil keek hem alleen maar aan, en Sanders stak zijn handen op, grijnsde en zei: 'Sorry.'

Een hulpsheriff met een verbanddoos gaf Virgil een prop watten om op zijn neus te drukken. Hij haalde zijn karabijn uit het bos en wees een van de hulpsheriffs de plek waar hij Slibes geweer kon vinden. Hij wachtte tot de man ermee terugkwam en strompelde naar zijn pick-up. Ze hadden Slibe achter in een patrouillewagen gezet en reden met z'n allen langzaam door het weiland terug naar het huis.

Virgil stapte uit, hield zijn hoofd achterover en drukte de verbandwatten tegen zijn neus. Wendy kwam naar hem toe en zei: 'Je hebt hem niet doodgeschoten.'

'Nee, maar ik heb hem wel verrot geslagen,' zei Virgil.

Ze keek naar het bloed op zijn gezicht en kin en zei: 'Ja, maar zo te zien is dat één kant van het verhaal.' Ze zag Slibe achter in de patrouillewagen zitten en vroeg: 'Mag ik hem gedag zeggen?'

'Moet jij weten,' zei Virgil, die nog steeds bloedde. En toen: 'Ach, ja, waarom niet?'

Op Virgils verzoek deed een van de hulpsheriffs het achterportier open, Wendy hurkte neer en zei: 'Het spijt me, papa.'

Slibe, doorweekt, vol modder en bloed, keek haar aan, en zei: 'Het enige wat ik wilde was van jullie houden, van mijn twee vrouwen. Dat was het enige...' Wendy begon weer te snikken.

Virgil dacht een sprankje tevredenheid op Slibes gezicht te zien door de aanblik van zijn huilende dochter, en Virgil gooide het portier weer dicht.

27

Virgil kwam het ziekenhuis uit met een aluminium brace op zijn neus en twee grote stukken hechtpleister die er kruislings overheen waren geplakt. Zijn hele gezicht deed pijn, net als zijn nek en zijn ribben, en hij vermoedde dat hij een spiertje in zijn lies had verrekt. Hij stapte in zijn pick-up en belde Davenport om verslag uit te brengen.

'Eh, eh...,' zei Davenport, wel een keer of zes, en daarna: 'Wanneer kun je terug zijn? Er is hier echt stront aan de knikker.'

'Ik ga vissen,' zei Virgil. 'Ik heb mijn vakantiedagen en die neem ik nu op, en dat niet alleen, ik wil honderdvijftig procent voor alle overuren die ik heb gemaakt. Dat zijn er minstens dertig, verdomme. Jullie gaan mijn trip naar de Bahama's betalen.'

'Daar ben ik geweest, op de Bahama's,' zei Davenport. 'Die zijn nogal... saai. En het is er bloedheet. Saai en bloedheet. Niks voor jou. Ik stel een korte vakantie naar Mille Lacs voor. Je weet wel, je vangt een stel snoekbaarzen, drinkt een paar margarita's, rotzooit een beetje met de plaatselijke vrouwen...'

'Gelul,' zei Virgil. 'Ik ga naar de Bahama's. Maar eerst, vanaf vandaag, neem ik een week ziekteverlof, totdat mijn neus weer recht staat, en misschien ga ik ook nog wel een dagje vissen. Bovendien zijn er hier nog dingen te doen. We hebben Windrow nog steeds niet gevonden.'

'Dat is een detail dat je beter kunt overlaten aan de mensen die de omgeving kennen,' zei Davenport. 'Je weet wel waar hij is... hij ligt namelijk ergens begraven. Ze moeten alleen nog de juiste plek zien te vinden.'

'Een dode man wordt hier niet gezien als een detail,' zei Virgil. 'Dus, als het bij jullie fout loopt en er komt iemand om, kun je me bellen voor een bijdrage aan het begrafenispotje. Zo niet, dan zie je me over een week.'

'Echt, Virgil, gaat het wel goed met je?' vroeg Davenport.

'Nee,' zei Virgil. 'Mijn neus doet meer pijn dan je voor mogelijk houdt. Zelfs mijn voortanden doen pijn.'

'Ik ken het gevoel,' zei Davenport. 'Ik heb zelf mijn neus vier keer gebroken. Als je van vechten houdt, gebeuren dat soort dingen.'

'Ik hou niet van vechten,' zei Virgil. Maar dat was niet helemaal waar: hij had het eigenlijk wel leuk gevonden om Slibe ervan langs te geven, moest hij toegeven, als hij zijn gebroken neus buiten beschouwing liet.

'Je had hem kunnen neerschieten,' zei Davenport.

'Nee, dat had ik niet.'

'Zeur dan niet zo,' zei Davenport. 'Ik zie je over een week. Als je een avondje niks te doen hebt, schrijf dan een rapport. Die overuren keur ik goed... maak er nog maar wat meer van. Doe het rustig aan.'

'Oké.'

Virgil wilde het gesprek beëindigen toen Davenport zei: 'Hé, wacht nog even.'

'Ja?'

'Weather vraagt wat er met dat oor is gebeurd.' Weather was Davenports vrouw, die plastisch en reconstructief chirurg was.

'Dat weet ik niet. Het was helemaal kapot en we zijn er niet al te zorgvuldig mee omgegaan. Er is iemand op gaan staan en er zat hondenpoep op...'

'Hondenpoep?'

'Ja,' zei Virgil. 'Er is hier een hondenkennel en dat weiland werd gebruikt om de honden te trainen. Hoe dan ook, het oor was nogal een rommeltje en ze konden het er niet meer aan zetten.'

'Wat hebben ze ermee gedaan?' vroeg Davenport.

'Geen idee. Ze hebben het weggegooid, neem ik aan.'

'Weggegooid? Maar hoe dan?'

'Shit, hoe moet ik dat weten?' zei Virgil. 'In de vuilnisbak, of zo?'

Slibe bevond zich inmiddels onder de veilige vleugels van zijn advocaat, die hem had verboden ook maar iets over wat dan ook te zeggen, maar Phillips was dik tevreden. 'We hebben hem. Wij weten dat en zij weten het ook. We hebben verder niks nodig... Lifry niet, Washington niet en McDill ook niet.'

'We kunnen Washington en McDill aan de aanklacht toevoegen met behulp van het geweer,' zei Virgil.

'Dan moeten we bewijzen dat hij degene was die ermee heeft geschoten, en niet zijn zoon,' zei Phillips. 'Nee, dat is niet nodig. We voegen al die informatie samen in een aanbeveling voor de strafmaat, om de nabestaanden van de slachtoffers tevreden te stellen.'

'En de Deuce? We hebben die jongen kreupel geschoten.'

'Ja, nou, dat zullen we moeten afwachten,' zei Phillips. 'Ik bereid me alvast voor op een tegenaanklacht.'

'Ja. Ik verwacht een tegenaanklacht die luidt: "Beste Itasca County, laat je broek zakken en ga gebukt staan..."'

'We zullen zien,' zei Phillips. 'We hebben nog een paar prima aanvullende punten die we de familie Ashbach kunnen aanrekenen.' Hij leek erg in zijn nopjes te zijn met de aanvullende punten. 'Zoals Wendy die tegen je heeft gelogen. We kunnen al die zaken gladstrijken in een nette schikking.'

'Wat praat ik toch graag met juristen,' zei Virgil. 'Ze geven me altijd zo'n frisse, nieuwe kijk op het leven.'

Virgil kwam Sanders senior tegen in de gang bij het kantoor van de sheriff en de oude man zei: 'Ik heb alle actie gemist. Ik heb gehoord dat Slibe je verrot heeft geslagen.'

'Nee, ik heb hém verrot geslagen,' zei Virgil. 'Maar ik heb me ingehouden. Ik heb hem niet meer pijn gedaan dan nodig was.'

Sanders glimlachte. 'Zo kun je het ook zien, neem ik aan. En je kunt beter een gebroken neus dan maar één oor hebben. Maar ik moet je zeggen dat je er nogal vreemd uitziet met die witte pluimen die uit je neusgaten steken.'

'Over een uur mogen ze eruit,' zei Virgil. 'Dan ben ik helemaal de oude.'

'Afgezien van die brace en die pleisters.'

'Eh... ja.'

Sanders prikte met zijn wijsvinger in Virgils buik, zei: 'Tot ziens, cowboy,' en hij liep door.

Virgil ging terug naar het motel en kwam in de gang Zoe tegen, nadat ze blijkbaar geen antwoord had gekregen toen ze op zijn deur had geklopt. Ze zag er beroerd uit. 'Nou, met Wendy en mij is het nu echt afgelopen. Ik ben naar haar toe gegaan zodra ik het hoorde, maar ze is weer samen met Berni. En niet zo weinig ook.'

'Zoe, geef het toch op,' zei Virgil. 'Ze houdt niet van je. Wendy houdt alleen van zichzelf. Ik bedoel, daar kun je niet tegen op, nooit.'

'Nee, dat weet ik,' zei Zoe. 'Sig zegt steeds dat ik vaker naar Duluth of de Cities moet gaan en de scene daar eens moet bekijken.'

Virgil klopte haar zachtjes op de schouder. 'Luister. Jij bent van plan de Eagle Roost te kopen...'

'Eagle Nest.'

'... Nest. En je wilt er een lesboparadijs van maken, nietwaar?'

'Wij gebruiken het woord "lesbo" meestal niet, maar inderdaad,' zei ze.

'Dan zul je zeker een leuke partner ontmoeten,' zei Virgil. 'Iemand die succes in het leven heeft, net als jij, en dan krijgen jullie een fantastische relatie.'

'Denk je echt?'

'Geloof me, dat gaat gebeuren,' zei Virgil.

'Ga je straks naar Sig?'

'Ja, reken maar. En als je vanavond langskomt, garandeer ik je dat je de Eagle Nest niet zult kopen en nooit een fantastische relatie zult hebben, want dan wurg ik je namelijk.'

'Kom morgenochtend koffie bij me drinken,' zei ze. 'Ik wil alles horen, alle details over wat mijn zus in bed doet. Ik weet dat ze zich nu al aan het opdoffen is.' Ze ging op haar tenen staan en kuste hem op zijn wang. 'Ik zie je morgen, en succes.'

Het leven en de misdaad, mijmerde Virgil, waren gecompliceerde zaken. Er moest nog veel werk worden gedaan: verklaringen opnemen, bewijs veiligstellen, rapporten schrijven. Zijn onkostenrekening indienen... Maar vanavond niet. Vanavond ging hij naar Signy.

Hij had net zijn T-shirt uitgetrokken toen zijn telefoon ging. Hij keek naar het schermpje: Sanders. Verdomme. Maar hij ging straks naar Signy, dus het kon hem niet schelen wat er nog meer was gebeurd. Hij nam het gesprek aan. 'Ja?'

'We hebben een paar jongens door het bos achter het hek om Slibes land laten lopen, en zo te zien heeft daar een zware machine gereden,' zei Sanders. 'Ze zijn het spoor gevolgd en hebben een plek met omgewoelde aarde gevonden, ongeveer zo groot als een auto. Er zijn dode takken en bladeren overheen gelegd, maar... je technische team gaat er morgenochtend naar kijken. Ik denk namelijk dat het Windrow is.'

'Zo te horen wel,' zei Virgil. 'Ik kom morgen kijken.'

Hij beëindigde het gesprek en zag zichzelf in de spiegel boven de wastafel. Er was een schaduw over zijn gezicht getrokken en zijn ogen stonden bedroefd. Windrow was een goeie kerel geweest, energiek en vol ideeën. Als Virgil hem niet over Wendy had verteld...

Nu wilde hij niet alleen naar Signy, hij móést naar haar toe. Hij had dringend behoefte aan menselijke warmte, plus wat lijfelijk vertier. Hij was geen opschepper, vond Virgil van zichzelf, maar hij was van plan haar helemaal, en op alle denkbare manieren, alles te geven. Ze hadden nu een week om elkaar heen gedraaid en ze had hem min of meer letterlijk gezegd dat ze smachtte naar dr. Flowers' liefdeskuur.

Virgil friste zich op, trok voorzichtig de plukken watten uit zijn neus, wat verdomd veel pijn deed, schoor en parfumeerde zich, hoewel hij dat laatste zo niet noemde. Old Spice was een mannelijke aftershave, geen parfum, ook al deed je een drupje onder je testikels.

Toen hij klaar was bekeek hij zichzelf in de spiegeldeur van zijn motelkamer: een geborduurd westernshirt met opgerolde mouwen tot aan de elleboog en het tweede knoopje achteloos los, een strakke, gebleekte spijkerbroek en glimmend gepoetste cowboylaarzen met blauwgroene Thunderbird-stiksels op de zijkanten. Vrouwen vielen op mannen met glimmend gepoetste laarzen.

Ik ben echt gewoon een lekker ding, dacht hij terwijl hij zichzelf in de spiegel bewonderde, en die aluminium brace, die stukken hechtpleister en zijn twee blauwe ogen... ach, daar keek zij wel doorheen.

Er werd op de deur van zijn kamer geklopt en Virgil dacht: nee.

Hij overwoog snel het licht uit te doen, zodat het niet door het gordijn of onder de deur door scheen, in de badkamer op de grond te gaan liggen en zijn adem in te houden... Er werd weer op de deur geklopt, harder nu.

'Agent Flowers, alstublieft. U moet me helpen.'

Gewoon echt een lekker ding, dacht Virgil. Hij deed de deur open.

Hij had de vrouw die op de gang stond nooit eerder gezien. Ze was al wat ouder, begin vijftig, droeg een korte broek en een hawaïhemd, en aan een koordje om haar nek hing een bril met een roze montuur. Ze zei: 'Ze hebben me verteld dat ik u hier kon vinden.'

'Wie?'

'De jongen achter de balie. Hij zei dat u hier logeerde.'

'Ik wilde net weggaan.'

'Kijk,' zei ze, en ze wees naar de overkant van de weg, waar ook een motel was, groter en chiquer, dat zichzelf resort noemde. 'We logeren daar, mijn man en ik, de hele week.'

'Ik doe geen lokale meldingen.'

'Ik denk dat Little Linda daar is,' zei ze.

Er ging een moment voorbij, toen zei Virgil: 'Little Linda.'

'Ja. Mijn man zegt dat we ons er niet mee moeten bemoeien, maar we zijn daar nu vier dagen en ze houden maar niet op. Ze gaan maar door, dag en nacht. Ik heb de jongen een paar keer de kamer uit zien komen en zien terugkomen met eten, maar haar zie je nooit. Ik hoor haar alleen, de godganse dag. Maar goed, ik zag u op het parkeerterrein en herkende u van de foto in de krant, dus het leek me het beste om het u te vertellen.'

'Als u haar niet hebt gezien, hoe...'

'O, maar ik heb haar wel gezien, nu net, tien minuten geleden, toen ze terugkwam. Ze had een grote hoed op, maar ik stond uit het raam te kijken en ze kwamen recht op me af lopen toen ze opeens die hoed achterover deed en opkeek. Ik dacht onmiddellijk: Little Linda! Ik herkende haar meteen. Daarna kwamen ze de trap op, gingen hun kamer in en toen begon het gedonder weer.'

'U weet zeker dat het Little Linda is?'

De vrouw zei niets, keek hem met open mond aan, wendde toen haar blik af alsof ze er nog eens over moest nadenken en snauwde toen: 'Ja, natuurlijk weet ik het zeker. En ze wordt daar niet gevangen gehouden, dat verzeker ik u. Ze is daar met een jongen die eruitziet als een jaar of zestien en ze schijnen elkaar heel goed te kennen.'

Virgil had in de laatste week met heel wat politiemensen gesproken, maar hij dacht nu aan een hulpsheriff die Service heette, omdat Service een aardige kerel was geweest en hij Virgil had verteld hoe het was om je hele leven in een kleine stad te wonen. Sanders belde hij liever niet, want Sanders zou hem vragen daar te blijven tot ze er waren...

Hij belde de administratie van de sheriffdienst, vertelde wie hij was en vroeg om het privénummer van Service. Service' vrouw nam op en gaf haar man de telefoon. Virgil zei: 'Ik kan je niet vertellen waarom, want dat zou problemen kunnen geven, maar je moet als de sodemieter hiernaartoe komen.'

Service was er binnen tien minuten. Virgil vertelde de vrouw, die Debbie heette, ondertussen het verhaal over de mensen die ze bij Slibes huis hadden opgegraven. Service kwam binnen en Virgil zei: 'Dit is Debbie. En Debbie, dit is Service.'

Debbie en Service gingen aan de overkant het resort binnen. Vijf minuten later hoorde Virgil uit de stad sirenes naderen en hij ging terug naar zijn kamer om zijn tanden nog een keer te poetsen. Toen hij naar buiten kwam, stonden er al zo'n vijf patrouillewagens voor het resort.

Virgil wilde naar Sig... maar het was sterker dan hij. Hij stapte in de pick-up, reed langzaam het parkeerterrein af, stapte uit, liet de motor lopen, ging het resort binnen en werkte zich langs alle politiemensen. Service kwam aanlopen door de gang, met een brede grijns op zijn gezicht, zag Virgil.

'We hebben ze,' zei hij. Ze gaven elkaar een high five. 'Hartstikke bedankt. Die jongen is haar geheime vriendje uit Apple Valley. De sheriff is onderweg vanuit Bigfork. Ik kan in heel Minnesota niet meer stuk. Een loepzuivere arrestatie, door mij alleen.'

'Goeie service, hè, Service?'

Virgil was gespannen toen hij naar Signy reed, zijn hart klopte sneller, de adrenaline schoot door zijn aderen en hoewel hij moe was van alle gebeurtenissen van de afgelopen dag, had de vechtpartij hem op scherp gezet. Zo moesten de barbaren zich voelen, dacht Virgil, als ze na de strijd thuiskwamen en de vrouw des huizes besprongen.

Daar kwam nog bij dat vrouwen niet alleen van glimmend gepoetste laarzen hielden, ze hadden een nog groter zwak voor gewonde krijgers.

Het vooruitzicht op ongeremde, goeie seks, beweerden sommigen, was even goed als de seks zelf, maar Virgil geloofde daar niet in. Niets was beter dan seks. Zelfs een musky van veertig pond niet. Of hetzelfde gold voor een vijftigponder, daar moest hij even over nadenken...

En dat nadenken stemde hem vrolijk, en toen hij de satellietradio aanzette hoorde hij, bij toeval of door de hand van God, ZZ Top met *Sharp Dressed Man*.

Een voorteken, en een heel goed voorteken.

Hij zat nog steeds op de maat van de ZZ's op het stuur mee te slaan toen hij bij Signy's huis stopte, maar opeens ontsnapte er een deel van de lucht uit zijn feestballon, want er stond een onbekende, gedeukte pick-up in de tuin, wat wel heel ongelegen kwam.

In zijn mentale plan van aanpak had hij haar vastgepakt, de keuken door gesleept en op het bed gegooid. Nu moesten ze eerst iemand de deur uit werken. Hij parkeerde de pick-up en stapte uit, keek een keer om zich heen en liep naar de deur.

Signy gooide die al open voordat hij kon kloppen, deed hem achter zich dicht en ging er met haar rug tegenaan staan.

Ze zag er geweldig uit met die iets vermoeide groene ogen, dat verwarde haar, die gezwollen lippen, die halve glimlach om haar mond...

Gezwollen lippen?

'O, Virgil,' zei ze, en ze legde haar handen op zijn borst. 'Eh... raad eens?'

'Eh, wat?'

Ze keek naar hem op met haar groene slaapkamerogen, de ogen van een vrouw wier hersens kortgeleden flink door elkaar waren geschud.

'Ach, jeetje,' zei ze. 'Je kent Joe? Hij is terug.'

Dankwoord

Ik heb dit boek geschreven in samenwerking met mijn oude visvriend en collega-journalist Bill Gardner, auteur van *Time on the Water*, de klassieker over het vissen op musky. Bill en ik hebben bijna dertig jaar samen op musky gevist en het is vooral aan zijn inbreng te danken dat de visscènes in het boek minder stompzinnig overkomen dan het vissen op musky in werkelijkheid is.